#수학유형서
#리더공부비법
#한권으로유형올킬
#학원에서검증된문제집

수학리더
유형

**Chunjae
Makes
Chunjae**

▼

기획총괄	박금옥
편집개발	윤경옥, 김미애, 박초아, 조선현, 조은영,
	김연정, 김수정, 김유림, 남태희
디자인총괄	김희정
표지디자인	윤순미, 박민정
내지디자인	박희춘
제작	황성진, 조규영

발행일	2021년 11월 15일 2판 2021년 11월 15일 1쇄
발행인	(주)천재교육
주소	서울시 금천구 가산로9길 54
신고번호	제2001-000018호
고객센터	1577-0902
교재 구입 문의	1522-5566

수학 리더 유형 6-2

라이트 유형서 차례

구성과 특장

1 단원 도입

단원에서 중요한
핵심 개념이나 자주 틀리는
유형에 대해 재미있는
스토리로 진단해 주고
처방해 준다능~

2 기본 학습

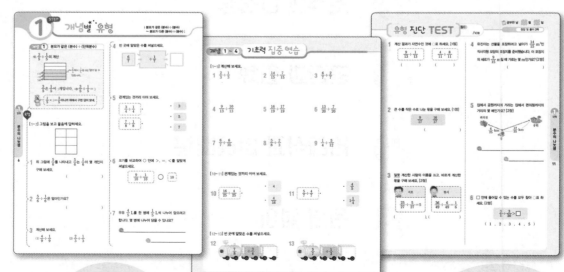

개념에 따른
교과서 유형
수록!

연산·이해
기초 문제
반복 연습

개념별 유형 중
핵심 유형을
진단하는 TEST

3 문제 해결력 강화 학습

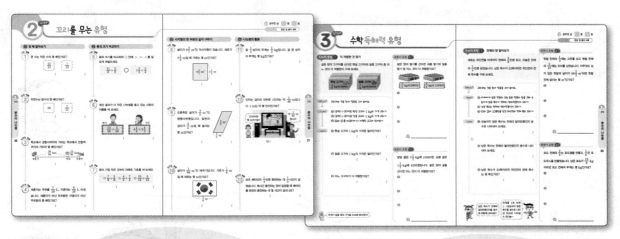

기본 → 변형 → 문장제
→ 실생활 유형으로
꼬리를 무는 유형

What → How →
Solve 단계로 문제를
분석하고 해결하는 유형

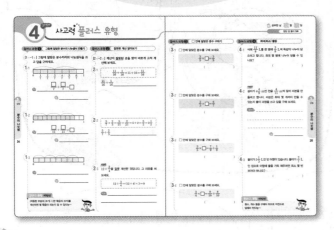

하나의 유형을
반복해서 연습한 후
변형된 어려운 유형을
함께 익히는 사고력을
플러스 시켜주는 유형

4 특별 학습

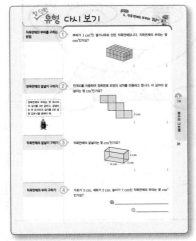

앞 단원 내용을
잊기 전에
다시 한번
풀어 보면서
기억하자!

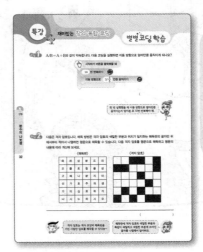

창의 · 융합 ·
코딩 관련
문항이나
이야기를
접해 볼 수 있는
특별 코너!

1 분수의 나눗셈

세미는 못생긴 바보 멍청이!

헉! 너 누구야!!!

유력한 용의자는 현성이와 성태예요. 탐정님, 범인을 꼭 잡아주세요. ㅜㅜ

알았다능~

성태! 네가 조금 전에 나한테 장난 전화 했지?

뭐? 난 핸드폰 배터리가 방전되어서 편의점에서 방금 충전하고 나왔는데.

$\frac{3}{8}$만큼 충전하는 데 9분이 걸렸어. 완전히 충전하는 데 24분이 걸렸고~

완전히 충전하는 데 걸린 시간:
$9 \div \frac{3}{8} = (9 \div 3) \times 8 = 24$(분)

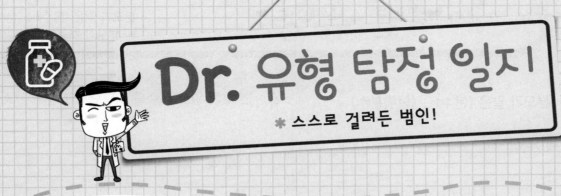

개념 1 분모가 같은 (분수)÷(단위분수)

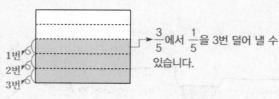

예 $\frac{3}{5} \div \frac{1}{5}$의 계산

$\frac{3}{5}$에서 $\frac{1}{5}$을 3번 덜어 낼 수 있습니다.

1번
2번
3번

$\frac{3}{5}$은 $\frac{1}{5}$이 3개입니다. ➡ $\frac{3}{5} \div \frac{1}{5} = 3$

$\frac{1}{5} \times 3 = \frac{3}{5}$이니까 위에서 구한 답이 맞네.

[1~2] 그림을 보고 물음에 답하세요.

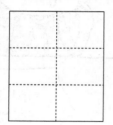

1 위 그림에 $\frac{5}{6}$를 나타내고 $\frac{5}{6}$는 $\frac{1}{6}$이 몇 개인지 구해 보세요.

( )

2 $\frac{5}{6} \div \frac{1}{6}$은 얼마인가요?

( )

3 계산해 보세요.

(1) $\frac{4}{9} \div \frac{1}{9}$ (2) $\frac{2}{3} \div \frac{1}{3}$

4 빈 곳에 알맞은 수를 써넣으세요.

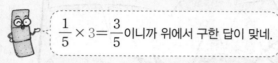

$\frac{6}{7}$ ➡ $\div \frac{1}{7}$ ➡

5 관계있는 것끼리 이어 보세요.

$\frac{3}{4} \div \frac{1}{4}$ ·

$\frac{7}{8} \div \frac{1}{8}$ ·

· 3

· 5

· 7

6 크기를 비교하여 ○ 안에 >, =, <를 알맞게 써넣으세요.

$\frac{9}{10} \div \frac{1}{10}$ ○ 10

7 우유 $\frac{4}{5}$ L를 한 병에 $\frac{1}{5}$ L씩 나누어 담으려고 합니다. 몇 병에 나누어 담을 수 있나요?

식 _____

답 _____

개념 2 분자끼리 나누어떨어지는
분모가 같은 (분수) ÷ (분수)

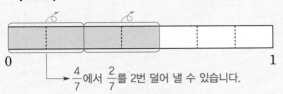

(예) $\dfrac{4}{7} \div \dfrac{2}{7}$ 의 계산

0 ——————————————— 1

→ $\dfrac{4}{7}$ 에서 $\dfrac{2}{7}$ 를 2번 덜어 낼 수 있습니다.

$\dfrac{4}{7}$ 는 $\dfrac{1}{7}$ 이 4개, $\dfrac{2}{7}$ 는 $\dfrac{1}{7}$ 이 2개입니다.

➡ $\dfrac{4}{7} \div \dfrac{2}{7} = 4 \div 2 = 2$

$\dfrac{4}{7} \div \dfrac{2}{7}$ 를 4÷2로 생각하면 돼.

 유형

8 □ 안에 알맞은 수를 써넣으세요.

$\dfrac{6}{11}$ 은 $\dfrac{1}{11}$ 이 □개이고 $\dfrac{3}{11}$ 은 $\dfrac{1}{11}$ 이 □개

이므로 $\dfrac{6}{11} \div \dfrac{3}{11} = □$ 입니다.

9 계산해 보세요.

(1) $\dfrac{10}{13} \div \dfrac{5}{13}$　　　(2) $\dfrac{9}{10} \div \dfrac{3}{10}$

10 큰 수를 작은 수로 나눈 몫을 구해 보세요.

| $\dfrac{6}{7}$ | $\dfrac{2}{7}$ |

(　　　　　　)

11 계산 결과가 다른 하나에 ○표 하세요.

| $\dfrac{14}{15} \div \dfrac{2}{15}$ | 14÷2 | 2÷14 |

(　　　)　　(　　　)　　(　　　)

12 계산 결과가 더 큰 쪽에 ○표 하세요.

| $\dfrac{15}{17} \div \dfrac{3}{17}$ | $\dfrac{6}{7} \div \dfrac{1}{7}$ |

(　　　　)　　(　　　　)

13 소연이네 집에서는 밥을 한 번 지을 때마다 콩을 $\dfrac{7}{25}$ kg씩 사용합니다. 콩 $\dfrac{14}{25}$ kg으로 밥을 몇 번 지을 수 있나요?

(　　　　　　　　　)

14 빨간색 리본의 길이는 $\dfrac{18}{19}$ m, 파란색 리본의 길이는 $\dfrac{9}{19}$ m입니다. 빨간색 리본의 길이는 파란색 리본의 길이의 몇 배인가요?

식

답 _____

1
단원

분수의 나눗셈

7

개념 3 분자끼리 나누어떨어지지 않는 분모가 같은 (분수)÷(분수)

예 $\dfrac{5}{7} \div \dfrac{2}{7}$의 계산

$\dfrac{5}{7}$는 $\dfrac{1}{7}$이 5개이고 $\dfrac{2}{7}$는 $\dfrac{1}{7}$이 2개이므로 5를 2로 나누는 것과 같습니다.

→ $\dfrac{5}{7} \div \dfrac{2}{7} = 5 \div 2 = \dfrac{5}{2} = 2\dfrac{1}{2}$

 참고 계산 결과를 대분수나 기약분수로 나타내어야 정답이지만 가분수 또는 기약분수가 아닌 분수로 나타내어도 정답으로 인정합니다.

유형 1

15 보기와 같이 계산해 보세요.

보기

$$\dfrac{6}{13} \div \dfrac{7}{13} = 6 \div 7 = \dfrac{6}{7}$$

$\dfrac{5}{9} \div \dfrac{8}{9}$ _____

16 계산해 보세요.

(1) $\dfrac{9}{14} \div \dfrac{13}{14}$ (2) $\dfrac{7}{9} \div \dfrac{4}{9}$

17 ㉠÷㉡의 값을 구해 보세요.

㉠ $\dfrac{5}{7}$ ㉡ $\dfrac{3}{7}$

(   )

18 관계있는 것끼리 이어 보세요.

$\dfrac{17}{20} \div \dfrac{13}{20}$ $\dfrac{13}{18} \div \dfrac{17}{18}$ $\dfrac{18}{19} \div \dfrac{5}{19}$

$13 \div 17$ $17 \div 13$ $18 \div 5$

$\dfrac{13}{17}$ $1\dfrac{4}{13}$ $3\dfrac{3}{5}$

19 로봇의 무게는 인형의 무게의 몇 배인가요?

로봇: $\dfrac{24}{25}$ kg   인형: $\dfrac{13}{25}$ kg

식 _____

답 _____

20 소라는 물을 오전에 $\dfrac{7}{10}$ L 마셨고, 오후에 $\dfrac{3}{10}$ L 마셨습니다. 오전에 마신 물의 양은 오후에 마신 물의 양의 몇 배인가요?

(   )

개념 ④ 분모가 다른 (분수)÷(분수)

1. 분자끼리 나누어떨어지는 $\frac{3}{4} \div \frac{3}{8}$의 계산

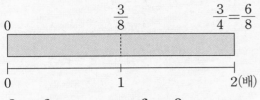

$\frac{3}{4}$은 $\frac{6}{8}$과 같습니다. $\frac{6}{8}$에 $\frac{3}{8}$이 2개이므로

$$\frac{3}{4} \div \frac{3}{8} = \frac{6}{8} \div \frac{3}{8} = 6 \div 3 = 2$$입니다.

2. 분자끼리 나누어떨어지지 않는 $\frac{2}{5} \div \frac{5}{6}$의 계산

$$\frac{2}{5} \div \frac{5}{6} = \underbrace{\frac{12}{30} \div \frac{25}{30}}_{\text{통분하기}} = \underbrace{12 \div 25}_{\text{분자끼리 나누기}} = \frac{12}{25}$$

> 분모가 다른 (분수)÷(분수)의 계산 방법
> 분모를 같게 통분하여 분자끼리 나누어 구합니다.

유형

21 ㉠과 ㉡에 알맞은 수를 각각 구해 보세요.

$$\frac{3}{8} \div \frac{5}{6} = \frac{㉠}{24} \div \frac{㉡}{24}$$

㉠ (　　　　　　　　), ㉡ (　　　　　　　　)

22 보기 와 같이 계산해 보세요.

보기
$$\frac{5}{6} \div \frac{3}{4} = \frac{10}{12} \div \frac{9}{12} = 10 \div 9 = \frac{10}{9} = 1\frac{1}{9}$$

$\frac{1}{3} \div \frac{4}{9}$ _____

23 빈 곳에 알맞은 수를 써넣으세요.

| $\frac{9}{10}$ | $\div \frac{5}{7}$ | |

24 $\frac{4}{15} \div \frac{4}{30}$를 <u>잘못</u> 계산한 것입니다. 바르게 고쳐 계산해 보세요.

$$\frac{4}{15} \div \frac{4}{30} = 4 \div 4 = 1$$

$\frac{4}{15} \div \frac{4}{30}$ _____

25 넓이가 $\frac{1}{3}$ m²인 직사각형이 있습니다. 이 직사각형의 세로가 $\frac{3}{7}$ m일 때 가로는 몇 m인가요?

$\frac{1}{3}$ m²　　$\frac{3}{7}$ m

(　　　　　　　　　　　)

26 퀵보드를 타고 $\frac{4}{5}$ km를 가는 데 $\frac{2}{15}$시간이 걸렸다면 같은 빠르기로 1시간 동안 갈 수 있는 거리는 몇 km인가요?

(　　　　　　　　　　　)

[1~9] 계산해 보세요.

1 $\dfrac{2}{3} \div \dfrac{1}{3}$

2 $\dfrac{14}{15} \div \dfrac{7}{15}$

3 $\dfrac{6}{7} \div \dfrac{2}{7}$

4 $\dfrac{9}{13} \div \dfrac{10}{13}$

5 $\dfrac{16}{19} \div \dfrac{17}{19}$

6 $\dfrac{13}{20} \div \dfrac{7}{20}$

7 $\dfrac{6}{7} \div \dfrac{6}{35}$

8 $\dfrac{5}{8} \div \dfrac{2}{3}$

9 $\dfrac{1}{4} \div \dfrac{5}{12}$

[10~11] 관계있는 것끼리 이어 보세요.

10 $\boxed{\dfrac{16}{25} \div \dfrac{4}{25}}$ •

• $\boxed{4}$

• $\boxed{\dfrac{4}{16}}$

11 $\boxed{\dfrac{5}{7} \div \dfrac{4}{7}}$ •

• $\boxed{\dfrac{4}{5}}$

• $\boxed{1\dfrac{1}{4}}$

[12~13] 빈 곳에 알맞은 수를 써넣으세요.

12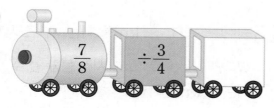

13

유형 진단 TEST

1 계산 결과가 자연수인 것에 ○표 하세요. [1점]

$$\frac{9}{13} \div \frac{1}{13}$$ $$\frac{4}{11} \div \frac{8}{11}$$

(   )   (   )

2 큰 수를 작은 수로 나눈 몫을 구해 보세요. [1점]

$$\frac{9}{17} \qquad \frac{16}{17}$$

(   )

3 잘못 계산한 사람의 이름을 쓰고, 바르게 계산한 몫을 구해 보세요. [2점]

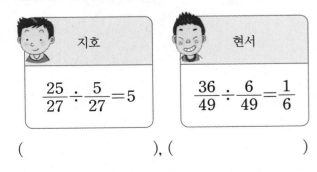

지호	현서
$\frac{25}{27} \div \frac{5}{27} = 5$	$\frac{36}{49} \div \frac{6}{49} = \frac{1}{6}$

(   ), (   )

4 유진이는 선물을 포장하려고 넓이가 $\frac{14}{15}$ m²인 직사각형 모양의 포장지를 준비했습니다. 이 포장지의 세로가 $\frac{9}{15}$ m일 때 가로는 몇 m인가요? [2점]

(   )

5 집에서 공원까지의 거리는 집에서 편의점까지의 거리의 몇 배인가요? [2점]

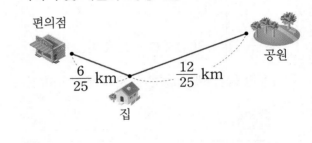

편의점   공원

$\frac{6}{25}$ km $\frac{12}{25}$ km

집

식 _____

답 _____

6 □ 안에 들어갈 수 있는 수를 모두 찾아 ○표 하세요. [2점]

$$\frac{3}{5} \div \frac{3}{20} > \square$$

(1 , 2 , 3 , 4 , 5)

개념 5 (자연수)÷(분수)

예 $6 \div \dfrac{2}{3}$의 계산

> 감자 6 kg을 캐는 데 $\dfrac{2}{3}$시간이 걸렸다면 1시간 동안 캘 수 있는 감자의 무게 구하기

1. $\dfrac{1}{3}$시간 동안 캘 수 있는 감자의 무게 구하기

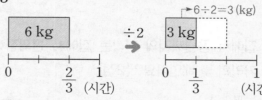

→ $\dfrac{1}{3}$시간 동안 감자 $\overset{①}{\underline{6 \div 2}} = 3$ (kg)을 캠.

2. 1시간 동안 캘 수 있는 감자의 무게 구하기

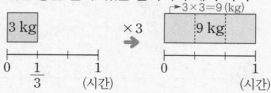

→ 1시간 동안 감자 $\overset{②}{\underline{3 \times 3}} = 9$ (kg)을 캠.

따라서 1시간 동안 캘 수 있는 감자의 무게는

$$6 \div \frac{2}{3} = \underset{②}{\underline{\underset{①}{\underline{(6 \div 2)}} \times 3}} = 9 \text{ (kg)입니다.}$$

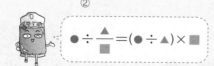

$\bullet \div \dfrac{\blacktriangle}{\blacksquare} = (\bullet \div \blacktriangle) \times \blacksquare$

유형

1 보기 와 같이 계산해 보세요.

> **보기**
> $$9 \div \frac{3}{4} = (9 \div 3) \times 4 = 12$$

$15 \div \dfrac{5}{8}$ _____

2 계산해 보세요.

(1) $8 \div \dfrac{4}{7}$ (2) $14 \div \dfrac{7}{9}$

3 빈 곳에 알맞은 수를 써넣으세요.

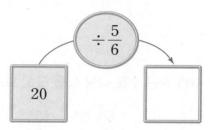

4 $1 \div \dfrac{1}{2}$에 대해 **잘못** 말한 사람의 이름을 써 보세요.

서아: 나눗셈이니까 계산 결과가 나누어지는 수 1보다 작아.

지안: 리본 1 m를 $\dfrac{1}{2}$ m씩 2명에게 나누어 줄 수 있으니까 $1 \div \dfrac{1}{2} = 2$가 되는구나.

(   )

5 크기를 비교하여 ○ 안에 >, =, <를 알맞게 써넣으세요.

$18 \div \dfrac{6}{11}$ $10 \div \dfrac{2}{7}$

6 가장 큰 수를 가장 작은 수로 나눈 몫을 구해 보세요.

| 12 | $\dfrac{3}{7}$ | $\dfrac{3}{5}$ |

(   )

7 나눗셈의 몫이 <u>다른</u> 하나에 ◯표 하세요.

$14 \div \dfrac{2}{7}$ $24 \div \dfrac{1}{2}$ $42 \div \dfrac{7}{8}$

8 30 m 길이의 털실이 있습니다. 한 명에게 $\dfrac{5}{8}$ m씩 나누어 준다면 몇 명에게 나누어 줄 수 있나요?

(   )

9 고구마 6 kg을 캐는 데 $\dfrac{3}{4}$시간이 걸렸다면 1시간 동안 캘 수 있는 고구마의 무게는 몇 kg인가요?

 식 _____

 답 _____

개념 6 (분수) ÷ (분수)를 (분수) × (분수)로 나타내기

예 $\dfrac{4}{5} \div \dfrac{3}{4}$의 계산

> 우유 $\dfrac{4}{5}$ L를 빈 통에 담았을 때 통의 $\dfrac{3}{4}$이 찼다면 한 통을 가득 채울 수 있는 우유량 구하기

1. 통의 $\dfrac{1}{4}$을 채울 수 있는 우유량 구하기

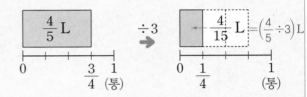

➡ 통의 $\dfrac{1}{4}$의 우유량: $\dfrac{4}{5} \div 3 = \left(\dfrac{4}{5} \times \dfrac{1}{3}\right)$ L

2. 한 통을 가득 채울 수 있는 우유량 구하기

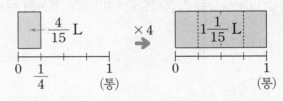

➡ 한 통의 우유량: $\dfrac{4}{5} \times \dfrac{1}{3} \times 4 = 1\dfrac{1}{15}$ (L)

따라서 한 통을 가득 채울 수 있는 우유량은

$\dfrac{4}{5} \div \dfrac{3}{4} = \dfrac{4}{5} \times \dfrac{1}{3} \times 4 = \dfrac{4}{5} \times \dfrac{4}{3}$

$= \dfrac{16}{15} = 1\dfrac{1}{15}$ (L)입니다.

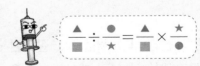

$\dfrac{\blacktriangle}{\blacksquare} \div \dfrac{\bullet}{\bigstar} = \dfrac{\blacktriangle}{\blacksquare} \times \dfrac{\bigstar}{\bullet}$

유형

10 ㉮와 ㉯에 알맞은 수를 각각 구해 보세요.

$\dfrac{7}{9} \div \dfrac{3}{8} = \dfrac{7}{9} \times \dfrac{㉯}{㉮}$

㉮ (   ), ㉯ (   )

1 STEP 개념별 유형

11 나눗셈을 계산할 수 있는 곱셈식을 찾아 이어 보세요.

$\dfrac{9}{10} \div \dfrac{4}{11}$ •

$\dfrac{4}{11} \div \dfrac{9}{10}$ •

$\dfrac{9}{10} \div \dfrac{1}{11}$ •

• $\dfrac{9}{10} \times \dfrac{11}{4}$

• $\dfrac{9}{10} \times 11$

• $\dfrac{4}{11} \times \dfrac{10}{9}$

12 나눗셈식을 곱셈식으로 나타내어 계산해 보세요.

(1) $\dfrac{2}{5} \div \dfrac{5}{9}$ _____

(2) $\dfrac{15}{16} \div \dfrac{5}{8}$ _____

13 잘못된 계산입니다. 처음으로 잘못된 곳을 찾아 ○표 하고, 바르게 고쳐 계산해 보세요.

$$\dfrac{5}{14} \div \dfrac{4}{7} = \dfrac{14}{5} \times \dfrac{4}{7} = \dfrac{56}{35} = \dfrac{8}{5} = 1\dfrac{3}{5}$$

➜ $\dfrac{5}{14} \div \dfrac{4}{7}$ _____

14 빨간색 털실의 길이는 초록색 털실의 길이의 몇 배인가요?

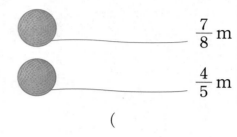

$\dfrac{7}{8}$ m

$\dfrac{4}{5}$ m

(   )

15 빈 곳에 알맞은 수를 써넣으세요.

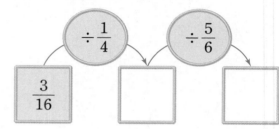

$\div \dfrac{1}{4}$ $\div \dfrac{5}{6}$

$\dfrac{3}{16}$

16 우유 $\dfrac{3}{4}$ L가 있습니다. 컵 한 개에 $\dfrac{1}{8}$ L씩 나누어 담으려면 컵은 몇 개 필요한가요?

식 _____

답 _____

17 주스 $\dfrac{14}{15}$ L를 빈 통에 담았을 때 통의 $\dfrac{2}{5}$가 찼다면 한 통을 가득 채울 수 있는 주스는 몇 L인가요?

(   )

개념 7 (분수)÷(분수) (1)─(자연수)÷(분수)

(예) $4 \div \dfrac{5}{7}$ 의 계산

$$4 \div \frac{5}{7} = 4 \times \frac{7}{5} = \frac{28}{5} = 5\frac{3}{5}$$

분모와 분자를 바꾸어 곱셈으로 계산

> 나눗셈을 곱셈으로 나타내고 나누는 수의 분모와 분자를 바꾸어 계산합니다.

18 위 **개념 7** 과 같이 계산해 보세요.

(1) $9 \div \dfrac{2}{5}$ _____

(2) $5 \div \dfrac{3}{4}$ _____

19 자연수를 분수로 나눈 몫을 구해 보세요.

6	$\dfrac{5}{7}$

(　　　　　　)

20 넓이가 2 m²인 평행사변형이 있습니다. 이 평행사변형의 높이가 $\dfrac{7}{8}$ m일 때 밑변의 길이는 몇 m인가요?

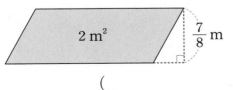

(　　　　　　)

개념 8 (분수)÷(분수) (2)─(가분수)÷(분수)

(예) $\dfrac{11}{4} \div \dfrac{4}{7}$ 의 계산

방법 1 통분하여 계산하기

$$\frac{11}{4} \div \frac{4}{7} = \frac{77}{28} \div \frac{16}{28} = 77 \div 16$$

$$= \frac{77}{16} = 4\frac{13}{16}$$

방법 2 분수의 곱셈으로 나타내어 계산하기

$$\frac{11}{4} \div \frac{4}{7} = \frac{11}{4} \times \frac{7}{4} = \frac{77}{16} = 4\frac{13}{16}$$

21 위 **방법 1** 과 같이 통분하여 계산해 보세요.

$\dfrac{18}{5} \div \dfrac{6}{7}$ _____

_____

22 위 **방법 2** 와 같이 분수의 곱셈으로 나타내어 계산해 보세요.

$\dfrac{8}{5} \div \dfrac{3}{5}$ _____

23 빈 곳에 알맞은 수를 써넣으세요.

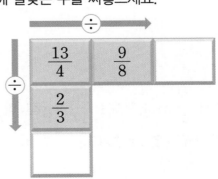

STEP 1 개념별 유형

24 무거운 물건의 무게를 가벼운 물건의 무게로 나눈 몫을 구해 보세요.

$\dfrac{7}{2}$ kg $\dfrac{5}{8}$ kg

(   )

25 계산 결과가 자연수인 것에 ○표 하세요.

$\dfrac{15}{8} \div \dfrac{25}{8}$	$\dfrac{25}{9} \div \dfrac{5}{9}$

(   )   (   )

26 붕어빵 한 개를 만드는 데 밀가루 $\dfrac{2}{15}$ 컵이 필요합니다. 밀가루 $\dfrac{16}{3}$ 컵으로 만들 수 있는 붕어빵은 몇 개인가요?

식 _____

답 _____

27 철사 $\dfrac{3}{4}$ m의 무게는 $\dfrac{20}{17}$ kg입니다. 철사 1 m 의 무게는 몇 kg인가요?

(   )

개념 9 (분수)÷(분수) (3) ─(대분수)÷(분수)

예 $1\dfrac{1}{4} \div \dfrac{2}{5}$의 계산

방법 1 통분하여 계산하기

$$1\dfrac{1}{4} \div \dfrac{2}{5} = \dfrac{5}{4} \div \dfrac{2}{5} = \dfrac{25}{20} \div \dfrac{8}{20}$$

가분수로 나타내기   통분하기

$$= 25 \div 8 = \dfrac{25}{8} = 3\dfrac{1}{8}$$

방법 2 분수의 곱셈으로 나타내어 계산하기

$$1\dfrac{1}{4} \div \dfrac{2}{5} = \dfrac{5}{4} \div \dfrac{2}{5} = \dfrac{5}{4} \times \dfrac{5}{2} = \dfrac{25}{8} = 3\dfrac{1}{8}$$

 대분수의 나눗셈을 할 때에는 먼저 대분수를 가분수로 나타내어 계산해야 해.

유형

[28~29] $1\dfrac{1}{5} \div 1\dfrac{2}{7}$를 위 개념 **9** 의 두 가지 방법으로 계산해 보세요.

28 방법 **1**   통분하여 계산해 봐.

29 방법 **2**   분수의 곱셈으로 나타내어 계산해 봐.

30 $1\frac{7}{9}$은 $\frac{2}{3}$의 몇 배인가요?

(   )

서술형

31 다음은 $7\frac{1}{3} \div \frac{1}{3}$을 잘못 계산한 것입니다. 계산이 잘못된 이유를 쓰고 바르게 고쳐 계산해 보세요.

$$7\frac{1}{3} \div \frac{1}{3} = 7\frac{1}{3} \times \overset{1}{\cancel{3}} = 7$$

(이유) _____

_____

(고치기)

32 계산 결과가 더 큰 것의 기호를 써 보세요.

    ㉠ $3\frac{1}{3} \div \frac{5}{9}$ ㉡ $4\frac{1}{4} \div 1\frac{1}{5}$

(   )

33 휘발유 $2\frac{3}{4}$ L로 간 거리를 나타낸 것입니다. 휘발유 1 L로 몇 km를 간 셈인가요?

간 거리
$16\frac{1}{2}$ km

(   )

플러스
개념 10   세 분수의 나눗셈

(예) $\frac{3}{5} \div \frac{2}{7} \div \frac{4}{9}$의 계산

방법 1   앞에서부터 차례로 두 분수씩 계산하기

$$\frac{3}{5} \div \frac{2}{7} \div \frac{4}{9} = \frac{3}{5} \times \frac{7}{2} \div \frac{4}{9} = \frac{21}{10} \div \frac{4}{9}$$

$$= \frac{21}{10} \times \frac{9}{4} = \frac{189}{40} = 4\frac{29}{40}$$

방법 2   모두 곱셈으로 고쳐서 한꺼번에 계산하기

$$\frac{3}{5} \div \frac{2}{7} \div \frac{4}{9} = \frac{3}{5} \times \frac{7}{2} \times \frac{9}{4}$$

$$= \frac{189}{40} = 4\frac{29}{40}$$

유형

34 계산해 보세요.

$$\frac{1}{2} \div \frac{1}{5} \div \frac{2}{3}$$

35 빈 곳에 알맞은 수를 써넣으세요.

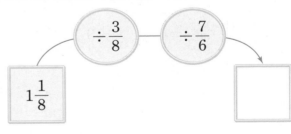

$1\frac{1}{8}$ $\div \frac{3}{8}$ $\div \frac{7}{6}$

36 크기를 비교하여 ○ 안에 >, =, <를 알맞게 써넣으세요.

$$\frac{4}{3} \div \frac{2}{5} \div \frac{6}{7} \;\bigcirc\; 3$$

[1~2] □ 안에 알맞은 수를 써넣으세요.

1 $24 \div \dfrac{8}{9} = (24 \div \boxed{}) \times \boxed{} = \boxed{}$

2 $12 \div \dfrac{3}{5} = (12 \div \boxed{}) \times \boxed{} = \boxed{}$

[3~6] 나눗셈식을 곱셈식으로 나타내어 계산해 보세요.

3 $7 \div \dfrac{4}{13}$

4 $\dfrac{10}{9} \div \dfrac{3}{7}$

5 $1\dfrac{2}{3} \div \dfrac{3}{10}$

6 $2\dfrac{3}{4} \div 1\dfrac{1}{10}$

[7~12] 계산해 보세요.

7 $18 \div \dfrac{9}{14} = \boxed{}$ — 안

8 $20 \div \dfrac{7}{11} = \boxed{}$ — 장

9 $\dfrac{10}{17} \div \dfrac{5}{2} = \boxed{}$ — 실

10 $\dfrac{13}{8} \div \dfrac{3}{4} = \boxed{}$ — 천

11 $2\dfrac{4}{5} \div \dfrac{2}{13} = \boxed{}$ — 화

12 $4\dfrac{2}{3} \div \dfrac{21}{15} = \boxed{}$ — 구

위의 계산 결과가 오른쪽 분수인 글자를 넣어 난센스의 답을 찾아봐.

Q 사람이 안에 있지만 문을 두드려도 열어주지 않는 곳은?

A	$18\dfrac{1}{5}$	$31\dfrac{3}{7}$	$\dfrac{4}{17}$

유형 진단 TEST

점수

/10점

1 ㉠과 ㉡에 알맞은 수의 합을 구해 보세요. [1점]

$$2\frac{1}{7} \div \frac{2}{3} = \frac{㉠}{7} \div \frac{2}{3} = \frac{㉡}{21} \div \frac{14}{21}$$

(   )

2 빈 곳에 알맞은 수를 써넣으세요. [1점]

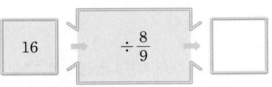

3 지안이가 말한 수를 지호가 말한 수로 나눈 몫을 구해 보세요. [1점]

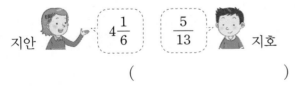

지안 $4\frac{1}{6}$ $\frac{5}{13}$ 지호

(   )

4 계산 결과가 더 큰 것의 기호를 써 보세요. [1점]

㉠ $3 \div \frac{2}{3}$ ㉡ $2\frac{3}{8} \div \frac{3}{4}$

(   )

5 $\frac{21}{10} \div \frac{7}{9}$ 을 두 가지 방법으로 계산해 보세요. [2점]

방법 **1**

방법 **2**

6 어떤 수에 $\frac{7}{12}$ 을 곱했더니 21이 되었습니다. 어떤 수를 구해 보세요. [2점]

(   )

7 넓이가 $5\frac{2}{5}$ m²인 삼각형입니다. 이 삼각형의 높이가 $\frac{9}{2}$ m일 때 밑변의 길이는 몇 m인가요? [2점]

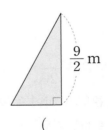

$\frac{9}{2}$ m

(   )

① 몇 배 알아보기

기본 유형

1 큰 수는 작은 수의 몇 배인가요?

$$\dfrac{12}{13} \qquad \dfrac{1}{13}$$

( )

변형 유형

2 자연수는 분수의 몇 배인가요?

$$28 \qquad \dfrac{7}{11}$$

( )

실생활 유형

3 학교에서 경찰서까지의 거리는 학교에서 전철역까지의 거리의 몇 배인가요?

$$\dfrac{39}{50} \text{ km} \qquad \dfrac{13}{50} \text{ km}$$

경찰서　　　　　학교　전철역

( )

문장제 유형

4 세훈이는 우유를 $\dfrac{7}{20}$ L, 지영이는 $\dfrac{6}{20}$ L 마셨습니다. 세훈이가 마신 우유량은 지영이가 마신 우유량의 몇 배인가요?

( )

② 몫의 크기 비교하기

기본 유형

5 몫의 크기를 비교하여 ○ 안에 >, =, <를 알맞게 써넣으세요.

$$\dfrac{11}{8} \div \dfrac{2}{3} \qquad \bigcirc \qquad 1\dfrac{2}{5} \div \dfrac{3}{4}$$

변형 유형

6 계산 결과가 더 작은 나눗셈을 들고 있는 사람의 이름을 써 보세요.

현서  다은

$$\dfrac{13}{16} \div \dfrac{5}{16} \qquad\qquad 4\dfrac{1}{4} \div 2\dfrac{1}{3}$$

( )

변형 유형

7 몫이 가장 작은 것부터 차례로 기호를 써 보세요.

㉠ $\dfrac{7}{9} \div \dfrac{5}{8}$　㉡ $\dfrac{4}{3} \div \dfrac{7}{4}$　㉢ $\dfrac{15}{14} \div \dfrac{5}{14}$

( )

❸ 사각형의 한 부분의 길이 구하기

기본 유형
8 넓이가 $9\dfrac{2}{7}$ m²인 직사각형이 있습니다. 세로가 $3\dfrac{1}{3}$ m일 때 가로는 몇 m인가요?

$9\dfrac{2}{7}$ m²　$3\dfrac{1}{3}$ m

(　　　　　　　)

변형 유형
9 오른쪽은 넓이가 $\dfrac{4}{5}$ m²인 평행사변형입니다. 밑변의 길이가 $\dfrac{3}{5}$ m일 때 높이는 몇 m인가요?

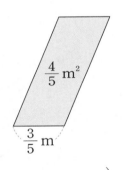

$\dfrac{4}{5}$ m²

$\dfrac{3}{5}$ m

(　　　　　　　)

실생활 유형
10 넓이가 $\dfrac{1}{96}$ m²인 태극기입니다. 가로가 $\dfrac{1}{8}$ m일 때 세로는 몇 m인가요?

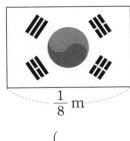

$\dfrac{1}{8}$ m

(　　　　　　　)

❹ 나눗셈의 활용

기본 유형
11 귤 $\dfrac{1}{5}$ 상자의 무게는 $\dfrac{1}{2}$ kg입니다. 귤 한 상자의 무게는 몇 kg인가요?

(　　　　　　　)

실생활 유형
12 인치는 길이의 단위로 1인치는 약 $\dfrac{1}{40}$ m입니다. 1 m는 약 몇 인치인가요?

1인치이면 몇 m인가요?

특가

약 $\dfrac{1}{40}$ m 입니다.

약 (　　　　　　　)

문장제 유형
13 보조 배터리의 $\dfrac{1}{4}$만큼 충전하는 데 $\dfrac{1}{5}$시간이 걸렸습니다. 매시간 충전되는 양이 일정할 때 배터리를 완전히 충전하는 데 몇 시간이 걸리나요?

(　　　　　　　)

독해력 유형 **1** 더 저렴한 것 찾기

같은 양의 고구마를 산다면 햇살 고구마와 달콤 고구마 중 어느 것이 더 저렴한지 구해 보세요.

햇살 고구마
$\frac{4}{5}$ kg에 5000원

달콤 고구마
$\frac{7}{8}$ kg에 5600원

What? 구하려는 것을 찾아 밑줄을 그어 보세요.

How?
❶ (금액)÷(무게)로 햇살 고구마 1 kg의 가격 구하기
❷ (금액)÷(무게)로 달콤 고구마 1 kg의 가격 구하기
❸ ❶과 ❷를 비교하여 더 저렴한 고구마 알아보기

Solve
❶ 햇살 고구마 1 kg의 가격은 얼마인가요?

( )

❷ 달콤 고구마 1 kg의 가격은 얼마인가요?

( )

❸ 어느 고구마가 더 저렴한가요?

( )

무게가 같을 때의 가격을 비교해 봐야겠지?

쌍둥이 유형 **1-1**

같은 양의 딸기를 산다면 새콤 딸기와 달콤 딸기 중 어느 것이 더 저렴한가요?

새콤 딸기
$\frac{3}{5}$ kg에 9900원

달콤 딸기
$\frac{3}{4}$ kg에 12000원

❶

❷

❸

답 _____

쌍둥이 유형 **1-2**

달달 귤은 $3\frac{1}{2}$ kg에 10500원, 상큼 귤은 $1\frac{1}{2}$ kg에 4200원입니다. 같은 양의 귤을 산다면 어느 것이 더 저렴한가요?

❶

❷

❸

답 _____

독해력 유형 **2** **전체의 양 알아보기**

세호는 위인전을 어제까지 전체의 $\frac{3}{8}$만큼 읽고, 오늘은 전체의 $\frac{1}{4}$만큼 읽었습니다. 남은 쪽수가 33쪽이라면 위인전의 전체 쪽수를 구해 보세요.

What? 구하려는 것을 찾아 밑줄을 그어 보세요.

How? ❶ 어제까지 읽은 만큼과 오늘 읽은 만큼의 합을 구해 오늘까지 읽은 쪽수가 전체의 얼마만큼인지 구하기
❷ 남은 쪽수는 전체의 얼마만큼인지 구하기
❸ ❷의 값이 33쪽임을 알고 위인전의 전체 쪽수 구하기

Solve ❶ 오늘까지 읽은 쪽수는 전체의 얼마만큼인지 분수로 나타내어 보세요.

( )

❷ 남은 쪽수는 전체의 얼마만큼인지 분수로 나타내어 보세요.

( )

❸ 남은 쪽수가 33쪽이라면 위인전의 전체 쪽수는 몇 쪽인가요?

( )

남은 쪽수가 전체의 얼마만큼인지를 분수로 어떻게 나타내요?

전체를 1로 보면 1─(오늘까지 읽은 쪽수를 분수로 나타낸 것)으로 나타낼 수 있다능~

쌍둥이 유형 **2-1**

텃밭 전체의 $\frac{1}{3}$에는 고추를 심고, 텃밭 전체의 $\frac{2}{15}$에는 오이를 심었습니다. 아무것도 심지 않은 텃밭의 넓이가 $50\frac{2}{3}$ m²라면 텃밭 전체 넓이는 몇 m²인가요?

❶

❷

❸

답 _____

쌍둥이 유형 **2-2**

포도 전체의 $\frac{2}{5}$는 포도잼을 만들고, $\frac{1}{6}$은 포도주스를 만들었습니다. 남은 포도가 $\frac{13}{6}$ kg이라면 포도 전체의 무게는 몇 kg인가요?

❶

❷

❸

답 _____

1 단원

분수의 나눗셈

23

플러스 유형 ❶ 그림에 알맞은 분수의 나눗셈식 만들기

[1-1~ 1-3] 그림에 알맞은 분수끼리의 나눗셈식을 쓰고 답을 구하세요.

1-1

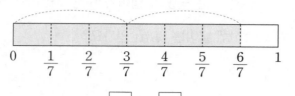

$$\frac{\square}{7} \div \frac{\square}{7} = \square$$

식 _____

답 _____

1-2

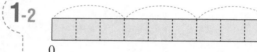

$$\frac{\square}{11} \div \frac{\square}{11} = \square$$

식 _____

답 _____

1-3

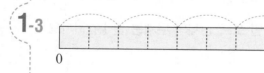

식 _____

답 _____

플러스 유형 처방전

(색칠한 부분의 크기)÷(한 묶음의 크기)를 계산하면 몇 묶음이 되는지 알 수 있다능~

플러스 유형 ❷ 잘못된 계산 알아보기

[2-1~ 2-2] 계산이 잘못된 곳을 찾아 바르게 고쳐 계산해 보세요.

2-1

$$\frac{11}{16} \div \frac{1}{16} = 11 \div 16 = \frac{11}{16}$$

$\dfrac{11}{16} \div \dfrac{1}{16}$ _____

2-2

$$\frac{5}{7} \div \frac{2}{3} = \frac{5}{21} \div \frac{2}{21} = 5 \div 2 = \frac{5}{2} = 2\frac{1}{2}$$

$\dfrac{5}{7} \div \dfrac{2}{3}$ _____

서술형

2-3 $12 \div \dfrac{3}{4}$을 잘못 계산한 것입니다. 그 이유를 써 보세요.

$$12 \div \frac{3}{4} = (12 \div 4) \times 3 = 9$$

이유 _____

_____

플러스 유형 ③ □ 안에 알맞은 분수 구하기

3-1 □ 안에 알맞은 분수를 구해 보세요.

$$\frac{2}{5} \times \square = \frac{3}{5}$$

(　　　　　　　)

3-2 □ 안에 알맞은 분수를 구해 보세요.

$$\frac{2}{3} \times \square = \frac{6}{7}$$

(　　　　　　　)

3-3 □ 안에 알맞은 분수를 구해 보세요.

$$\frac{3}{5} \times \square = \frac{7}{9} \div \frac{1}{9}$$

(　　　　　　　)

3-4 □ 안에 알맞은 분수를 구해 보세요.

$$\frac{3}{4} \times \square = \frac{9}{10} \div \frac{8}{10}$$

(　　　　　　　)

플러스 유형 ④ 최대(최소) 활용

4-1 식혜 $\frac{11}{8}$ L를 한 병에 $\frac{3}{8}$ L씩 똑같이 나누어 담으려고 합니다. 최대 몇 병에 나누어 담을 수 있나요?

(　　　　　　　)

서술형

4-2 길이가 $4\frac{4}{9}$ m인 천을 $\frac{4}{11}$ m씩 잘라 리본을 만들려고 합니다. 리본은 최대 몇 개까지 만들 수 있는지 풀이 과정을 쓰고 답을 구해 보세요.

풀이 _____

_____

_____

답 _____

4-3 들이가 $5\frac{1}{3}$ L인 빈 어항이 있습니다. 들이가 $\frac{2}{7}$ L인 컵으로 어항에 물을 가득 채우려면 최소 몇 번 부어야 하나요?

(　　　　　　　)

플러스 유형 처방전

횟수, 개수 등을 구해야 하므로 자연수로 답해야 한다능~

1 단원

분수의 나눗셈

25

플러스 유형 **5** 조건 을 만족하는 분수의 나눗셈식 알아보기

5-1 사고력 유형
조건 을 만족하는 분수의 나눗셈식을 써 보세요.

> 조건
> · 6÷5를 이용하여 계산할 수 있습니다.
> · 분모가 8보다 작은 진분수의 나눗셈입니다.
> · 두 분수의 분모는 같습니다.

(   )

5-2 서술형
조건 을 만족하는 분수의 나눗셈식을 모두 쓰려고 합니다. 풀이 과정을 쓰고 답을 구해 보세요.

> 조건
> · 7÷11을 이용하여 계산할 수 있습니다.
> · 분모가 14보다 작은 진분수의 나눗셈입니다.
> · 두 분수의 분모는 같습니다.

풀이

답

플러스 유형 **6** □ 안에 들어갈 수 있는 자연수 구하기

6-1 사고력 유형
□ 안에 들어갈 수 있는 자연수를 모두 구해 보세요.

$$40 < 9 \div \dfrac{1}{\square} < 80$$

(   )

6-2 서술형
□ 안에 들어갈 수 있는 자연수를 모두 구하는 풀이 과정을 쓰고 답을 구해 보세요.

$$30 < 44 \div \dfrac{11}{\square} < 40$$

풀이

답

6-3 □ 안에 들어갈 수 있는 자연수를 모두 구해 보세요.

$$5 < \dfrac{1}{2} \div \dfrac{1}{\square} < 7$$

(   )

플러스 유형 ❼ 수 카드로 나눗셈식 만들기

독해력 유형

7-1 3장의 수 카드를 한 번씩 모두 사용하여 몫이 가장 큰 (자연수)÷(진분수)를 만들고 몫을 구해 보세요.

3 **4** **5**

단계**1** 알맞은 말에 ◯표 하세요.
몫이 가장 크려면
나누어지는 수를 가장 (작은 , 큰) 수로,
나누는 수를 가장 (작은 , 큰) 수로 만들어야 합니다.

단계**2** 몫이 가장 큰 (자연수)÷(진분수)를 만들어 보세요.

단계**3** 위 단계**2**에서 만든 나눗셈식의 몫을 구해 보세요.

(   )

7-2 3장의 수 카드를 한 번씩 모두 사용하여 몫이 가장 큰 (자연수)÷(진분수)를 만들고 몫을 구해 보세요.

식

몫 _____

플러스 유형 ❽ 시간을 분수로 나타내어 계산하기

독해력 유형

8-1 진수는 자전거로 $3\frac{3}{8}$ km를 가는 데 40분이 걸렸습니다. 같은 빠르기로 $1\frac{1}{5}$시간 동안 갈 수 있는 거리는 몇 km인가요?

단계**1** 40분은 몇 시간인지 기약분수로 나타내어 보세요.

(   )

단계**2** 같은 빠르기로 한 시간 동안 갈 수 있는 거리는 몇 km인가요?

(   )

단계**3** 같은 빠르기로 $1\frac{1}{5}$시간 동안 갈 수 있는 거리는 몇 km인가요?

(   )

8-2 터널 $\frac{1}{8}$ km를 뚫는 데 4시간 15분이 걸렸습니다. 같은 빠르기로 17시간 동안 뚫을 수 있는 터널의 길이는 몇 km인가요?

(   )

플러스 유형 처방전

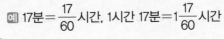
한 시간은 60분이므로 1분은 $\frac{1}{60}$시간이라능~

예 17분=$\frac{17}{60}$시간, 1시간 17분=$1\frac{17}{60}$시간

1 단원

분수의 나눗셈

27

1 그림을 보고 □ 안에 알맞은 수를 써넣으세요.

$$\frac{3}{4} \div \frac{1}{4} = \boxed{}$$

2 ㉠과 ㉡에 알맞은 수를 각각 구해 보세요.

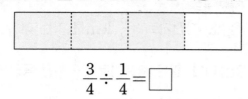

$$\frac{5}{6} \div \frac{3}{4} = \frac{5}{6} \times \frac{㉡}{㉠}$$

㉠ (　　　　　　　), ㉡ (　　　　　　　)

3 계산해 보세요.

(1) $\frac{14}{15} \div \frac{2}{15}$　　　　(2) $\frac{5}{7} \div \frac{5}{14}$

4 보기 와 같이 계산해 보세요.

보기

$$32 \div \frac{4}{11} = (32 \div 4) \times 11 = 88$$

$12 \div \frac{6}{13}$ _____

5 대분수를 진분수로 나눈 몫을 구해 보세요.

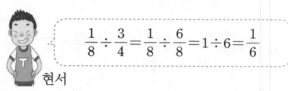

$$\frac{4}{7} \qquad 3\frac{3}{5}$$

(　　　　　　　　　　　)

6 잘못 계산한 사람의 이름을 쓰고, 바르게 계산한 몫을 구해 보세요.

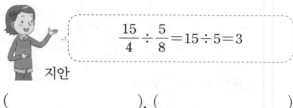

$$\frac{1}{8} \div \frac{3}{4} = \frac{1}{8} \div \frac{6}{8} = 1 \div 6 = \frac{1}{6}$$

현서

$$\frac{15}{4} \div \frac{5}{8} = 15 \div 5 = 3$$

지안

(　　　　　　　), (　　　　　　　)

7 몫의 크기를 비교하여 ○ 안에 >, =, <를 알맞게 써넣으세요.

$$\boxed{\frac{20}{21} \div \frac{2}{21}} \quad \bigcirc \quad \boxed{14 \div \frac{2}{3}}$$

8 빈 곳에 알맞은 수를 써넣으세요.

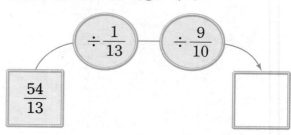

$$\boxed{\frac{54}{13}} \xrightarrow{\div \frac{1}{13}} \bigcirc \xrightarrow{\div \frac{9}{10}} \boxed{}$$

9 계산 결과가 1보다 작은 식을 들고 있는 학생의 이름을 써 보세요.

시우 $\dfrac{14}{15} \div \dfrac{2}{5}$

다은 $\dfrac{4}{7} \div \dfrac{8}{9}$

(   )

10 유진이가 캔 감자의 양은 $3\dfrac{3}{7}$ kg이고, 진호가 캔 감자의 양은 $1\dfrac{1}{3}$ kg입니다. 유진이가 캔 감자의 양은 진호가 캔 감자의 양의 몇 배인가요?

(   )

11 냉장고에 주스가 $4\dfrac{4}{5}$ L 있습니다. 하루에 $\dfrac{2}{5}$ L씩 마신다면 며칠 동안 마실 수 있나요?

(   )

12 $\dfrac{9}{7} \div \square$에서 □ 안에 수를 넣었을 때 계산 결과가 가장 큰 것은 어느 것인가요?·········(   )

① $\dfrac{9}{8}$ ② $\dfrac{3}{7}$ ③ $\dfrac{7}{9}$

④ $\dfrac{18}{7}$ ⑤ $\dfrac{3}{14}$

13 $\dfrac{9}{10} \div \dfrac{7}{10}$을 두 가지 방법으로 계산해 보세요.

방법 **1**

방법 **2**

14 $3\dfrac{3}{4}$에 어떤 수를 곱하였더니 $2\dfrac{6}{7}$이 되었습니다. 어떤 수를 구해 보세요.

(   )

15 □ 안에 들어갈 수 있는 가장 작은 자연수를 구해 보세요.

$$\dfrac{14}{15} \div \dfrac{4}{15} < \square$$

(   )

16 넓이가 $\dfrac{9}{4}$ m²인 벽을 칠하는 데 $3\dfrac{3}{5}$ L의 페인트를 사용했습니다. 벽 1 m²를 칠하는 데 사용한 페인트는 몇 L인가요?

(   )

1
단원

분수의 나눗셈

29

정답 및 풀이 7쪽

서술형   >> 25쪽 4-2 유사 문제

17 길이가 $\frac{13}{4}$ m인 끈을 $\frac{1}{3}$ m씩 잘라 장식을 만들려고 합니다. 장식은 최대 몇 개까지 만들 수 있는지 풀이 과정을 쓰고 답을 구해 보세요.

풀이

답

서술형   >> 26쪽 5-2 유사 문제

18 조건 을 만족하는 분수의 나눗셈식을 모두 쓰려고 합니다. 풀이 과정을 쓰고 답을 구해 보세요.

> 조건
> • $15 \div 13$을 이용하여 계산할 수 있습니다.
> • 분모가 18보다 작은 진분수의 나눗셈입니다.
> • 두 분수의 분모는 같습니다.

풀이

답

서술형   >> 26쪽 6-2 유사 문제

19 □ 안에 들어갈 수 있는 자연수를 모두 구하는 풀이 과정을 쓰고 답을 구해 보세요.

$$20 < 54 \div \frac{9}{\square} < 40$$

풀이

답

독해력 유형 서술형   >> 27쪽 8-2 유사 문제

20 36분 동안 $6\frac{3}{4}$ L의 물이 나오는 수도가 있습니다. 이 수도에서 나오는 물의 양이 일정할 때 2시간 동안 나오는 물의 양은 몇 L인지 풀이 과정을 쓰고 답을 구해 보세요.

풀이

답

직육면체의 부피를 구하는 방법 ① 부피가 1 cm³인 쌓기나무로 만든 직육면체입니다. 직육면체의 부피는 몇 cm³인가요?

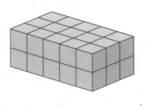

(   )

정육면체의 겉넓이 구하기 ② 전개도를 이용하여 정육면체 모양의 상자를 만들려고 합니다. 이 상자의 겉넓이는 몇 cm²인가요?

정육면체의 부피는 한 모서리의 길이를 3번 곱하고, 겉넓이는 한 모서리의 길이를 2번 곱한 값에 6을 곱해야 해.

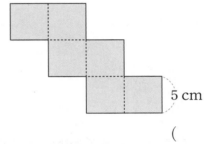
5 cm

(   )

직육면체의 겉넓이 구하기 ③ 직육면체의 겉넓이는 몇 cm²인가요?

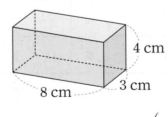
4 cm
8 cm   3 cm

(   )

직육면체의 부피 구하기 ④ 가로가 5 cm, 세로가 2 cm, 높이가 7 cm인 직육면체의 부피는 몇 cm³인가요?

 식 _____

답 _____

코딩 1 A/B＝A÷B와 같이 약속합니다. 다음 코딩을 실행하면 이동 방향으로 얼마만큼 움직이게 되나요?

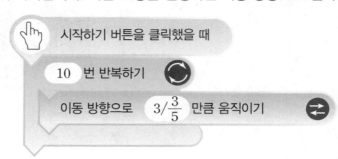

시작하기 버튼을 클릭했을 때

10 번 반복하기

이동 방향으로 $3/\dfrac{3}{5}$ 만큼 움직이기

(   )

한 번 실행했을 때 이동 방향으로 얼마만큼 움직이는지 알아본 후 10번 반복해야 해.

1
단원

분수의 나눗셈

32

코딩 2 다음은 격자 암호입니다. 해독 방법은 격자 암호의 색칠한 부분과 위치가 일치하는 해독판의 글자만 위에서부터 적어서 나열하면 평문으로 해독할 수 있습니다. 다음 격자 암호를 평문으로 해독하고 평문의 내용에 따라 계산해 보세요.

〈해독판〉

육	하	삼	분	드	의
오	를	호	칠	을	삼
구	해	니	분	지	아
선	가	효	주	의	생
가	이	십	로	하	가
나	시	누	하	시	오

〈격자 암호〉

(   )

격자 암호는 격자 모양의 해독판을 가진 사람만 암호를 해독할 수 있다능~

해독판에 격자 암호의 색칠한 부분과 똑같이 색칠하고 색칠한 부분에 쓰여진 글자를 나열해서 알아봐요.

태양계 행성의 크기 비교하기

지구의 반지름을 1이라고 보았을 때의 태양과 행성의 반지름을 비교해 보면 다음과 같습니다.

명칭		크기	명칭		크기
태양	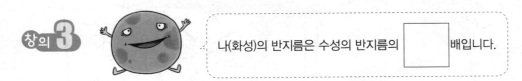	109	목성		$11\frac{1}{5}$
수성		$\frac{2}{5}$	토성		$9\frac{2}{5}$
금성		$\frac{9}{10}$	천왕성		4
화성		$\frac{1}{2}$	해왕성		$3\frac{9}{10}$

태양계에서 가장 큰 행성은 목성이고, 가장 작은 행성은 수성이지요.
지구가 반지름이 1 cm인 구슬 크기라 하면 목성의 크기는 축구공과 비슷합니다. 천왕성과 해왕성은 야구공과 비슷하죠. 지구와 크기가 가장 비슷한 행성은 금성이랍니다.

창의3 나(화성)의 반지름은 수성의 반지름의 ☐ 배입니다.

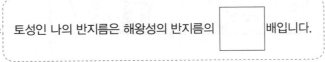

창의4 토성인 나의 반지름은 해왕성의 반지름의 ☐ 배입니다.

2 소수의 나눗셈

Dr. 유형 처방전

*몫의 소수점을 옮긴 소수점의 위치에 맞출 것!

개념 1 자연수의 나눗셈을 이용한 (소수)÷(소수)

예 $1.2 \div 0.3$의 계산

1. 그림을 그려 알아보기

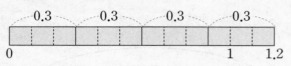

→ 0.3씩 선을 그어 보면 4부분입니다.

$$1.2 \div 0.3 = 4$$

2. 단위를 이용하기

  1.2 cm=12 mm, 0.3 cm=3 mm야.

cm를 mm로 고치기

→ $1.2 \div 0.3 = 12 \div 3 = 4$

3. 자연수의 나눗셈을 이용하기

$$1.2 \div 0.3$$
10배 ↘ ↙ 10배
$$12 \div 3 = 4$$

→ $1.2 \div 0.3 = 12 \div 3 = 4$

유형

1 음료수 1.5 L를 0.3 L씩 컵에 나누어 담으려고 합니다. 오른쪽 그림을 0.3 L씩 나누어 본 후, 컵이 몇 개 필요한지 구해 보세요.

1.5 L

0

(   )

2 자연수의 나눗셈을 이용하여 소수의 나눗셈을 계산해 보세요.

$$1.15 \div 0.05$$
100배 ↘ ↙ ☐ 배
☐ ÷ ☐ = ☐

→ $1.15 \div 0.05 = $ ☐

3 ☐ 안에 알맞은 수를 써넣으세요.

철사 18.2 cm를 0.7 cm씩 자르기

↓

18.2 cm = ☐ mm

0.7 cm = ☐ mm

$18.2 \div 0.7 = $ ☐ $\div$ ☐ $=$ ☐

4 $864 \div 4 = 216$을 이용하여 ☐ 안에 알맞은 수를 써넣으세요.

$$8.64 \div 0.04 = $$ ☐

5 끈 2.76 m를 0.12 m씩 자르려고 합니다. 끈은 몇 도막이 되는지 구해 보세요.

끈의 길이: 2.76 m = ☐ cm

끈 한 도막의 길이: 0.12 m = ☐ cm

$2.76 \div 0.12 = $ ☐ (도막)

6 자연수의 나눗셈을 이용하여 소수의 나눗셈을 계산해 보세요.

$$42.3 \div 0.9 = $$ ☐ $\div 9$

$$= $$ ☐

개념 ② (소수 한 자리 수)÷(소수 한 자리 수)

예 4.5÷0.3의 계산

방법 1 분수의 나눗셈으로 계산하기

| 소수 한 자리 수 | → | 분모가 10인 분수 |

$$4.5 \div 0.3 = \frac{45}{10} \div \frac{3}{10} = 45 \div 3 = 15$$

분모가 10인 분수로 고치기   분자끼리 나누기

방법 2 세로로 계산하기

나누는 수, 나누어지는 수를 똑같이 10배 하기~

$$0.3 \overline{)4.5} \quad \Rightarrow \quad 0.3 \overline{)4.5} \quad \Rightarrow \quad 3 \overline{)45}$$

소수점을 오른쪽으로
한 자리씩 옮기기

$$\begin{array}{r} 15 \\ 3\overline{)45} \\ 3 \\ \hline 15 \\ 15 \\ \hline 0 \end{array}$$

유형

7 □ 안에 알맞은 수를 써넣으세요.

$$4.8 \div 0.6 = \frac{\square}{10} \div \frac{\square}{10}$$

$$= \square \div \square = \square$$

[8~9] □ 안에 알맞은 수를 써넣으세요.

8
$$0.7 \overline{)4.2}$$

9
$$0.8 \overline{)9.6}$$

10 보기 와 같이 분수의 나눗셈으로 계산해 보세요.

보기
$$4.9 \div 0.7 = \frac{49}{10} \div \frac{7}{10} = 49 \div 7 = 7$$

6.5÷0.5

_____

_____

11 큰 수를 작은 수로 나눈 몫을 구해 보세요.

| 5.4 | 48.6 |

(   )

12 계산 결과가 더 큰 식을 말한 사람의 이름을 써 보세요.

43.7÷2.3   75.6÷4.2

서아   지호

(   )

13 물 7.2 L가 있습니다. 물을 물통 한 개에 0.6 L씩 담는다면 물통은 몇 개 필요한가요?

식 _____

답 _____

개념 **3** (소수 두 자리 수)÷(소수 두 자리 수)

예 $2.88 \div 0.24$의 계산

방법 **1** 분수의 나눗셈으로 계산하기

소수 두 자리 수 ➡ 분모가 100인 분수

$$2.88 \div 0.24 = \frac{288}{100} \div \frac{24}{100}$$
$$= 288 \div 24 = 12$$

방법 **2** 세로로 계산하기

 나누는 수, 나누어지는 수를 똑같이 100배 하기~

$$0.24\overline{)2.8\,8} \;\rightarrow\; 0.24\overline{)2.8\,8} \;\rightarrow\; 24\overline{)2\,8\,8}$$

소수점을 오른쪽으로
두 자리씩 옮기기

$$\begin{array}{r} 1\;2 \\ 24\overline{)2\,8\,8} \\ 2\;4 \\ \hline 4\;8 \\ 4\;8 \\ \hline 0 \end{array}$$

유형 소수의 나눗셈

14 □ 안에 알맞은 수를 써넣으세요.

$$4.25 \div 0.17 = \frac{\boxed{}}{100} \div \frac{\boxed{}}{100}$$
$$= \boxed{} \div \boxed{} = \boxed{}$$

[15~16] 계산해 보세요.

15
$$0.26\overline{)6.2\,4}$$

16
$$1.29\overline{)3\,3.5\,4}$$

17 □ 안에 알맞은 수를 써넣으세요..

$$7.84 \div 0.28 = \boxed{} \div 28 = \boxed{}$$

18 보기와 같이 분수의 나눗셈으로 계산해 보세요.

보기
$$3.51 \div 0.27 = \frac{351}{100} \div \frac{27}{100}$$
$$= 351 \div 27 = 13$$

$9.01 \div 0.53$

_____

_____

19 빈 곳에 알맞은 수를 써넣으세요.

| 59.84 | ÷3.74 | |

20 $8.28 \div 0.69$를 분수의 나눗셈으로 바르게 바꾼 것의 기호를 써 보세요.

㉠ $\dfrac{828}{10} \div \dfrac{69}{10}$ ㉡ $\dfrac{828}{100} \div \dfrac{69}{100}$

(　　　　　　)

21 0.64 m인 리본 테이프를 0.16 m씩 잘라 꽃을 만들려고 합니다. 꽃을 몇 개 만들 수 있나요?

식 _____

답  _____

개념 ④ 자릿수가 다른 (소수)÷(소수)

◉ 4.25÷1.7의 계산

1. 나누는 수와 나누어지는 수를 100배 하기

$$1.70 \overline{)4.25} \quad \rightarrow \quad 170 \overline{)425.0}$$

소수점을 오른쪽으로
두 자리씩 옮기기

계산:
$$\begin{array}{r} 2.5 \\ 170\,\overline{)425.0} \\ 340 \\ \hline 850 \\ 850 \\ \hline 0 \end{array}$$

2. 나누는 수와 나누어지는 수를 10배 하기

$$1.7\overline{)4.25} \quad \rightarrow \quad 17\overline{)42.5}$$

소수점을 오른쪽으로
한 자리씩 옮기기

계산:
$$\begin{array}{r} 2.5 \\ 17\,\overline{)42.5} \\ 34 \\ \hline 85 \\ 85 \\ \hline 0 \end{array}$$

소수점을 옮겨서 계산한 경우 몫의 소수점
은 소수점을 옮긴 위치에 찍어야 해~

 유형

22 □ 안에 알맞은 수를 써넣으세요.

9.36÷2.6은 9.36과 2.6을 10배씩 하여 계산
하면 □ ÷ □ = □ 입니다.

[23~24] 계산해 보세요.

23
$$2.9\overline{)5.22}$$

24
$$4.3\overline{)10.75}$$

25 잘못 계산한 곳을 찾아 바르게 계산해 보세요.

$$\begin{array}{r} 0.67 \\ 0.4\,\overline{)2.68} \\ 24 \\ \hline 28 \\ 28 \\ \hline 0 \end{array} \quad \rightarrow$$

26 계산 결과가 더 큰 식을 말한 사람의 이름을 써
보세요.

0.98÷0.7   9.36÷7.2

서준   다은

(   )

27 가장 큰 수를 가장 작은 수로 나눈 몫을 구해 보
세요.

2.4   3.36   1.2

(   )

28 가 막대의 길이는 나 막대의 길이의 몇 배인가
요?

가 [   ] 1.32 m

나 [   ] 0.6 m

(   )

[1~4] □ 안에 알맞은 수를 써넣으세요.

1

5.6÷0.7
□ 배　□ 배
56÷7 = □
➡ 5.6÷0.7 = □

2

3.61÷0.19
□ 배　□ 배
361÷19 = □
➡ 3.61÷0.19 = □

3

3.2÷0.8
□ 배　□ 배
32÷8 = □
➡ 3.2÷0.8 = □

4

3.75÷0.15
□ 배　□ 배
375÷15 = □
➡ 3.75÷0.15 = □

[5~6] □ 안에 알맞은 수를 써넣으세요.

5 $5.4 \div 0.6 = \dfrac{\Box}{10} \div \dfrac{\Box}{10}$

$= \Box \div \Box = \Box$

6 $2.47 \div 0.13 = \dfrac{\Box}{100} \div \dfrac{\Box}{100}$

$= \Box \div \Box = \Box$

[7~15] 계산해 보세요.

7 $3.6 \div 0.4$

8 $8.05 \div 0.35$

9 $1.68 \div 0.7$

10 $0.46\overline{)5.5\,2}$

11 $0.9\overline{)4.5}$

12 $1.22\overline{)9.7\,6}$

13 $2.8\overline{)8.1\,2}$

14 $0.63\overline{)5.6\,7}$

15 $1.7\overline{)6.1\,2}$

1 $128 \div 8 = 16$을 이용하여 □ 안에 알맞은 수를 써넣으세요. [1점]

$$12.8 \div 0.8 = 128 \div \boxed{} = \boxed{}$$

2 빈 곳에 알맞은 수를 써넣으세요. [1점]

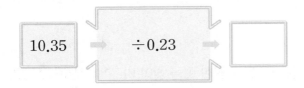

10.35 → ÷0.23 →

3 관계있는 것끼리 이어 보세요. [1점]

$43.5 \div 1.5$ •   • 27

$20.52 \div 0.76$ •   • 29

4 ㉠, ㉡에 알맞은 수를 각각 구해 보세요. [1점]

$$6.64 \div 0.83 = \frac{664}{100} \div \frac{㉠}{100}$$
$$= 664 \div ㉠ = ㉡$$

㉠ (   )

㉡ (   )

5 계산 결과를 비교하여 ○ 안에 >, =, <를 알맞게 써넣으세요. [2점]

$37.6 \div 4.7$ ○ $53.1 \div 5.9$

6 넓이가 22.32 cm²인 직사각형이 있습니다. 세로가 3.6 cm일 때 가로는 몇 cm인가요? [2점]

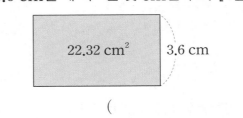

22.32 cm²   3.6 cm

(   )

7 넓이가 2.9 m²인 벽을 칠하는 데 4.64 L의 페인트가 필요하다고 합니다. 넓이가 1 m²인 벽을 칠하려면 페인트 몇 L가 필요한가요? [2점]

식 _____

답 _____

2
단원

소수의 나눗셈

41

개념 **5** (자연수)÷(소수 한 자리 수)

예 23÷4.6의 계산

방법 **1** 분수의 나눗셈으로 계산하기

$$23÷4.6=\frac{230}{10}÷\frac{46}{10}=230÷46=5$$

소수 한 자리 수 → 분모가 10인 분수

방법 **2** 세로로 계산하기

나누어지는 수와 나누는 수에 10배 하여
23÷4.6 ➡ 230÷46으로 계산해~

$$4.6\overline{)23.0} \quad → \quad 46\overline{)230}$$

```
        5
46)2 3 0
    2 3 0
        0
```

소수점을 오른쪽으로
한 자리 옮기기

1 빈칸에 알맞은 수를 써넣으세요.

$$52÷6.5=\boxed{} \qquad 520÷65=\boxed{}$$

[2~3] 계산해 보세요.

2 $1.5\overline{)3\ 6}$

3 $2.8\overline{)9\ 8}$

4 보기와 같이 분수의 나눗셈으로 계산해 보세요.

보기
$$36÷1.5=\frac{360}{10}÷\frac{15}{10}=360÷15=24$$

91÷2.6

5 잘못 계산한 곳을 찾아 바르게 계산해 보세요.

```
        3.5
0.6)2 1
    1 8
      3 0
      3 0
        0
```
➡

6 사탕 20 kg을 봉지 한 개에 0.8 kg씩 담으려고
합니다. 사탕을 봉지 몇 개에 담을 수 있나요?

식 _____

답 _____

7 우유가 8 L 있습니다. 한 컵에 0.2 L씩 나누어
담는다면 몇 컵에 담을 수 있나요?

식 _____

답 _____

2 단원

소수의 나눗셈

유형

개념 6 (자연수) ÷ (소수 두 자리 수)

예 21 ÷ 1.05의 계산

방법 1 분수의 나눗셈으로 계산하기

$$21 \div 1.05 = \frac{2100}{100} \div \frac{105}{100}$$

소수 두 자리 수
→ 분모가 100인 분수

$$= 2100 \div 105 = 20$$

방법 2 세로로 계산하기

나누어지는 수와 나누는 수에 100배 하여
21 ÷ 1.05 ➡ 2100 ÷ 105로 계산해~

$$1.05 \overline{)21.00} \quad ➡ \quad 105 \overline{)2100} $$
소수점을 오른쪽으로
두 자리 옮기기

       2 0
105)2 1 0 0
     2 1 0
           0

유형

8 □ 안에 알맞은 수를 써넣으세요.

$$12 \div 0.24 = \frac{\boxed{}}{100} \div \frac{\boxed{}}{100}$$

$$= \boxed{} \div \boxed{} = \boxed{}$$

9 계산해 보세요.

$$1.75 \overline{)4\ 2}$$

10 자연수를 소수로 나눈 몫을 빈 곳에 써넣으세요.

15	1.25

11 보기와 같이 분수의 나눗셈으로 계산해 보세요.

보기
$$6 \div 0.25 = \frac{600}{100} \div \frac{25}{100}$$
$$= 600 \div 25 = 24$$

7 ÷ 0.28

12 □ 안에 알맞은 수를 써넣으세요.

$$36 \div 9 = \boxed{}$$
$$36 \div 0.9 = \boxed{}$$
$$36 \div 0.09 = \boxed{}$$

13 나눗셈의 몫이 더 큰 사람의 이름을 써 보세요.

21 ÷ 0.75　　　32 ÷ 1.28

시우　　　지안

(　　　　　　　)

14 찰흙이 10 kg 있습니다. 한 사람에게 1.25 kg씩 나누어 준다면 몇 명에게 나누어 줄 수 있나요?

 식

답

2단원 소수의 나눗셈

개념 7 몫을 반올림하여 나타내기

예 12÷7의 계산

```
    1.7 1 4
7 ) 1 2
    7
    5 0
    4 9
      1 0
        7
        3 0
        2 8
          2
```

(1) 몫을 반올림하여 일의 자리까지 나타내기

12÷7=1.7⋯⋯ ➡ 2
└소수 첫째 자리에서 반올림

(2) 몫을 반올림하여 소수 첫째 자리까지 나타내기

12÷7=1.71⋯⋯ ➡ 1.7
└소수 둘째 자리에서 반올림

(3) 몫을 반올림하여 소수 둘째 자리까지 나타내기

12÷7=1.714⋯⋯ ➡ 1.71
└소수 셋째 자리에서 반올림

구하려는 자리보다 하나 더 아래 자리까지 몫을 구해야 해~

유형

[15~17] 오른쪽 나눗셈식의 몫을 보고 물음에 답하세요.

```
    3.1 6 6
6 ) 1 9
    1 8
      1 0
        6
        4 0
        3 6
          4 0
          3 6
            4
```

15 19÷6의 몫을 반올림하여 일의 자리까지 나타내어 보세요.

( )

16 19÷6의 몫을 반올림하여 소수 첫째 자리까지 나타내어 보세요.

( )

17 19÷6의 몫을 반올림하여 소수 둘째 자리까지 나타내어 보세요.

( )

18 몫을 반올림하여 소수 첫째 자리까지 나타내어 보세요.

0.7) 1.6

( )

[19~20] 계산 결과를 비교하여 ○ 안에 >, =, <를 알맞게 써넣으세요.

19

97÷7의 몫을 반올림하여 일의 자리까지 나타낸 수 ○ 97÷7

20

2.3÷9의 몫을 반올림하여 소수 첫째 자리까지 나타낸 수 ○ 2.3÷9

21 바나나 바구니는 2 kg, 딸기 바구니는 3 kg입니다. 바나나 바구니의 무게는 딸기 바구니의 무게의 몇 배인지 반올림하여 소수 둘째 자리까지 나타내어 보세요.

2 kg   3 kg

( )

개념 **8** 나누어 주고 남는 양 알아보기

예 리본 테이프 5.2 m를 2 m씩 자르려고 합니다. 몇 도막이 되고 몇 m가 남는지 알아보세요.

1. 덜어 내어 계산하기

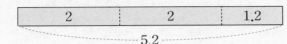

→ 5.2−2−2=1.2　→ 자른 도막 수: 2도막
　　└─2번─┘　　　　남는 양: 1.2 m

2. 세로로 계산하기

```
     2    → 자른 도막 수: 2도막
2)5.2
     4
   1.2    → 남는 양: 1.2 m
```

> 몫은 자연수구나. 나머지는 소수가 될 수도 있고~

유형

22 □ 안에 알맞은 수를 써넣어 20.3÷5의 몫을 자연수 부분까지 구하고 남는 수를 구해 보세요.

$$20.3-5-5-5-5=\boxed{}$$

몫 (　　　　　　　　)

남는 수 (　　　　　　　　)

23 나눗셈의 몫을 자연수 부분까지 구하고 남는 수를 구해 보세요.

6)21.9

몫	
남는 수	

24 쌀 23.4 kg을 봉지 한 개에 5 kg씩 나누어 담을 때 나누어 담을 수 있는 봉지 수와 남는 쌀의 양을 구하려고 합니다. □ 안에 알맞은 수를 써넣으세요.

```
     □
5)23.4
   2 0
  □□□
```

봉지 수: □ 개

남는 쌀의 양: □ kg

25 끈 12.5 m를 한 사람에게 3 m씩 나누어 주려고 합니다. 나누어 줄 수 있는 사람 수와 남는 끈의 길이를 두 가지 방법으로 구해 보세요.

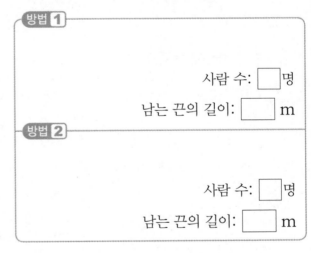

방법 **1**

사람 수: □ 명

남는 끈의 길이: □ m

방법 **2**

사람 수: □ 명

남는 끈의 길이: □ m

26 밀가루 17.3 kg을 한 사람당 2 kg씩 나누어 줄 때 나누어 줄 수 있는 사람 수와 남는 밀가루의 양을 각각 구해 보세요.

사람 수 (　　　　　　　　)

남는 밀가루의 양 (　　　　　　　　)

2 단원

소수의 나눗셈

45

[1~2] ☐ 안에 알맞은 수를 써넣으세요.

1 $30 \div 0.6 = \dfrac{\boxed{}}{10} \div \dfrac{\boxed{}}{10}$

$ = \boxed{} \div \boxed{} = \boxed{}$

2 $13 \div 3.25 = \dfrac{\boxed{}}{100} \div \dfrac{\boxed{}}{100}$

$ = \boxed{} \div \boxed{} = \boxed{}$

[3~4] ☐ 안에 알맞은 수를 써넣으세요.

3 $14 \div 0.4 = \boxed{}$ ➡ $140 \div 4 = \boxed{}$

($\boxed{}$배 / $\boxed{}$배)

4 $6 \div 0.08 = \boxed{}$ ➡ $600 \div 8 = \boxed{}$

($\boxed{}$배 / $\boxed{}$배)

[5~10] 계산해 보세요.

5 $18 \div 0.4$

6 $6 \div 0.08$

7 $18 \div 2.25$

8 $1.48 \overline{)7\,4}$

9 $1.8 \overline{)6\,3}$

10 $3.5 \overline{)1\,2\,6}$

[11~13] 몫을 반올림하여 소수 첫째 자리까지 나타내어 보세요.

11 $7 \overline{)9}$

12 $3 \overline{)2.5}$

13 $2.6 \overline{)7.4}$

(　　　　　)　　　　(　　　　　)　　　　(　　　　　)

1 사탕 8.6 kg을 한 봉지에 3 kg씩 나누어 담을 때 나누어 담을 수 있는 봉지 수와 남는 사탕의 양을 구하기 위해 다음과 같이 계산했습니다. □ 안에 알맞은 수를 써넣으세요. [1점]

$$8.6 - 3 - 3 = \boxed{}$$

봉지 수: □ 개

남는 사탕의 양: □ kg

2 계산을 바르게 한 쪽에 ○표 하세요. [1점]

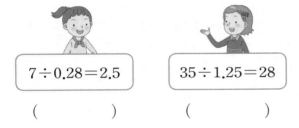

$7 \div 0.28 = 2.5$

$35 \div 1.25 = 28$

(   )   (   )

3 다음 식의 몫을 반올림하여 소수 둘째 자리까지 나타내어 보세요. [2점]

$$4.5 \div 7$$

(   )

4 □ 안에 알맞은 수를 써넣으세요. [2점]

$$1.28 \div 0.04 = \boxed{}$$
$$12.8 \div 0.04 = \boxed{}$$
$$128 \div 0.04 = \boxed{}$$

5 밤 17.2 kg을 한 자루에 2 kg씩 나누어 담으려고 합니다. 나누어 담을 수 있는 자루 수와 남는 밤의 양을 구해 보세요. [2점]

자루 수 (   )

남는 밤의 양 (   )

6 번개가 친 곳에서 21 km 떨어진 곳에서는 번개가 친 지 약 1분 뒤에 천둥소리를 들을 수 있습니다. 번개가 친 곳에서 4 km 떨어진 곳에서는 번개가 친 지 몇 분 뒤에 천둥소리를 들을 수 있는지 반올림하여 소수 첫째 자리까지 나타내어 보세요. [2점]

식

답 _____

1 분수의 나눗셈으로 계산하기

기본 유형

1 □ 안에 알맞은 수를 써넣으세요.

$$15.6 \div 1.2 = \frac{\boxed{}}{10} \div \frac{\boxed{}}{10}$$

$$= \boxed{} \div \boxed{} = \boxed{}$$

변형 유형

2 보기 와 같이 분수의 나눗셈으로 계산해 보세요.

보기

$$7.2 \div 0.9 = \frac{72}{10} \div \frac{9}{10} = 72 \div 9 = 8$$

$4.8 \div 0.3$ _____

변형 유형

3 ㉠, ㉡, ㉢에 알맞은 수를 각각 구해 보세요.

$$1.68 \div 0.07 = \frac{168}{100} \div \frac{7}{㉠}$$
$$= 168 \div ㉡ = ㉢$$

㉠ (   )

㉡ (   )

㉢ (   )

2 계산 결과의 크기 비교

기본 유형

4 계산 결과를 비교하여 ○ 안에 >, =, <를 알맞게 써넣으세요.

$$27 \div 1.8 \quad \bigcirc \quad 56 \div 3.5$$

변형 유형

5 계산 결과가 더 큰 것의 기호를 써 보세요.

| ㉠ $6.75 \div 2.7$ ㉡ $2.72 \div 1.6$ |

(   )

변형 유형

6 계산 결과를 비교하여 ○ 안에 >, =, <를 알맞게 써넣으세요.

| 52÷7의 몫을 반올림 하여 일의 자리까지 나타낸 수 | $\bigcirc$ | $52 \div 7$ |

3 소수의 나눗셈을 도형에서 활용하기

기본 유형
7 넓이가 6 m²인 직사각형이 있습니다. 세로가 1.2 m일 때 가로는 몇 m인가요?

1.2 m

식 _____

답 _____

변형 유형
8 평행사변형의 넓이가 115.2 cm²일 때 높이는 몇 cm인가요?

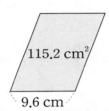

115.2 cm²

9.6 cm

식 _____

답 _____

실생활 유형
9 넓이가 76.5 cm²인 생일 카드를 만들려고 합니다. 세로를 8.5 cm로 그렸다면 가로는 몇 cm로 그려야 하나요?

생일
축하해
🐦

8.5 cm

(　　　　　　　)

4 어떤 수 구하기

기본 유형
10 □ 안에 알맞은 수를 써넣으세요.

44.2 ÷ □ = 1.7

변형 유형
11 □ 안에 알맞은 수를 써넣으세요.

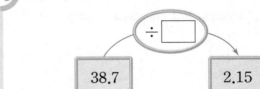

÷ □

38.7 → 2.15

변형 유형
12 □ 안에 알맞은 수를 써넣으세요.

3.25 × □ = 117

문장제 유형
13 67.5를 어떤 수로 나누었더니 7.5가 되었습니다. 어떤 수를 구해 보세요.

(　　　　　　　)

독해력 유형 1 ▸ 시간을 소수로 고쳐서 계산하기

일정한 빠르기로 1시간 30분 동안 114 km를 갈 수 있는 자동차가 있습니다. 이 자동차는 한 시간 동안 몇 km를 갈 수 있는지 구해 보세요.

What?
구하려는 것을 찾아 밑줄을 그어 보세요.

How?
❶ $1분 = \dfrac{1}{60}$ 시간임을 이용하여 시간을 소수로 고치기

❷ 한 시간 동안 갈 수 있는 거리를 구하는 식 세우기

❸ ❷의 식을 계산하여 한 시간 동안 갈 수 있는 거리 구하기

Solve
❶ 시간을 소수로 고치려고 합니다. ☐ 안에 알맞은 수를 써넣으세요.

$$1시간\ 30분 = 1\dfrac{\boxed{}}{60}시간$$

$$= 1\dfrac{\boxed{}}{2}시간 = \boxed{}시간$$

❷ 이 자동차가 한 시간 동안 갈 수 있는 거리를 구하는 식을 세워 보세요.

식 _____

❸ 이 자동차는 한 시간 동안 몇 km를 갈 수 있나요?

(   )

분 단위 ➡ 시간 단위

■분 ➡ $\dfrac{■}{60}$ 시간

30분 ➡ $\dfrac{30}{60}$ 시간

쌍둥이 유형 1-1

일정한 빠르기로 1시간 15분 동안 83.75 km를 갈 수 있는 자동차가 있습니다. 이 자동차는 한 시간 동안 몇 km를 갈 수 있나요?

❶

❷

❸

답 _____

쌍둥이 유형 1-2

물이 일정하게 나오는 수도로 1분 45초 동안 15.75 L를 받았습니다. 1분 동안 나오는 물은 몇 L인가요?

❶

❷

❸

답 _____

독해력 유형 **2** 바르게 계산한 값 구하기

어떤 수를 0.7로 나누어야 할 것을 잘못하여 0.9를 곱했더니 3.15가 되었습니다. 바르게 계산한 값을 구해 보세요.

What? 구하려는 것을 찾아 밑줄을 그어 보세요.

＿＿＿＿＿＿＿＿＿＿＿＿＿＿＿＿＿＿＿＿＿＿

How? ❶ □를 사용하여 잘못 계산한 식 세우기
❷ ❶을 나눗셈을 이용하여 어떤 수 구하기
❸ 바르게 계산한 값을 구하기

Solve ❶ 어떤 수를 □라 하여 잘못 계산한 식을 세워 보세요.

식 ＿＿＿＿＿＿＿＿＿＿＿＿＿＿＿＿＿

❷ 어떤 수를 구해 보세요.

(　　　　　　　　)

❸ 바르게 계산한 값을 구해 보세요.

(　　　　　　　　)

어떤 수를 □라 하여 잘못 계산한 식을 세워 □를 먼저 구해용~

식 □×●=♥를
♥÷●=□로 바꾸공~

쌍둥이 유형 **2-1**

어떤 수를 0.3으로 나누어야 할 것을 잘못하여 0.5를 곱했더니 1.35가 되었습니다. 바르게 계산한 값을 구해 보세요.

❶

❷

❸

답 ＿＿＿＿＿＿＿＿＿＿＿＿＿＿

쌍둥이 유형 **2-2**

어떤 수를 0.8로 나누어야 할 것을 잘못하여 0.6을 곱했더니 5.76이 되었습니다. 바르게 계산한 값을 구해 보세요.

❶

❷

❸

답 ＿＿＿＿＿＿＿＿＿＿＿＿＿＿

2
단원

소수의 나눗셈

51

사고력 플러스 유형

플러스 유형 ❶ 바르게 계산하고, 이유 쓰기

서술형

1-1 잘못 계산한 곳을 찾아 바르게 계산하고, 이유를 써 보세요.

```
        0.3 8
0.7 )2.6 6
      2 1
      ───
        5 6
        5 6
        ───
          0
```

→ [ ]

이유 _____

_____

_____

_____

서술형

1-2 잘못 계산한 곳을 찾아 바르게 계산하고, 이유를 써 보세요.

```
        4.5
0.6 )2 7
      2 4
      ───
        3 0
        3 0
        ───
          0
```

→ [ ]

이유 _____

_____

_____

플러스 유형 ❷ 몇 배인지 알아보기

2-1 분홍색 테이프의 길이는 24 cm, 하늘색 테이프의 길이는 4.8 cm입니다. 분홍색 테이프의 길이는 하늘색 테이프의 길이의 몇 배인가요?

( )

2-2 감자는 10 kg 있고, 고구마는 2.5 kg 있습니다. 감자의 무게는 고구마의 무게의 몇 배인가요?

( )

2-3 집에서 도서관까지 거리는 0.84 km이고 집에서 마트까지 거리는 0.7 km입니다. 집에서 도서관까지 거리는 집에서 마트까지 거리의 몇 배인가요?

식 _____

답 _____

2-4 직사각형의 가로는 4.32 cm, 세로는 3.6 cm입니다. 직사각형의 가로는 세로의 몇 배인가요?

식 _____

답 _____

플러스 유형 ③ 몫을 자연수까지 구하는 경우

3-1 고구마가 22.4 kg 있습니다. 한 상자에 3 kg씩 담아 포장하려고 합니다. 몇 상자를 포장할 수 있나요?

(　　　　　　　　　　)

3-2 음료수 11.2 L를 한 병에 2 L씩 담아 팔려고 합니다. 몇 병을 팔 수 있나요?

(　　　　　　　　　　)

3-3 끈 2 m로 상자 한 개를 묶을 수 있습니다. 끈 15.6 m로 똑같은 크기의 상자를 묶을 때, 묶을 수 있는 상자는 몇 개이고 남는 끈의 길이는 몇 m인지 구해 보세요.

상자 (　　　　　　　　)

남는 끈의 길이 (　　　　　　　)

플러스 유형 처방전

몫을 자연수까지 구하면 돼용~

플러스 유형 ④ □ 안에 들어갈 수 있는 수 구하기

4-1 □ 안에 들어갈 수 있는 가장 큰 자연수를 구해 보세요.

$$10.8 \div 1.8 > \square$$

(　　　　　　　　　　)

서술형

4-2 □ 안에 들어갈 수 있는 가장 큰 자연수를 구하는 풀이 과정을 쓰고 답을 구해 보세요.

$$14.82 \div 2.47 > \square$$

풀이

답 _____

4-3 □ 안에 들어갈 수 있는 가장 작은 자연수를 구해 보세요.

$$6.25 \div 1.25 < \square$$

(　　　　　　　　　　)

2 단원

소수의 나눗셈

53

2단원

소수의 나눗셈

플러스 유형 ❺ 조건을 만족하는 나눗셈식 찾기

사고력 유형

5-1 조건을 만족하는 나눗셈식을 찾아 계산해 보세요.

> **조건**
> • 812÷14를 이용하여 풀 수 있습니다.
> • 나누는 수와 나누어지는 수를 각각 10배
>   한 식은 812÷14입니다.

식 _____

5-2 조건을 만족하는 나눗셈식을 찾아 계산해 보세요.

> **조건**
> • 208÷8을 이용하여 풀 수 있습니다.
> • 나누는 수와 나누어지는 수를 각각 10배
>   한 식은 208÷8입니다.

식 _____

서술형

5-3 조건을 만족하는 나눗셈식을 찾아 계산하고, 이유를 써 보세요.

> **조건**
> • 468÷2를 이용하여 풀 수 있습니다.
> • 나누는 수와 나누어지는 수를 각각 10배
>   한 식은 468÷2입니다.

식 _____

이유 _____

플러스 유형 ❻ 수 카드로 나눗셈식 만들기

사고력 유형

6-1 수 카드 6 , 4 , 9 를 □ 안에 한 번씩 써넣어 몫이 가장 큰 나눗셈식을 만들고 몫을 구해 보세요.

$$□.□□ ÷ 0.4$$

(_____)

서술형

6-2 수 카드 4 , 5 , 7 을 □ 안에 한 번씩 써넣어 몫이 가장 큰 나눗셈식을 만들고 몫을 구하는 풀이 과정을 쓰고 답을 구해 보세요.

$$□.□□ ÷ 2.6$$

풀이 _____

_____

_____

답 _____

6-3 수 카드 6 , 1 , 5 를 □ 안에 한 번씩 써넣어 몫이 가장 작은 나눗셈식을 만들고 몫을 구해 보세요.

$$□.□□ ÷ 0.6$$

(_____)

플러스 유형 처방전

몫이 가장 큰 나눗셈식을 만들려면
나누어지는 수를 가장 크게 만들면 돼용~
몫이 가장 작은 나눗셈식을 만들려면 나누어지는
수를 가장 작게 만들면 되공~

플러스 유형 ❼　몫의 규칙 찾기

독해력 유형

7-1 다음 나눗셈식의 몫을 구할 때 몫의 소수 15째 자리 숫자를 구해 보세요.

$$6 \div 11$$

단계 **1**　나눗셈식의 몫을 소수 넷째 자리까지 구해 보세요.

(　　　　　　　　　)

단계 **2**　단계 **1**에서 구한 몫의 소수 부분에서 반복되는 수를 써 보세요.

(　　　　　　), (　　　　　　)

단계 **3**　몫의 소수 15째 자리 숫자를 구해 보세요.

(　　　　　　　　　)

7-2 다음 나눗셈의 몫을 구할 때 몫의 소수 17째 자리 숫자를 구해 보세요.

$$42.8 \div 9$$

(　　　　　　　　　)

플러스 유형 ❽　심은 나무의 수 구하기

독해력 유형

8-1 길이가 0.42 km인 도로 양쪽에 7.5 m 간격으로 처음부터 끝까지 나무를 심었습니다. 심은 나무는 모두 몇 그루인지 구해 보세요. (단, 나무의 굵기는 생각하지 않습니다.)

단계 **1**　도로 한쪽에 심은 나무 사이의 간격은 몇 군데인가요?

(　　　　　　　　　)

단계 **2**　도로 한쪽에 심은 나무는 몇 그루인가요?

(　　　　　　　　　)

단계 **3**　도로 양쪽에 심은 나무는 모두 몇 그루인가요?

(　　　　　　　　　)

8-2 길이가 0.21 km인 도로 양쪽에 8.4 m 간격으로 처음부터 끝까지 나무를 심었습니다. 심은 나무는 모두 몇 그루인가요? (단, 나무의 굵기는 생각하지 않습니다.)

(　　　　　　　　　)

플러스 유형 처방전

① 먼저 간격의 수를 구하공~ ➡ ■군데
② 한쪽에 심은 나무 수 ■＋1(그루)를 구한 다음~
③ 도로 양쪽에 심은 나무 수를 구하면 돼용~

2
단원

소수의 나눗셈

1 □ 안에 알맞은 수를 써넣으세요.

$$7.2 \div 0.8 = \frac{\boxed{}}{10} \div \frac{\boxed{}}{10}$$

$$= \boxed{} \div \boxed{} = \boxed{}$$

2 자연수의 나눗셈을 이용하여 소수의 나눗셈을 계산해 보세요.

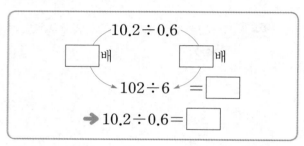

$$10.2 \div 0.6$$
$$\boxed{}배 \qquad \boxed{}배$$
$$102 \div 6 = \boxed{}$$
$$\rightarrow 10.2 \div 0.6 = \boxed{}$$

3 계산해 보세요.

$$1.27 \overline{)1\ 5.2\ 4}$$

4 $81.6 \div 3.4$와 몫이 같은 것에 ○표 하세요.

$$\frac{816}{10} \div \frac{34}{10}$$
(   )

$$816 \div 3.4$$
(   )

5 보기 와 같이 계산해 보세요.

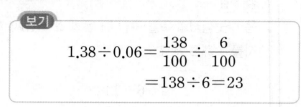

보기

$$1.38 \div 0.06 = \frac{138}{100} \div \frac{6}{100}$$
$$= 138 \div 6 = 23$$

$$1.62 \div 0.09$$

6 빈 곳에 알맞은 수를 써넣으세요.

5.12	÷3.2

7 나눗셈의 몫을 자연수 부분까지 구하고 남는 수를 구해 보세요.

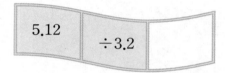

$$7 \overline{)16.7}$$

몫 (   )

남는 수 (   )

8 자연수를 소수로 나눈 몫을 구해 빈 곳에 알맞게 써넣으세요.

0.8	36

9 털실 1.12 m를 0.07 m씩 자르면 몇 도막이 되는지 구하려고 합니다. □ 안에 알맞은 수를 써넣으세요.

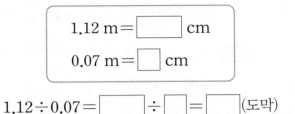

1.12 m = ☐ cm

0.07 m = ☐ cm

$1.12 \div 0.07 =$ ☐ $\div$ ☐ $=$ ☐ (도막)

10 나눗셈을 하고 몫을 반올림하여 소수 첫째 자리까지 나타내어 보세요.

$7 \div 11$

(　　　　　　　　)

11 넓이가 9.12 m²인 평행사변형의 밑변의 길이가 3.8 m일 때 높이는 몇 m인가요?

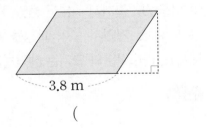

3.8 m

(　　　　　　　　)

12 잘못 계산한 곳을 찾아 바르게 계산해 보세요.

```
        6.5
0.8 ) 5 2
      4 8
      ─────
        4 0
        4 0
      ─────
          0
```
→ ☐

13 물 10.5 L가 있습니다. 물통 한 개에 0.5 L씩 담는다면 물통 몇 개가 필요한가요?

식 _____

답 _____

14 계산 결과를 비교하여 ○ 안에 >, =, <를 알맞게 써넣으세요.

4.3÷6의 몫을 반올림하여 일의 자리까지 나타낸 수 　○　 4.3÷6

15 토마토 25.1 kg을 바구니 한 개에 3 kg씩 담으려고 합니다. 바구니 몇 개에 담을 수 있고 남는 토마토의 양은 몇 kg인지 구해 보세요.

바구니 수 (　　　　　　)

남는 토마토의 양 (　　　　　　)

16 19.24를 어떤 수로 나누었더니 몫이 7.4였습니다. 어떤 수를 구해 보세요.

(　　　　　　　　)

≫ 53쪽 4-3 유사 문제

서술형

17 □ 안에 들어갈 수 있는 가장 작은 자연수를 구하는 풀이 과정을 쓰고 답을 구해 보세요.

$$10 \div 1.25 < \square$$

풀이 ▶

답 _____

≫ 54쪽 6-2 유사 문제

서술형

19 수 카드 5 , 2 , 7 을 □ 안에 한 번씩 써넣어 몫이 가장 큰 나눗셈식을 만들고 몫을 구하는 풀이 과정을 쓰고 답을 구해 보세요.

$$\square . \square \square \div 0.8$$

풀이 ▶

답 _____

≫ 54쪽 5-3 유사 문제

서술형

18 조건 을 만족하는 나눗셈식을 찾아 계산하고, 이유를 써 보세요.

조건
• 402÷3을 이용하여 풀 수 있습니다.
• 나누는 수와 나누어지는 수를 각각 10배 한 식은 402÷3입니다.

식 _____

이유 _____

≫ 55쪽 8-2 유사 문제

독해력 유형 서술형

20 길이가 0.14 km인 도로 양쪽에 5.6 m 간격으로 처음부터 끝까지 화분을 놓았습니다. 놓은 화분은 모두 몇 개인지 풀이 과정을 쓰고 답을 구해 보세요. (단, 화분의 크기는 생각하지 않습니다.)

풀이 ▶

답 _____

분모가 같은
(분수)÷(분수)

1 빈칸에 알맞은 수를 써넣으세요.

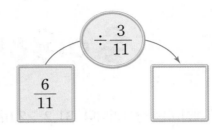

(분수)÷(분수)를
(분수)×(분수)로 나타내기

2 $\dfrac{7}{18} \div \dfrac{2}{9}$ 를 곱셈식으로 바르게 나타낸 것을 찾아 기호를 써 보세요.

㉠ $\dfrac{7}{18} \times \dfrac{2}{9}$ ㉡ $\dfrac{7}{18} \times \dfrac{9}{2}$ ㉢ $\dfrac{18}{7} \times \dfrac{9}{2}$

(   )

(분수)÷(분수)의 활용

3 호떡 한 개를 만드는 데 밀가루 $\dfrac{3}{8}$ 컵이 필요합니다. 밀가루 $5\dfrac{1}{4}$ 컵으로 만들 수 있는 호떡은 모두 몇 개인가요?

 식 _____

 답 _____

(자연수)÷(분수)

4 계산 결과를 비교하여 ○ 안에 >, =, <를 알맞게 써넣으세요.

$12 \div \dfrac{6}{7}$ ○ $9 \div \dfrac{3}{5}$

순서도를 이용하여 문제 풀기~

 코딩 1 A÷B를 계산하는 상자입니다. 31.2÷2.6을 계산하려면 A와 B에 각각 어떤 수를 써야 하는지 □ 안에 써넣고 출력값을 구해 보세요.

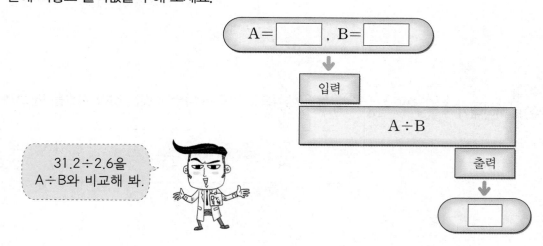

코딩 2 사탕 11.5 kg을 한 봉지에 2 kg씩 나누어 담을 때 남는 사탕의 양을 구할 수 있는 순서도입니다. 출력 값을 구해 보세요.

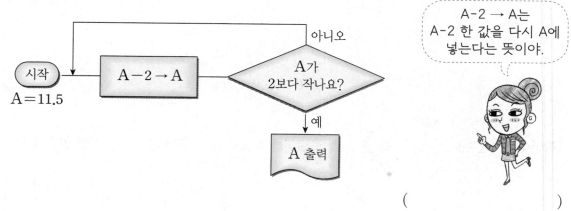

( )

소수의 나눗셈 이용하기~

창의 3 코끼리의 무게는 하마의 무게의 몇 배인가요?

나는 무게가 2.3톤이야.

내 무게는 4.14톤이고~

(   )

소수의 나눗셈으로 계산하니 소수 한 자리 수의 배까지 알 수 있어.

창의 4 마트에서 밀가루를 팔고 있습니다. 어느 밀가루가 1 kg당 가격이 더 저렴한지 기호를 써 보세요.

가

3.5 kg
4900원

나

2.5 kg
3750원

(   )

이렇게 무게와 가격이 다른 경우 소수의 나눗셈을 이용하여 가격 비교를 할 수 있다능.

3 공간과 입체

개념 1 어느 방향에서 본 모양인지 알아보기

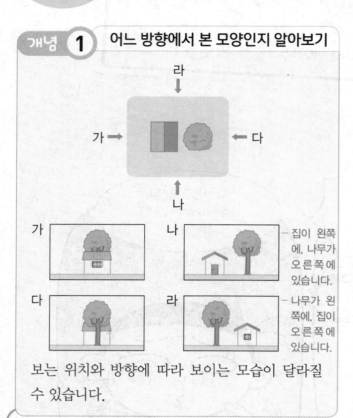

보는 위치와 방향에 따라 보이는 모습이 달라질 수 있습니다.

유형

[1~2] 오른쪽 컵을 여러 방향에서 보았습니다. 물음에 답하세요.

1 가에서 본 모양에 ◯표 하세요.

(   )   (   )

2 라에서 본 모양에 ◯표 하세요.

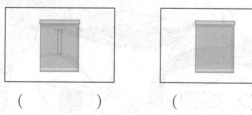

(   )   (   )

3 모자를 ㉠에서 본 모양을 찾아 기호를 써 보세요.

㉠ →

가   나

(   )

[4~5] 각 사진은 어느 방향에서 찍은 것인지 번호를 써 보세요.

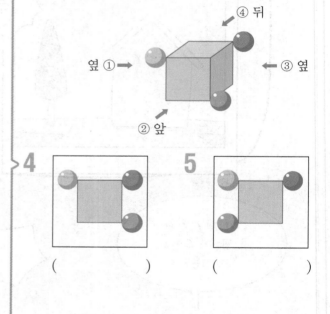

4   **5**

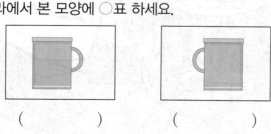

(   )   (   )

6 **보기**의 집과 나무를 보고 찍을 수 없는 사진에 ◯표 하세요.

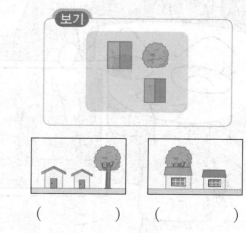

보기

(   )   (   )

개념 2 쌓은 모양과 위에서 본 모양을 보고 개수 구하기

1. 쌓은 모양과 위에서 본 모양이 같은 경우

 → 3층: 3개
→ 2층: 3개
→ 1층: 4개

위에서 본 모양

➡ 쌓기나무의 수: 4＋3＋3＝10(개)

2. 쌓은 모양과 위에서 본 모양이 다른 경우

 → 3층: 2개
→ 2층: 2개 또는 3개
→ 1층: 4개

위에서 본 모양

➡ 쌓기나무의 수: 8개 또는 9개

 보이지 않는 부분에 쌓기나무가 1개인지 2개인지 알 수 없어.

유형

7 오른쪽 쌓기나무로 쌓은 모양을 보고 위에서 본 모양에 ◯표 하세요.

위에서 본 모양
(   )

위에서 본 모양
(   )

8 쌓기나무로 쌓은 모양을 보고 돌렸을 때 **보기** 와 같은 모양을 만들 수 <u>없는</u> 것을 찾아 기호를 써 보세요.

보기

가   나

(   )

9 쌓기나무로 쌓은 모양을 보고 위에서 본 모양을 그렸습니다. 관계있는 것끼리 이어 보세요.

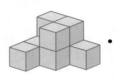   •

•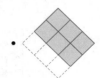

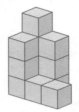   •

•

   •

•

[10~11] 주어진 모양과 똑같이 쌓는 데 필요한 쌓기나무의 개수를 구해 보세요.

10

위에서 본 모양

(   )

11

위에서 본 모양

(   )

3 단원

공간과 입체

65

개념 **3** 쌓은 모양을 보고 위, 앞, 옆에서 본 모양 그리기

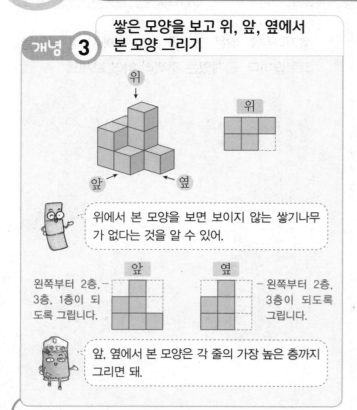

위에서 본 모양을 보면 보이지 않는 쌓기나무가 없다는 것을 알 수 있어.

왼쪽부터 2층, 3층, 1층이 되도록 그립니다.

왼쪽부터 2층, 3층이 되도록 그립니다.

앞, 옆에서 본 모양은 각 줄의 가장 높은 층까지 그리면 돼.

유형

[12~13] 쌓기나무로 쌓은 모양과 위에서 본 모양입니다. 물음에 답하세요.

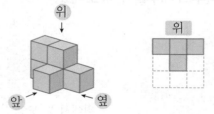

12 앞에서 본 모양에 ○표 하세요.

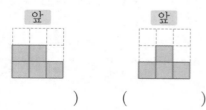

(   )   (   )

13 옆에서 본 모양에 ○표 하세요.

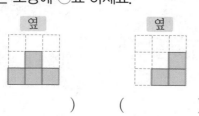

(   )   (   )

14 쌓기나무로 쌓은 모양과 위에서 본 모양입니다. 옆에서 본 모양을 그려 보세요.

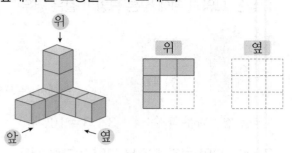

15 쌓기나무로 쌓은 모양과 위에서 본 모양입니다. 앞과 옆에서 본 모양을 각각 그려 보세요.

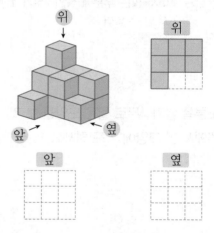

앞   옆

16 오른쪽은 쌓기나무 10개로 쌓은 것입니다. 위, 앞, 옆에서 본 모양을 그려 보세요.

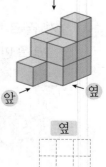

위   앞   옆

3 단원

공간과 입체

66

개념 4 위, 앞, 옆에서 본 모양을 보고 쌓은 모양 알아보기

 위　 앞　 옆

① 위, 앞에서 본 모양을 보고 알 수 있는 것
　○: 쌓기나무 각각 1개
　△, □: 쌓기나무 2개 이하

② 위, 옆에서 본 모양을 보고 알 수 있는 것
　○, □: 쌓기나무 각각 1개
　△: 쌓기나무 2개

➡ ○: 쌓기나무 1개, △: 쌓기나무 2개,
　□: 쌓기나무 1개입니다.

쌓은 모양

(필요한 쌓기나무의 수)
$=4+1=5$(개)
　　1층　2층

유형

[17~18] 위, 앞, 옆에서 본 모양을 보고 물음에 답하세요.

 위　 앞　 옆

17 위, 앞에서 본 모양을 보면 □ 자리에 쌓기나무는 각각 몇 개씩 있나요?

(　　　　　)

18 위, 옆에서 본 모양을 보면 △와 ○ 자리에 쌓기나무가 각각 몇 개씩 있나요?

△ (　　　　　)
○ (　　　　　)

19 쌓기나무로 쌓은 모양을 위, 앞, 옆에서 본 모양입니다. 쌓은 모양을 찾아 기호를 써 보세요.

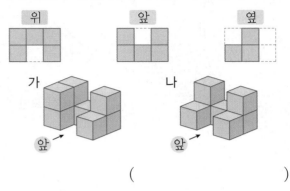

(　　　　　)

20 쌓기나무로 쌓은 모양을 위, 앞, 옆에서 본 모양입니다. 똑같은 모양으로 쌓는 데 필요한 쌓기나무는 몇 개인가요?

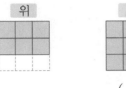　　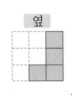

(　　　　　)

21 쌓기나무 8개로 쌓은 모양을 위와 앞에서 본 모양입니다. 옆에서 본 모양을 그려 보세요.

 위　 앞　 옆

[1~4] 주어진 모양과 똑같이 쌓는 데 필요한 쌓기나무의 개수를 구해 보세요.

1

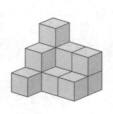

위에서 본 모양

( )

2

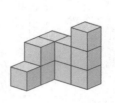

위에서 본 모양

( )

3

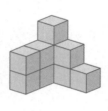

위에서 본 모양

( )

4

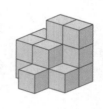

위에서 본 모양

( )

[5~8] 쌓기나무로 쌓은 모양과 위에서 본 모양입니다. 앞과 옆에서 본 모양을 각각 그려 보세요.

5

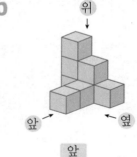

위

앞

옆

6

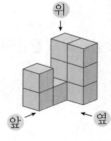

위

앞

옆

7

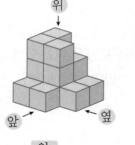

위

앞

옆

8

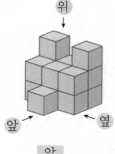

위

앞

옆

1 오른쪽 쌓기나무로 쌓은 모양을 보고 위에서 본 모양을 찾아 기호를 써 보세요. [1점]

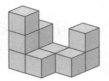

가　　　　　나

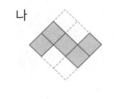

(　　　　　)

2 쌓기나무로 쌓은 모양과 위에서 본 모양입니다. 앞에서 본 모양을 찾아 기호를 써 보세요. [1점]

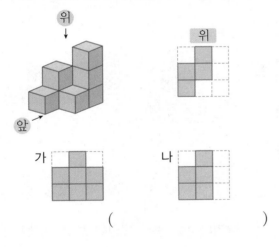

가　　　　　나

(　　　　　)

3 쌓기나무 8개로 쌓은 모양입니다. 옆에서 본 모양이 다른 하나를 찾아 기호를 써 보세요. [2점]

가　　　나　　　다

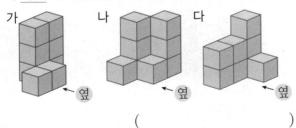

(　　　　　)

4 쌓기나무로 쌓은 모양을 위, 앞, 옆에서 본 모양입니다. 쌓은 모양을 찾아 기호를 써 보세요. [2점]

위　　　　앞　　　　옆

가　　　　　나

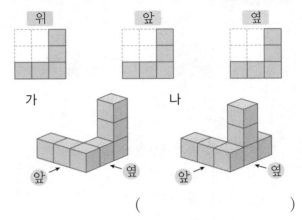

(　　　　　)

5 조형물 사진을 찍었습니다. 각 사진을 찍은 위치의 기호를 써 보세요. [2점]

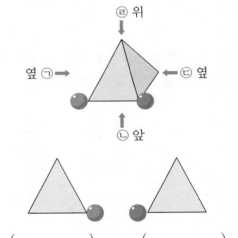

(　　　　　)　(　　　　　)

6 오른쪽 모양을 위에서 내려다보면 어떤 모양인지 찾아 기호를 써 보세요. [2점]

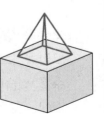

가　　　나　　　다

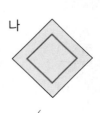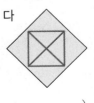

(　　　　　)

3 단원

공간과 입체

70

개념 **5** 위에서 본 모양에 수 쓰기

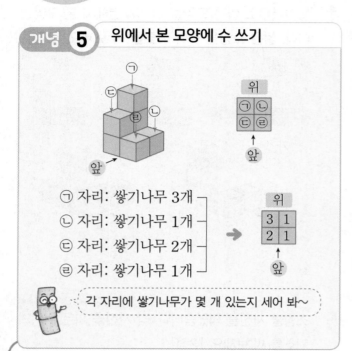

ㄱ 자리: 쌓기나무 3개 ┐
ㄴ 자리: 쌓기나무 1개 │ → 위
ㄷ 자리: 쌓기나무 2개 │
ㄹ 자리: 쌓기나무 1개 ┘

각 자리에 쌓기나무가 몇 개 있는지 세어 봐~

유형

1 쌓기나무로 쌓은 모양을 보고 ㄱ과 ㄴ에 쌓은 쌓기나무의 수를 각각 구해 보세요.

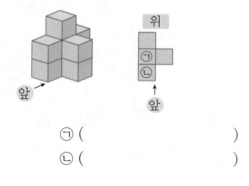

ㄱ (   )
ㄴ (   )

2 오른쪽 쌓기나무 10개로 쌓은 모양을 보고 위에서 본 모양에 수를 썼습니다. 수를 바르게 쓴 것에 ○표 하세요.

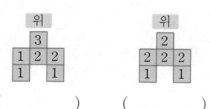

(   )   (   )

[3~5] 쌓기나무로 쌓은 모양을 보고 위에서 본 모양에 수를 써 보세요.

3

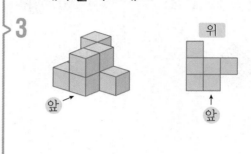

4

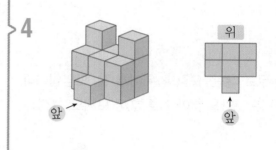

5

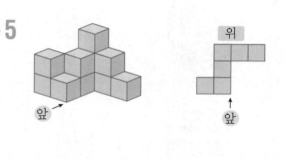

6 쌓기나무로 쌓은 모양을 보고 위에서 본 모양에 수를 썼습니다. 관계있는 것끼리 이어 보세요.

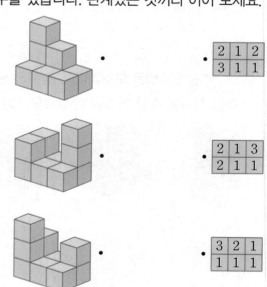

개념 6 위에서 본 모양에 수를 쓴 것을 보고 쌓은 모양 알아보기

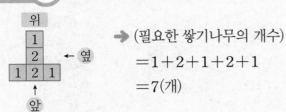

→ (필요한 쌓기나무의 개수)
$= 1+2+1+2+1$
$= 7(개)$

① 앞과 옆에서 본 모양 각각 그리기

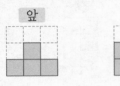

－각 줄의 가장 높은 층까지 그립니다.

② 쌓은 모양 알아보기

유형

[7~8] 쌓기나무로 쌓은 모양을 보고 위에서 본 모양에 수를 썼습니다. 물음에 답하세요.

7 앞에서 본 모양을 찾아 ○표 하세요.

(　　　)

(　　　)

8 옆에서 본 모양을 찾아 ○표 하세요.

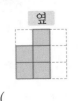

(　　　)

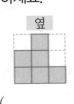

(　　　)

[9~10] 쌓기나무로 쌓은 모양을 보고 오른쪽과 같이 위에서 본 모양에 수를 썼습니다. 물음에 답하세요.

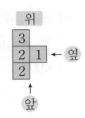

9 앞과 옆에서 본 모양을 각각 그려 보세요.

앞　　　　　옆

10 쌓기나무로 쌓은 모양에 ○표 하세요.

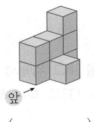

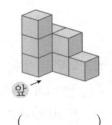

(　　　)　　(　　　)

[11~12] 오른쪽은 쌓기나무로 쌓은 모양을 보고 위에서 본 모양에 수를 쓴 것입니다. 물음에 답하세요.

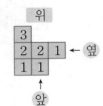

11 쌓기나무로 쌓은 모양을 찾아 기호를 써 보세요.

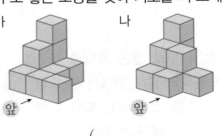

가　　　　　나

(　　　　　　)

12 똑같은 모양으로 쌓는 데 필요한 쌓기나무는 몇 개인가요?

(　　　　　　)

13 쌓기나무로 쌓은 모양을 보고 위에서 본 모양에 수를 썼습니다. 앞과 옆에서 본 모양을 각각 그려 보세요.

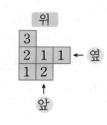

14 쌓기나무로 쌓은 모양을 보고 위에서 본 모양에 수를 썼습니다. 앞에서 본 모양이 <u>다른</u> 하나를 찾아 기호를 써 보세요.

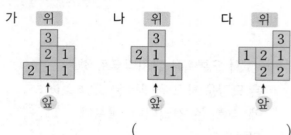

(   )

15 쌓기나무로 쌓은 모양을 보고 오른쪽과 같이 위에서 본 모양에 수를 썼습니다. 잘못 말한 사람의 이름을 써 보세요.

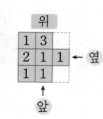

시우 : 1층에 쌓은 쌓기나무는 7개야.

똑같은 모양으로 쌓는 데 필요한 쌓기나무는 9개야. : 지안

(   )

개념 7 층별로 나타내기

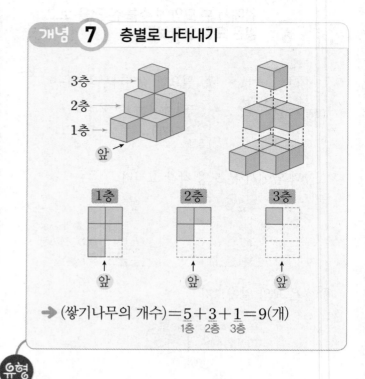

➡ (쌓기나무의 개수)=5+3+1=9(개)
　　　　　　　　　1층 2층 3층

유형

[16~17] 쌓기나무로 쌓은 모양과 1층 모양을 보고 물음에 답하세요.

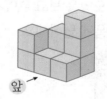   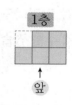

16 2층 모양을 그린 것을 찾아 ○표 하세요.

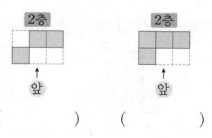

(   )   (   )

17 3층 모양을 그린 것을 찾아 ○표 하세요.

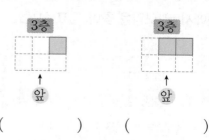

(   )   (   )

[18~19] 쌓기나무로 쌓은 모양과 1층 모양을 보고
2층과 3층 모양을 각각 그려 보세요.

18
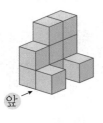
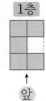
1층

앞

2층 　 3층

앞 　 앞

19
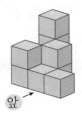
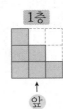
1층

앞 　 앞

2층 　 3층

앞 　 앞

20 쌓기나무 8개로 쌓은 모양을 보고 1층, 2층, 3층
모양을 각각 그려 보세요.

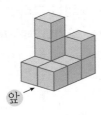
앞

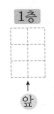

1층 　 2층 　 3층

앞 　 앞 　 앞

개념 8 층별로 나타낸 모양을 보고
위, 앞, 옆에서 본 모양 그리기

층별로 나타낸 모양을 보고 위에서 본 모양에 수를 써서 앞, 옆에서 본 모양을 알아봅니다.

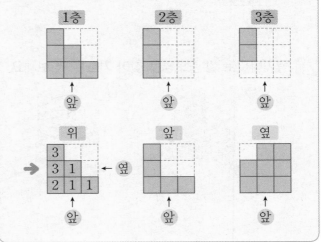

유형

[21~22] 층별로 나타낸 모양을 보고 물음에 답하세요.

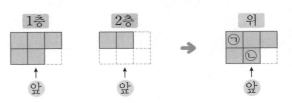

21 위에서 본 모양에 수를 쓴다면 ㉠에 알맞은 수를
구해 보세요.

(　　　　　　　　)

22 위에서 본 모양에 수를 쓴다면 ㉡에 알맞은 수를
구해 보세요.

(　　　　　　　　)

[23~24] 층별로 나타낸 모양을 보고 물음에 답하세요.

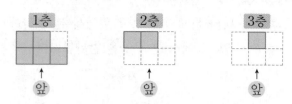

23 쌓기나무로 쌓은 모양을 찾아 기호를 써 보세요.

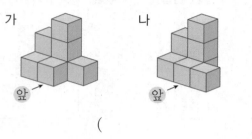

( )

24 23에서 쌓은 모양을 보고 위, 앞에서 본 모양을 각각 그려 보세요.

[25~26] 쌓기나무로 쌓은 모양을 층별로 나타낸 모양입니다. 물음에 답하세요.

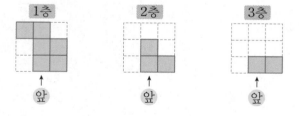

25 위에서 본 모양을 그려 보세요.

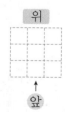

26 25에서 그린 위에서 본 모양에 수를 써 보세요.

27 쌓기나무로 쌓은 모양을 층별로 나타낸 모양입니다. 위에서 본 모양에 수를 쓰는 방법으로 나타내어 보세요.

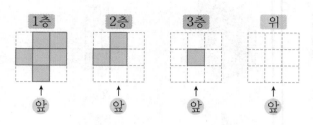

28 위에서 본 모양에 수를 쓴 것을 보고 1층, 2층, 3층 모양을 각각 그려 보세요.

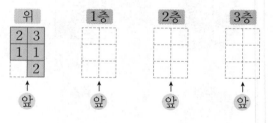

29 쌓기나무로 쌓은 모양을 층별로 나타낸 모양입니다. 앞에서 본 모양을 그려 보고, 똑같은 모양으로 쌓는 데 필요한 쌓기나무의 개수를 구해 보세요.

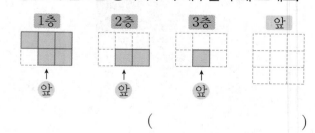

( )

개념 **9** 쌓기나무 1개를 더 붙여서 모양 만들기

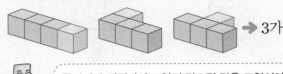

모양에 쌓기나무 1개를 더 붙여서 만들 수 있는 서로 다른 모양

  → 3가지

돌리거나 뒤집어서 모양이 같으면 같은 모양이야.

개념 **10** 두 가지 모양으로 여러 가지 모양 만들기

쌓기나무 4개로 만든 두 모양으로 새로운 모양 만들기

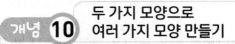

예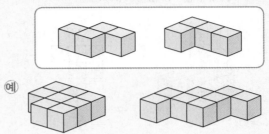

유형

30  모양에 쌓기나무 1개를 더 붙여서 만들 수 있는 서로 다른 모양은 모두 몇 가지인가요?

(　　　　　　　)

31  모양에 쌓기나무 1개를 더 붙여서 만든 모양이 <u>아닌</u> 것에 ×표 하세요.

  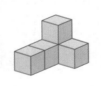

(　　　) (　　　) (　　　)

32 쌓기나무 4개로 만든 모양입니다. 서로 같은 모양을 찾아 이어 보세요.

　·　　·　

　·　　·　

유형

33 두 가지 모양을 사용하여 새로 만든 모양입니다. 사용한 두 가지 모양을 찾아 ○표 하세요.

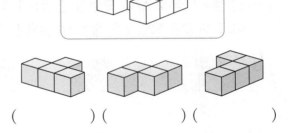

(　　) (　　) (　　)

34 두 가지 모양을 사용하여 만든 모양입니다. 어떻게 만들었는지 구분하여 색칠해 보세요.

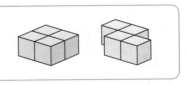

[1~4] 쌓기나무로 쌓은 모양을 보고 위에서 본 모양에 수를 쓰고, 똑같은 모양으로 쌓는 데 필요한 쌓기나무의 개수를 구해 보세요.

1

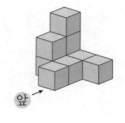

( )

2

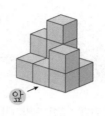

( )

3

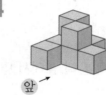

( )

4

( )

[5~7] 쌓기나무로 쌓은 모양을 층별로 나타낸 모양입니다. 위에서 본 모양에 수를 쓰는 방법으로 나타내고, 똑같은 모양으로 쌓는 데 필요한 쌓기나무의 개수를 구해 보세요.

5

    1층   2층   3층   위

( )

6

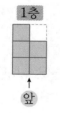   1층   2층   3층   위

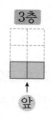

( )

7

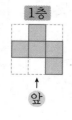   1층   2층   3층   위

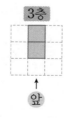

( )

1 오른쪽 1층 모양을 보고 2층으로 쌓을 수 있는 알맞은 모양을 찾아 기호를 써 보세요. [1점]

1층
↑
앞

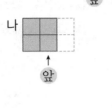

가 ⬜⬜⬜
↑
앞

나 ⬜⬜
　　⬜⬜
↑
앞

(　　　　　　　　)

2 쌓기나무로 쌓은 모양과 1층 모양을 보고 2층과 3층 모양을 각각 그려 보세요. [1점]

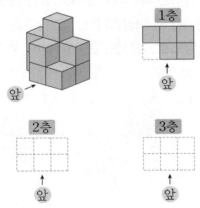
↑
앞

1층
↑
앞

2층
↑
앞

3층
↑
앞

3 쌓기나무로 쌓은 모양을 보고 위에서 본 모양에 수를 썼습니다. 앞에서 본 모양을 그려 보세요.

[2점]

위
↑
앞

앞

4 쌓기나무로 쌓은 모양을 층별로 나타낸 모양입니다. 똑같은 모양으로 쌓는 데 필요한 쌓기나무는 몇 개인가요? [2점]

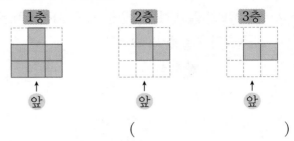
1층　　2층　　3층
↑　　　↑　　　↑
앞　　　앞　　　앞

(　　　　　　　　)

5 쌓기나무를 4개씩 붙여서 만든 두 가지 모양을 사용하여 아래의 모양을 만들었습니다. 어떻게 만들었는지 구분하여 색칠해 보세요. [2점]

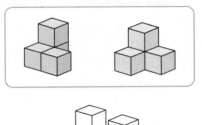

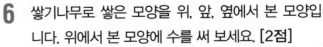

6 쌓기나무로 쌓은 모양을 위, 앞, 옆에서 본 모양입니다. 위에서 본 모양에 수를 써 보세요. [2점]

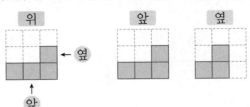
위　　　앞　　　옆
　←옆
↑
앞

❶ 찍은 위치에 따른 사진 알아보기

1 보기 와 같이 컵을 놓았을 때 각 사진을 찍은 위치를 찾아 기호를 써 보세요.

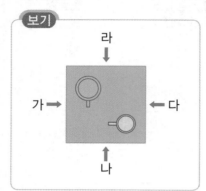

　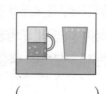

(　　　　)　(　　　　)

2 보기 와 같이 컵을 놓았을 때 찍을 수 <u>없는</u> 사진을 찾아 기호를 써 보세요.

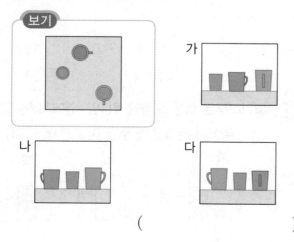

(　　　　　　　　　　)

❷ 옆에서 본 모양 알아보기

3 쌓기나무 7개로 만든 모양입니다. 옆에서 본 모양을 그려 보세요.

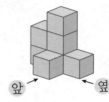　

4 오른쪽은 쌓기나무 7개로 쌓은 모양을 옆에서 본 모양입니다. 쌓기나무로 쌓은 모양으로 가능한 모양을 찾아 기호를 써 보세요.

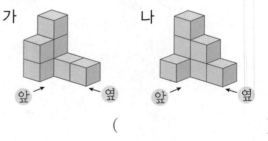

(　　　　　　　　　　)

5 똑같은 크기의 정육면체 모양의 선물 상자 15개가 쌓여 있습니다. 쌓은 모양을 옆에서 본 모양을 그려 보세요.

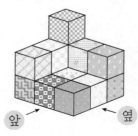　

❸ 층별로 나타낸 모양 알아보기

기본 유형
6 쌓기나무로 1층 위에 2층을 쌓으려고 합니다. 1층의 모양을 보고 쌓을 수 있는 2층 모양을 찾아 기호를 써 보세요.

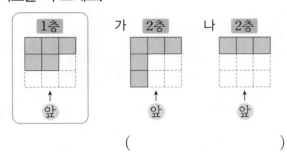

(　　　　　　　　)

변형 유형
7 쌓기나무 7개로 쌓은 모양을 층별로 나타낸 것입니다. 1층 모양을 보고 잘못 색칠된 층을 찾아 ×표 하세요.

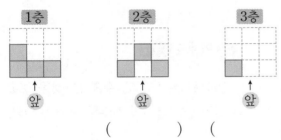

(　　　　) (　　　　)

변형 유형
8 쌓기나무로 쌓은 1층, 2층의 모양을 나타낸 모양입니다. 3층 모양에 알맞게 그려 보세요.

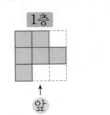 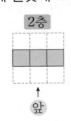 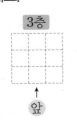

❹ 두 가지 모양을 사용하여 여러 가지 모양 만들기

기본 유형
9 쌓기나무를 4개씩 붙여서 만든 두 가지 모양을 사용하여 새로운 모양을 만들려고 합니다. 만들 수 있는 모양을 찾아 기호를 써 보세요.

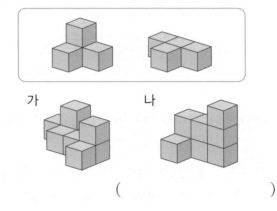

(　　　　　　　　)

변형 유형
10 쌓기나무를 4개씩 붙여서 만든 두 가지 모양을 사용하여 오른쪽 모양을 만들었습니다. 빈칸에 알맞은 모양을 찾아 기호를 써 보세요.

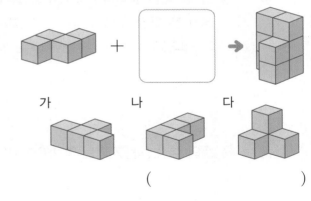

(　　　　　　　　)

변형 유형
11 쌓기나무 4개를 붙여서 만든 한 가지 모양을 2번 사용하여 오른쪽 모양을 만들었습니다. 사용한 모양을 찾아 기호를 써 보세요.

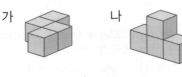

(　　　　　　　　)

독해력 유형 1 ■층에 쌓인 쌓기나무의 개수 구하기

위에서 본 모양에 수를 쓴 것을 보고 2층에 쌓인 쌓기나무의 개수를 구해 보세요.

위
| 3 | 3 | 1 |
| 2 | 1 | |

What? 구하려는 것을 찾아 밑줄을 그어 보세요.

How?
❶ 2층에 쌓인 쌓기나무의 개수를 알아보려면 위에서 본 모양에 쓰여있는 수가 얼마 이상이어야 하는지 알아보기
❷ ❶의 수가 쓰여있는 자리는 몇 개인지 구하기
❸ 2층에 쌓인 쌓기나무는 몇 개인지 구하기

Solve
❶ 2층에 쌓인 쌓기나무의 개수를 알아보려면 위에서 본 모양에 쓰여있는 수가 얼마 이상이어야 하나요?
( )

❷ ❶의 수 이상인 자리는 몇 개인가요?
( )

❸ 2층에 쌓인 쌓기나무는 몇 개인가요?
( )

위에서 본 모양에 수를 쓴 것을 보고 각 층에 쌓인 쌓기나무의 개수 구하기~
1층: (1 이상이 쓰여있는 자리 수)개
2층: (2 이상이 쓰여있는 자리 수)개
3층: (3 이상이 쓰여있는 자리 수)개

쌍둥이 유형 1-1

위에서 본 모양에 수를 쓴 것을 보고 2층에 쌓인 쌓기나무의 개수를 구해 보세요.

위
	2	1
	2	3
1	3	1

❶

❷

❸

답 _____

쌍둥이 유형 1-2

위에서 본 모양에 수를 쓴 것을 보고 3층에 쌓인 쌓기나무의 개수를 구해 보세요.

위
| | 2 | 1 |
| 4 | 2 | 3 |

❶

❷

❸

답 _____

독해력 유형 **2** 위, 앞에서 본 모양을 보고 옆에서 본 모양 그리기

쌓기나무 7개로 쌓은 모양을 위와 앞에서 본 모양입니다. 옆에서 본 모양을 그려 보세요.

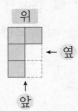 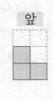

What? 구하려는 것을 찾아 밑줄을 그어 보세요.

How?
❶ 위에서 본 모양에서 ○ 자리의 쌓기나무의 개수 구하기
❷ 위에서 본 모양에서 △ 자리의 쌓기나무의 개수 구하기
❸ 옆에서 본 모양 그리기

Solve
❶ 위에서 본 모양에서 ○ 자리는 쌓기나무가 몇 개인가요?

( )

❷ 위에서 본 모양에서 △ 자리는 쌓기나무가 몇 개씩인가요?

( )

❸ 옆에서 본 모양을 그려 보세요.

위에서 본 모양이 1개인 자리 또는 앞에서 본 모양이 1층인 자리를 먼저 살펴봐용~

쌍둥이 유형 **2-1**

쌓기나무 6개로 쌓은 모양을 위와 앞에서 본 모양입니다. 옆에서 본 모양을 그려 보세요.

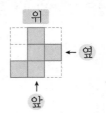 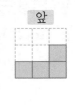

❶

❷

❸

답 _____

쌍둥이 유형 **2-2**

쌓기나무 5개로 쌓은 모양을 위와 앞에서 본 모양입니다. 옆에서 본 모양을 그려 보세요.

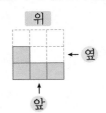 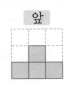

❶

❷

❸

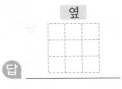

답 _____

사고력 플러스 유형

플러스 유형 ❶ 위에서 본 모양 그리기

1-1 쌓기나무 7개로 쌓은 모양입니다. 위에서 본 모양을 그려 보세요.

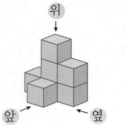

1-2 쌓기나무 7개로 쌓은 모양입니다. 위에서 본 모양을 그려 보세요.

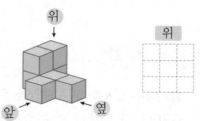

1-3 쌓기나무 8개로 쌓은 모양입니다. ㉠ 자리에 쌓기나무를 1개 더 쌓았을 때 위에서 본 모양을 그려 보세요.

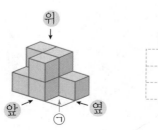

플러스 유형 ❷ 쌓는 데 필요한 쌓기나무 개수 구하기

2-1 쌓기나무로 쌓은 모양을 위, 앞, 옆에서 본 모양입니다. 똑같은 모양으로 쌓는 데 필요한 쌓기나무의 개수를 구해 보세요.

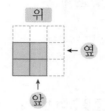

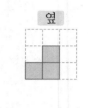

(   )

서술형

2-2 쌓기나무로 쌓은 모양을 위, 앞, 옆에서 본 모양입니다. 똑같은 모양으로 쌓는 데 필요한 쌓기나무의 개수를 구하는 풀이 과정을 쓰고 답을 구해 보세요.

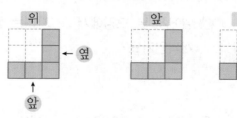

풀이 ▶

답 _____

플러스 유형 ③ 상자에 넣을 수 있는 모양 찾기

3-1 쌓기나무를 붙여서 만든 모양을 구멍이 있는 상자에 넣으려고 합니다. 상자에 넣을 수 있는 모양을 모두 찾아 기호를 써 보세요.

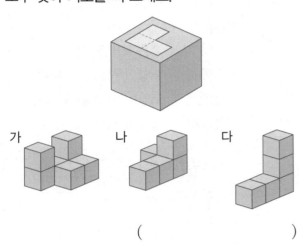

가　　나　　다

(　　　　　　　　　　　)

3-2 쌓기나무를 붙여서 만든 모양을 구멍이 있는 상자에 넣으려고 합니다. 상자에 넣을 수 있는 모양을 모두 찾아 기호를 써 보세요.

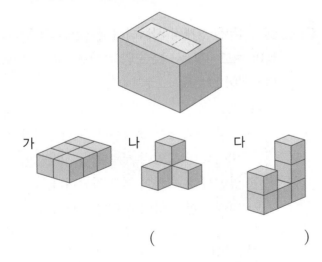

가　　나　　다

(　　　　　　　　　　　)

플러스 유형 처방전

각각의 모양을 돌리거나 뒤집어서 상자 안에 넣을 수 있는지 살펴봐용~
또는 여러 방향에서 본 모양이 상자의 구멍과 모양이 같은지 살펴봐도 돼용~

플러스 유형 ④ 1층 모양을 보고 다른 층 모양 찾기

4-1 쌓기나무로 1층 위에 서로 다른 모양으로 2층과 3층을 쌓으려고 합니다. 1층 모양을 보고 2층과 3층으로 쌓을 수 있는 알맞은 모양을 찾아 기호를 써 보세요.

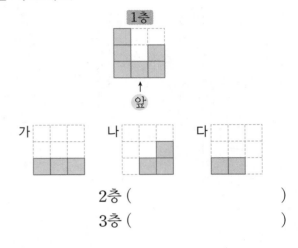

2층 (　　　　　　　　　　)
3층 (　　　　　　　　　　)

4-2 쌓기나무로 1층 위에 서로 다른 모양으로 2층과 3층을 쌓으려고 합니다. 1층 모양을 보고 2층과 3층으로 쌓을 수 있는 알맞은 모양을 찾아 기호를 써 보세요.

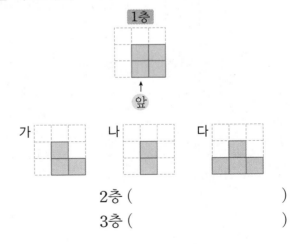

2층 (　　　　　　　　　　)
3층 (　　　　　　　　　　)

3 단원

공간과 입체

83

플러스 유형 **5** 위, 앞, 옆에서 본 모양을 보고 가능한 모양 찾기

사고력 유형

5-1 쌀기나무 6개로 쌓은 모양을 위, 앞, 옆에서 본 모양
입니다. 쌓은 모양으로 가능한 모양을 모두 찾아
기호를 써 보세요.

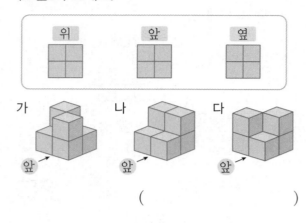

(   )

5-2 쌀기나무 7개로 쌓은 모양을 위, 앞, 옆에서 본 모양
입니다. 쌓은 모양으로 가능한 모양을 모두 찾아
기호를 써 보세요.

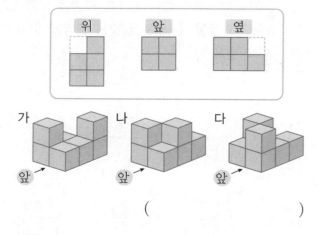

(   )

플러스 유형 처방전

쌓은 모양이 다르더라도 위, 앞, 옆에서 본 모양
이 같은 경우도 있음을 기억해용~

플러스 유형 **6** 조건에 맞게 위에서 본 모양에 수 쓰기

사고력 유형

6-1 쌀기나무를 7개씩 사용하여 조건을 만족하도록
쌓으려고 합니다. 위에서 본 모양에 수를 쓰는 방법
으로 나타내어 보세요.

조건

• 가와 나의 쌓은 모양은 서로 다릅니다.
• 위에서 본 모양이 서로 같습니다.
• 앞에서 본 모양이 서로 같습니다.
• 옆에서 본 모양이 서로 같습니다.

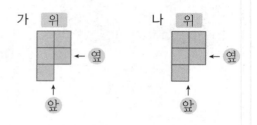

6-2 쌀기나무를 8개씩 사용하여 조건을 만족하도록
쌓아 보고, 위에서 본 모양에 수를 쓰는 방법으로
나타내어 보세요.

조건

• 가와 나의 쌓은 모양은 서로 다릅니다.
• 위에서 본 모양이 서로 같습니다.
• 앞에서 본 모양이 서로 같습니다.
• 옆에서 본 모양이 서로 같습니다.

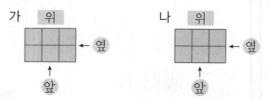

플러스 유형 7 위에서 본 모양이 될 수 있는 것 찾기

독해력 유형

7-1 오른쪽 쌓기나무로 쌓은 모양을 보고 위에서 본 모양이 될 수 있는 것을 찾아 기호를 써 보세요.

가 　　　나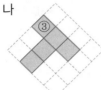

단계 **1** ①, ②, ③ 중에서 보이는 쌓기나무를 써 보세요.

(　　　　　)

단계 **2** 위에서 본 모양이 될 수 있는 것을 찾아 기호를 써 보세요.

(　　　　　)

7-2 오른쪽 쌓기나무로 쌓은 모양을 보고 위에서 본 모양이 될 수 있는 것을 찾아 기호를 써 보세요.

가 　　　나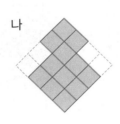

(　　　　　)

플러스 유형 8 쌓기나무가 가장 많을 때와 가장 적을 때의 개수의 차 구하기

독해력 유형

8-1 쌓기나무로 쌓은 모양을 위, 앞, 옆에서 본 모양입니다. 쌓기나무가 가장 많을 때와 가장 적을 때의 개수의 차를 구해 보세요.

위 　　앞 　　옆

단계 **1** 쌓기나무가 가장 많을 때 위에서 본 모양에 수를 써 보세요.

단계 **2** 쌓기나무가 가장 적을 때 위에서 본 모양에 수를 써 보세요.

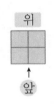

단계 **3** 쌓기나무가 가장 많을 때와 가장 적을 때의 개수의 차는 몇 개인가요?

(　　　　　)

8-2 쌓기나무로 쌓은 모양을 위, 앞, 옆에서 본 모양입니다. 쌓기나무가 가장 많을 때와 가장 적을 때의 개수의 차를 구해 보세요.

위 　　　앞 　　　옆

(　　　　　)

3 단원

공간과 입체

1 오른쪽 쌓기나무로 쌓은 모양을 보고 위에서 본 모양을 찾아 ○표 하세요.

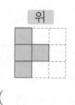 위

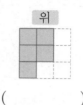 위

(　　　　)　　(　　　　)

2 쌓기나무로 쌓은 모양을 보고 위에서 본 모양에 수를 쓸 때 ㉠에 알맞은 수를 구해 보세요.

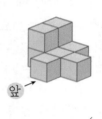 앞

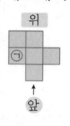 위 ㉠ 앞

(　　　　　　　　)

3 보기 의 모양에 쌓기나무 1개를 더 붙여서 만들 수 있는 모양에 ○표 하세요.

 보기

(　　　)　(　　　)

4 쌓기나무 11개로 쌓은 모양을 보고 2층 모양을 찾아 기호를 써 보세요.

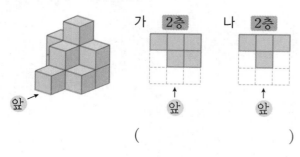
앞　가 2층　나 2층

앞　　　앞

(　　　　　　　　)

5 쌓기나무로 쌓은 모양을 보고 위에서 본 모양에 수를 써 보세요.

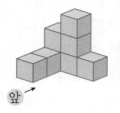
앞

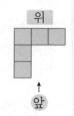 위

앞

6 쌓기나무로 쌓은 모양과 위에서 본 모양입니다. 앞과 옆에서 본 모양을 각각 그려 보세요.

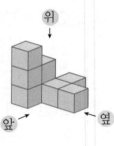
위　앞　옆

 위　 앞　 옆

7 주어진 모양과 똑같이 쌓는 데 필요한 쌓기나무는 몇 개인가요?

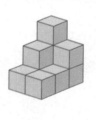　
위에서 본 모양

(　　　　　　　　)

8 쌓기나무를 각각 4개씩 붙여서 만든 두 가지 모양을 사용하여 오른쪽 모양을 만들었습니다. 연두색과 분홍색 색연필로 구분하여 색칠해 보세요.

　 ➡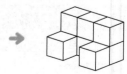

9 쌓기나무로 쌓은 모양을 보고 위에서 본 모양에 수를 썼습니다. 옆에서 본 모양을 그려 보세요.

10 조형물을 보고 보기 는 어느 방향에서 본 것인지 기호를 써 보세요.

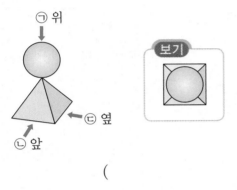

(　　　　　)

11 쌓기나무로 쌓은 모양을 층별로 나타낸 모양입니다. 위에서 본 모양에 수를 써 보세요.

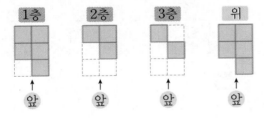

12 쌓기나무로 쌓은 모양과 1층 모양을 보고 2층 모양과 3층 모양을 각각 그려 보세요.

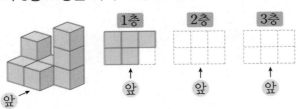

13 쌓기나무를 각각 4개씩 붙여서 만든 두 가지 모양을 사용하여 만들 수 없는 모양을 찾아 기호를 써 보세요.

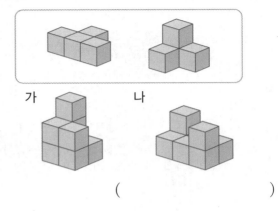

가 　　　　나

(　　　　　)

14 오른쪽 위에서 본 모양에 수를 쓴 것을 보고 3층에 쌓인 쌓기나무의 개수를 구해 보세요.

(　　　　　)

서술형 　　　　　　　　　≫ 82쪽 [2-2 유사 문제]

15 쌓기나무로 쌓은 모양을 위, 앞, 옆에서 본 모양입니다. 똑같은 모양으로 쌓는 데 필요한 쌓기나무의 개수를 구하는 풀이 과정을 쓰고 답을 구해 보세요.

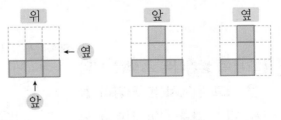

풀이

답 _____

16 쌓기나무를 붙여서 만든 모양을 구멍이 있는 상자에 넣으려고 합니다. 상자에 넣을 수 있는 모양을 모두 찾아 기호를 써 보세요.

>> 83쪽 3-2 유사 문제

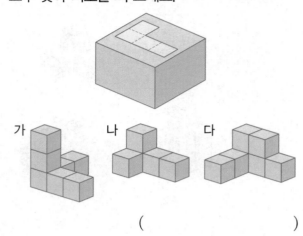

가　　　나　　　다

(　　　　　　　　　　)

17 쌓기나무로 오른쪽 1층 위에 서로 다른 모양으로 2층과 3층을 쌓으려고 합니다. 1층 모양을 보고 2층과 3층으로 쌓을 수 있는 알맞은 모양을 찾아 기호를 써 보세요.

>> 83쪽 4-2 유사 문제

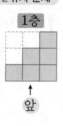

1층

↑
앞

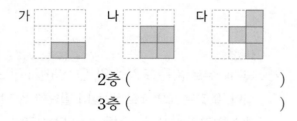

가　　　나　　　다

2층 (　　　　　　　　　　)

3층 (　　　　　　　　　　)

18 오른쪽 쌓기나무로 쌓은 모양을 보고 위에서 본 모양이 될 수 <u>없는</u> 것을 찾아 기호를 써 보세요.

>> 85쪽 7-2 유사 문제

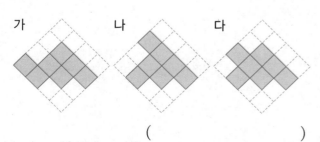

가　　　나　　　다

(　　　　　　　　　　)

19 쌓기나무 6개로 조건 을 만족하는 모양을 위에서 본 모양에 수를 쓰는 방법으로 나타내어 보세요.

>> 84쪽 6-2 유사 문제

조건
• 1층에는 쌓기나무가 5개 있습니다.
• 앞에서 본 모양과 옆에서 본 모양이 서로 같습니다.
• 2층짜리 모양입니다.

위

20 쌓기나무로 쌓은 모양을 위, 앞, 옆에서 본 모양입니다. 쌓기나무가 가장 적을 때의 개수를 구하는 풀이 과정을 쓰고 답을 구해 보세요.

독해력 유형 서술형　　　>> 85쪽 8-2 유사 문제

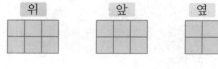

위　　　앞　　　옆

풀이

답 ＿＿＿＿＿＿＿＿＿＿＿＿

자연수의 나눗셈을
이용한 (소수)÷(소수)

1 $735 \div 3 = 245$를 이용하여 □ 안에 알맞은 수를 써넣으세요.

$$7.35 \div 0.03 = \boxed{}$$

(자연수)÷(소수)

2 보기 와 같이 분수의 나눗셈으로 계산해 보세요.

> 보기
>
> $$36 \div 1.5 = \frac{360}{10} \div \frac{15}{10} = 360 \div 15 = 24$$

$42 \div 1.2$

(소수 한 자리 수)
÷ (소수 한 자리 수)

3 물이 10.8 L 있습니다. 물을 물통 한 개에 0.9 L씩 담는다면 물통이
몇 개 필요한가요?

 식 _____

답 _____

몫을 반올림하여
나타내기

4 계산 결과를 비교하여 ○ 안에 >, =, <를 알맞게 써넣으세요.

┌─────────────────────────┐
│ 2.3÷7의 몫을 반올림하여 소수 첫째 │ ○ ┌──────────┐
│ 자리까지 나타낸 수   │   │ 2.3÷7 │
└─────────────────────────┘   └──────────┘

코딩 1 다음 규칙에 따라 쌓기나무를 쌓았을 때 만들어지는 모양을 찾아 번호를 쓰고 앞에서 본 모양을 그려 보세요.

규칙

♥ : 초록색 쌓기나무 오른쪽 옆으로 초록색 쌓기나무 1개 쌓기

▲ : 노란색 쌓기나무 앞으로 노란색 쌓기나무 2개 쌓기

◆ : 파란색 쌓기나무 오른쪽 옆으로 파란색 쌓기나무 1개 쌓기

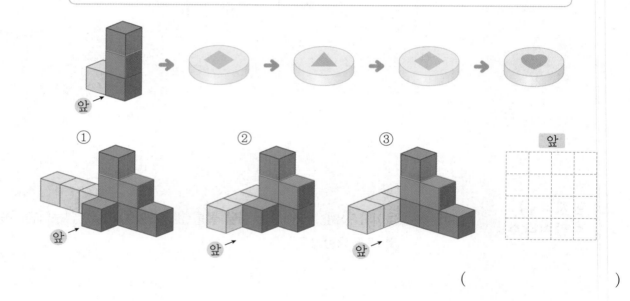

① ② ③ 앞

( )

창의 2 똑같은 정육면체의 상자로 쌓은 모양입니다. 모양이 <u>다른</u> 하나를 찾아 번호를 써 보세요.

①  ②  ③

보는 방향에 따라 다르게 보이지만 같은 모양인 것들이 있어.

( )

3 단원

공간과 입체

90

창의 **3**

규칙에 따라 똑같은 정육면체 모양의 상자로 쌓은 모양입니다. 네 번째 모양의 위, 앞, 옆에서 본 모양을 각각 그려 보세요. (단, 뒤에 숨겨진 쌓기나무는 없습니다.)

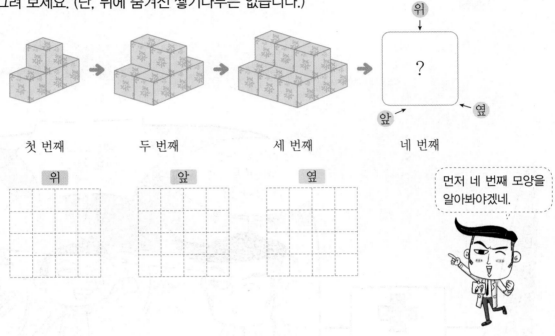

첫 번째   두 번째   세 번째   네 번째

위	앞	옆

먼저 네 번째 모양을
알아봐야겠네.

창의 **4**

쌓기나무로 쌓은 모양입니다. 가장 작은 정육면체를 만들려면 쌓기나무가 몇 개 더 있어야 하나요?

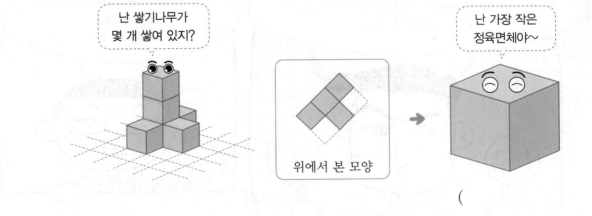

난 쌓기나무가
몇 개 쌓여 있지?

위에서 본 모양

난 가장 작은
정육면체야~

(   )

4 비례식과 비례배분

개념 1 비의 성질 (1) – 같은 수를 곱하기

1. 전항과 후항

비 3 : 5에서 기호 ' : ' 앞에 있는 3을 전항, 뒤에 있는 5를 후항이라고 합니다.

$$3 : 5$$
전항 ┘   └ 후항

2. 비의 성질 (1)

> 비의 전항과 후항에 **0이 아닌 같은 수를 곱하여도** 비율은 같습니다.

×2

3 : 5   6 : 10

×2

3 : 5의 비율 ➡ $\dfrac{3}{5}$, 6 : 10의 비율 ➡ $\dfrac{6}{10}=\dfrac{3}{5}$

비율이 같습니다.

 3 : 5의 전항과 후항에 0을 곱하면 0 : 0이 되므로 0은 곱할 수 없어.

94

유형

1 □ 안에 알맞은 수를 써넣으세요.

2 : 7 ➡ 전항: □, 후항: □

2 □ 안에 알맞은 말을 써넣으세요.

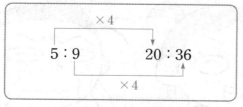

×4

5 : 9   20 : 36

×4

비의 전항과 후항에 0이 아닌 같은 수를

□ 비율은 같습니다.

[3~4] 비의 성질을 이용하여 비율이 같은 비를 구하려고 합니다. □ 안에 알맞은 수를 써넣으세요.

3

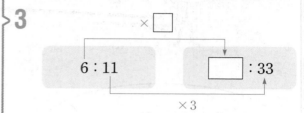

×□

6 : 11   □ : 33

×3

4

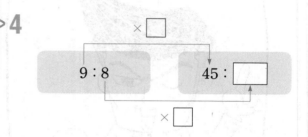

×□

9 : 8   45 : □

×□

5 후항이 6인 비를 찾아 기호를 써 보세요.

㉠ 3 : 6   ㉡ 6 : 7

(   )

6 전항이 15, 후항이 4인 비를 써 보세요.

(   )

7 비의 성질을 이용하여 6 : 7과 비율이 같은 비를 찾아 써 보세요.

14 : 12   12 : 21   24 : 28

(   )

개념 2 비의 성질(2) – 같은 수로 나누기

• 비의 성질(2)

> 비의 전항과 후항을 0이 아닌 같은 수로 나누어도 비율은 같습니다.

$$\overset{\div 2}{\overset{\frown}{6 : 8 \qquad 3 : 4}}$$
$$\underset{\div 2}{\underset{\smile}{\;}}$$

6 : 8의 비율 → $\dfrac{6}{8} = \dfrac{3}{4}$, 3 : 4의 비율 → $\dfrac{3}{4}$

비율이 같습니다.

> 분모가 0인 분수는 없으므로 6 : 8의 전항과 후항을 0으로 나눌 수 없어.

유형

8 비의 성질을 이용하여 비율이 같은 비를 구하려고 합니다. □ 안에 알맞은 수를 써넣으세요.

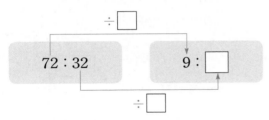

9 □ 안에 공통으로 들어갈 수 없는 수는 어느 것인가요?·····················(　)

$$24 : 36 \rightarrow (24 \div \square) : (36 \div \square)$$

① 0 　　② 2 　　③ 3
④ 4 　　⑤ 12

10 비의 성질을 이용하여 비율이 같은 비를 찾아 이어 보세요.

4 : 8 ・ 　　　 ・ 3 : 2

9 : 6 ・ 　　　 ・ 1 : 2

11 비 24 : 30과 비율이 같은 비를 모두 찾아 기호를 써 보세요.

㉠ 4 : 5 　　㉡ 4 : 6
㉢ 6 : 15 　　㉣ 8 : 10

(　　　　　)

12 가 상자의 무게는 75 kg이고, 나 상자의 무게는 45 kg입니다. 가 상자와 나 상자의 무게의 비를 잘못 말한 사람을 찾아 써 보세요.

시우　　　　하윤　　　　지안

(　　　　　)

13 지호가 말한 비의 성질을 이용하여 70 : 90과 비율이 같은 비를 2개 써 보세요.

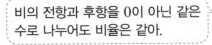

> 비의 전항과 후항을 0이 아닌 같은 수로 나누어도 비율은 같아.

지호

(　　　　　)

4
단원

비례식과 비례배분

95

개념 **3** 자연수의 비 ➡ 간단한 자연수의 비

전항과 후항을 두 수의 공약수로 나눕니다.

예 16 : 12를 간단한 자연수의 비로 나타내기

$$\div 4$$

16 : 12   4 : 3

$$\div 4$$

➡ 16과 12의 최대공약수 4로 전항과 후항을 나누면 간단한 자연수의 비 4 : 3으로 나타낼 수 있습니다.

개념 **4** 소수의 비 ➡ 간단한 자연수의 비

전항과 후항에 10, 100, 1000……을 곱합니다.

예 0.3 : 0.7을 간단한 자연수의 비로 나타내기
소수 한 자리 수이므로 10을 곱합니다.

$$\times 10$$

0.3 : 0.7   3 : 7

$$\times 10$$

소수 한 자리 수 ➡ 10을 곱하고
소수 두 자리 수 ➡ 100을 곱해~

유형

14 □ 안에 알맞은 수를 써넣어 간단한 자연수의 비로 나타내어 보세요.

30 : 48 ➡ □ : 8

$$\div □$$

[15~16] 간단한 자연수의 비로 나타내어 보세요.

15 40 : 72   (   )

16 630 : 360   (   )

17 시원이와 준혁이의 저금액의 비는 600 : 500입니다. 시원이와 준혁이의 저금액의 비를 간단한 자연수의 비로 나타내어 보세요.

(   )

유형

18 간단한 자연수의 비로 나타내려고 합니다. □ 안에 알맞은 수를 써넣으세요.

$$\times 100$$

0.69 : 0.38   □ : □

$$\times □$$

19 수박과 멜론의 무게의 비를 간단한 자연수의 비로 나타내어 보세요.

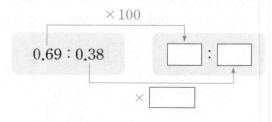

수박 ─ 멜론
4.2 kg   2.4 kg

(   )

20 지나의 가방 무게는 1.9 kg이고, 세호의 가방 무게는 2.03 kg입니다. 지나와 세호의 가방 무게의 비를 간단한 자연수의 비로 나타내어 보세요.

(   )

개념 5 분수의 비 ➡ 간단한 자연수의 비

전항과 후항에 **두 분모의 공배수를 곱합니다.**

예 $\frac{1}{4} : \frac{1}{5}$을 간단한 자연수의 비로 나타내기

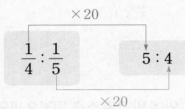

➡ 전항과 후항에 두 분모의 최소공배수 20을 곱하면 간단한 자연수의 비 5 : 4로 나타낼 수 있습니다.

유형

21 간단한 자연수의 비로 나타내려고 합니다. ☐ 안에 알맞은 수를 써넣으세요.

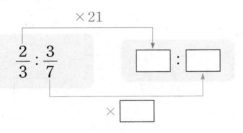

22 간단한 자연수의 비로 나타내어 보세요.

$$1\frac{1}{9} : \frac{7}{8}$$

(　　　　　)

23 은재와 현서가 숙제를 한 시간의 비는 $\frac{2}{5} : \frac{1}{3}$입니다. 은재와 현서가 숙제를 한 시간의 비를 간단한 자연수의 비로 나타내어 보세요.

(　　　　　)

개념 6 소수, 분수의 비 ➡ 간단한 자연수의 비

분수를 소수로 바꾸거나 소수를 분수로 바꾼 다음 간단한 자연수의 비로 나타냅니다.

예 $0.7 : \frac{2}{5}$를 간단한 자연수의 비로 나타내기

방법 1 분수를 소수로 바꾸기 ┌→전항과 후항에 10을 곱합니다.

$0.7 : \frac{2}{5}$ ➡ $0.7 : 0.4$ ➡ $7 : 4$

방법 2 소수를 분수로 바꾸기 ┌→전항과 후항에 10을 곱합니다.

$0.7 : \frac{2}{5}$ ➡ $\frac{7}{10} : \frac{2}{5}$ ➡ $7 : 4$

유형

24 간단한 자연수의 비로 나타내어 보세요.

$\frac{1}{2} : 0.3$ ➡ ☐ : ☐

25 간단한 자연수의 비로 바르게 나타낸 것에 ○표 하세요.

$1.2 : \frac{3}{5}$ ➡ $2 : 1$ 　　　(　　　)

$\frac{4}{7} : 0.8$ ➡ $7 : 5$ 　　　(　　　)

26 직사각형의 가로와 세로의 비를 간단한 자연수의 비로 나타내어 보세요.

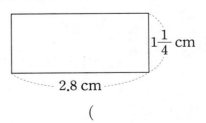

(　　　　　)

[1~2] 비에서 전항과 후항을 각각 찾아 써 보세요.

1 4 : 11

전항 (   )

후항 (   )

2 15 : 23

전항 (   )

후항 (   )

[3~6] 비의 성질을 이용하여 비율이 같은 비를 구하려고 합니다. □ 안에 알맞은 수를 써넣으세요.

3
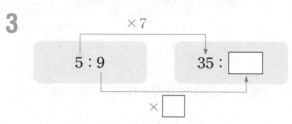

4
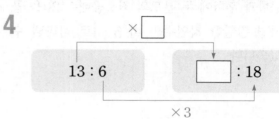

5
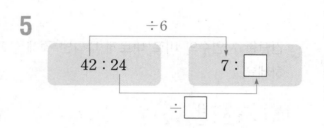

6
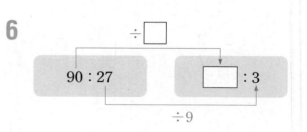

[7~10] 간단한 자연수의 비로 나타내어 보세요.

7 21 : 35 (   )

8 4.5 : 3.6 (   )

9 $\dfrac{4}{7} : \dfrac{3}{8}$ (   )

10 $1.6 : \dfrac{4}{5}$ (   )

1 비의 성질을 이용하여 비율이 같은 비를 찾아 이어 보세요. [1점]

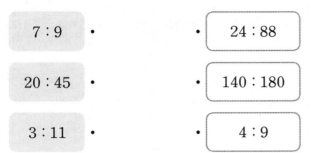

7 : 9	•		•	24 : 88
20 : 45	•		•	140 : 180
3 : 11	•		•	4 : 9

2 수현이는 태극기를 그렸습니다. 가로와 세로의 비를 간단한 자연수의 비로 나타내어 보세요. [1점]

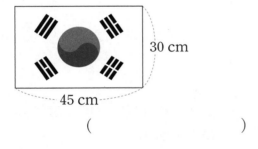

30 cm

45 cm

(　　　　　　　　　)

3 정찬이네 집에서 우체국까지의 거리와 정찬이네 집에서 학교까지의 거리의 비를 간단한 자연수의 비로 나타내어 보세요. [2점]

우체국

학교

3.6 km　　1.2 km

정찬이네 집

(　　　　　　　　　)

4 $1.7 : 1\frac{3}{5}$ 을 간단한 자연수의 비로 나타내려고 합니다. 서준이가 말한 방법으로 나타내어 보세요.
[2점]

나는 비의 후항을 소수로 바꾼 다음 간단한 자연수의 비로 나타내어 볼래.

서준

5 후항이 14이고 비율이 $\frac{3}{7}$ 인 비가 있습니다. 이 비의 전항은 얼마인지 구해 보세요. [2점]

(　　　　　　　　　)

6 $\frac{\square}{4} : \frac{5}{18}$ 를 간단한 자연수의 비로 나타내었더니 27 : 10이 되었습니다. □ 안에 알맞은 수는 얼마인지 구해 보세요. [2점]

(　　　　　　　　　)

4
단원

비례식과 비례배분

99

개념 7 비례식 알아보기

1. 비례식: 비율이 같은 두 비를 기호 '='를 사용하여 나타낸 식

예) 6 : 8의 비율 ➡ $\frac{6}{8} = \frac{3}{4}$

12 : 16의 비율 ➡ $\frac{12}{16} = \frac{3}{4}$ — 비율이 같습니다.

➡ $6 : 8 = 12 : 16$ — 비례식

2. 비례식의 외항과 내항

비례식 6 : 8 = 12 : 16에서 바깥쪽에 있는 6과 16을 외항, 안쪽에 있는 8과 12를 내항이라고 합니다.

외항

6 : 8 = 12 : 16

내항

유형

[1~2] 비례식이면 ◯표, 비례식이 아니면 ✕표 하세요.

1 $2 : 5 = 4 : 10$ ( )

2 $5 : 15 = 6 : 12$ ( )

3 비례식에서 외항과 내항을 각각 찾아 써 보세요.

$3 : 8 = 9 : 24$

외항 ➡ ☐, ☐

내항 ➡ ☐, ☐

4 외항이 5와 8인 비례식을 찾아 기호를 써 보세요.

㉠ $5 : 8 = 15 : 24$ ㉡ $5 : 4 = 10 : 8$

( )

5 비례식을 찾아 기호를 써 보세요.

㉠ $4 : 6 = 2 : 3$
㉡ $7 : 3 = 21 : 6$

( )

6 비 4 : 9와 비율이 같은 비를 찾아 비례식으로 나타내어 보세요.

$9 : 4$ $8 : 13$ $12 : 27$

$4 : 9 = $ ☐ : ☐

7 비율이 같은 두 비를 찾아 비례식을 세워 보세요.

$5 : 4$ $3 : 5$ $2.5 : 1.5$ $60 : 100$

☐ : ☐ = ☐ : ☐

개념 8 비례식의 성질 알아보기

1. 비례식의 성질

(외항의 곱)=3×4=12

3 : 2 = 6 : 4   곱이 같습니다.

(내항의 곱)=2×6=12

> 비례식에서 외항의 곱과 내항의 곱은 같습니다.

> 비례식이 옳은지 확인하려면 외항의 곱과 내항이 곱이 같은지 확인하면 돼~

2. 비례식에서 □의 값 구하기

예 4 : 3=24 : □에서 □의 값 구하기

4×□

4 : 3 = 24 : □

3×24

4×□=3×24
4×□=72
□=18

유형

8 외항의 곱과 내항의 곱을 구하고, 비례식이면 ○표, 비례식이 <u>아니면</u> ×표 하세요.

5 : 3 = 20 : 12

(외항의 곱)=□×□=□
(내항의 곱)=□×□=□

(　　　　　　)

9 비례식을 찾아 ○표 하세요.

2 : 7 = 6 : 10   22 : 12 = 11 : 6

(　　　)   (　　　)

---

10 비례식의 성질을 이용하여 ■의 값을 구하려고 합니다. □ 안에 알맞은 수를 써넣으세요.

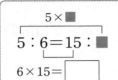

5×■

5 : 6 = 15 : ■

6×15

6×15=□

5×■=6×□
5×■=□
■=□

[11~12] 비례식의 성질을 이용하여 □ 안에 알맞은 수를 써넣으세요.

11 7 : 4 = □ : 16

12 9 : □ = 63 : 56

13 비례식을 찾아 기호를 써 보세요.

㉠ 5 : 9 = 36 : 20
㉡ $\frac{1}{2}$: $\frac{1}{3}$ = 18 : 12

(　　　　　　)

14 비례식에서 외항의 곱이 168일 때 ★은 얼마인지 구해 보세요.

▲ : 7 = ★ : ■

(　　　　　　)

개념 9 비례식을 활용하기

예 직사각형의 가로와 세로의 비는 5 : 4입니다. 가로가 20 cm일 때 세로는 몇 cm인지 알아보세요.

① 구하려고 하는 것 ➡ 세로의 길이

② 세로를 □ cm라 하고 비례식 세우기
➡ 5 : 4＝20 : □

③ 비례식의 성질을 이용하여 □의 값 구하기
➡ 5×□＝4×20
5×□＝80
□＝16

④ 답 구하기 ➡ 16 cm

[15~17] 바구니 안에 빨간 공과 파란 공을 5 : 7로 담으려고 합니다. 파란 공이 49개라면 빨간 공은 몇 개인지 알아보세요.

15 빨간 공의 수를 ■개라 하고 비례식을 세워 보세요.

$$5 : 7＝■ : \boxed{}$$

16 비례식의 성질을 이용하여 ■의 값을 구해 보세요.

$$7×■＝5×\boxed{}$$
$$7×■＝\boxed{}$$
$$■＝\boxed{}$$

17 빨간 공은 몇 개인가요?

( )

[18~19] 복사기로 7초에 6장을 복사할 수 있습니다. 48장을 복사하는 데 몇 초가 걸리는지 알아보세요.

18 48장을 복사하는 데 걸리는 시간을 □초라 하고 비례식을 세워 보세요.

비례식 _____

19 48장을 복사하는 데 몇 초가 걸리나요?

( )

20 500 mL인 주스 3병은 3500원입니다. 주스 9병을 사려면 얼마가 필요한지 구하려고 합니다. 필요한 금액을 □원이라 하고 비례식을 세워 구해 보세요.

비례식 _____

답 _____

21 5분 동안 25 L의 물이 나오는 수도가 있습니다. 이 수도로 들이가 60 L인 빈 물탱크에 물을 가득 채우는 데 걸리는 시간은 몇 분인지 구하려고 합니다. 걸리는 시간을 □분이라 하고 비례식을 세워 구해 보세요.

비례식 _____

답 _____

개념 10 비례배분하기

비례배분: 전체를 주어진 비로 배분하는 것

전체를 가 : 나=■ : ▲로 나누기

가: (전체)× $\dfrac{■}{■+▲}$

나: (전체)× $\dfrac{▲}{■+▲}$

(예) 10을 2 : 3으로 나누기

$$10 \times \dfrac{2}{2+3} = 10 \times \dfrac{2}{5} = 4$$

$$10 \times \dfrac{3}{2+3} = 10 \times \dfrac{3}{5} = 6$$

 비례배분한 수를 더하면 전체와 같아.

유형

22 80을 1 : 3으로 나누려고 합니다. □ 안에 알맞은 수를 써넣으세요.

$$80 \times \dfrac{1}{1+\square} = 80 \times \dfrac{\square}{\square} = \square$$

$$80 \times \dfrac{3}{\square+3} = 80 \times \dfrac{\square}{\square} = \square$$

23 연필 54자루를 서아와 시우가 4 : 5로 나누어 가지려고 합니다. 서아와 시우가 가지는 연필은 각각 몇 자루인가요?

서아 : $54 \times \dfrac{\square}{\square} = \square$ (자루)

시우 : $54 \times \dfrac{\square}{\square} = \square$ (자루)

24 주어진 수를 2 : 5로 나누어 보세요.

42

(,)

25 6000원을 현우와 동생에게 2 : 1로 나누어 줄 때 두 사람이 각각 갖게 되는 용돈을 구해 보세요.

현우 ( )

동생 ( )

[26~27] 과자 반죽 840 g을 3 : 4로 나누어 각각 별 모양 과자와 하트 모양 과자를 만들려고 합니다. 하트 모양 과자를 만드는 데 사용되는 반죽 양을 각각의 방법으로 구해 보세요.

26 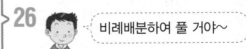 비례배분하여 풀 거야~

하트 모양 과자 반죽양은 전체 과자 반죽의 $\dfrac{4}{3+4}$ 이니까 $840 \times \dfrac{4}{7} = \square$ 입니다.

하트 모양 과자 반죽양은 □ g입니다.

27 비례식을 세운 다음 비의 성질을 이용하여 풀 거야~

하트 모양 과자 반죽양을 ■ g이라 하면

$$\underset{\times 120}{\overset{\times 120}{7 : 4 = 840 : ■}} \rightarrow ■ = 4 \times 120$$ 입니다.

하트 모양 과자 반죽양은 □ g입니다.

[1~2] 비례식에서 외항과 내항을 각각 찾아 써 보세요.

1 $11 : 15 = 22 : 30$

외항 ➡ ☐ , ☐
내항 ➡ ☐ , ☐

2 $8 : 9 = 32 : 36$

외항 ➡ ☐ , ☐
내항 ➡ ☐ , ☐

[3~4] 비례식이면 ◯표, 비례식이 <u>아니면</u> ✕표 하세요.

3 $4 : 5 = 8 : 10$

(   )

4 $2 : 9 = 10 : 14$

(   )

[5~8] 비례식의 성질을 이용하여 ☐ 안에 알맞은 수를 써넣으세요.

5 $3 : \boxed{} = 9 : 21$

6 $28 : 21 = \boxed{} : 3$

7 $\boxed{} : 4 = 2 : 1.6$

8 $\dfrac{1}{9} : \dfrac{1}{4} = 24 : \boxed{}$

[9~12] 수를 주어진 비로 나누어 (,   ) 안에 써넣으세요.

9   30 $1 : 5$ ➡ (,   )

10   63 $2 : 5$ ➡ (,   )

11   91 $4 : 9$ ➡ (,   )

12   150 $7 : 3$ ➡ (,   )

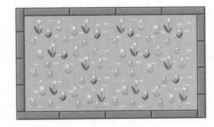
1 주어진 식은 비례식입니다. □ 안에 알맞은 비를 찾아 기호를 써 보세요. [1점]

$$4 : 9 = \boxed{}$$

㉠ 9 : 4   ㉡ 8 : 18   ㉢ 9 : 27

(   )

2 비례식 3 : 7 = 6 : 14를 <u>잘못</u> 설명한 사람을 찾아 써 보세요. [1점]

현아: 전항은 3, 6입니다.
지우: 내항은 7, 6입니다.
정현: 후항은 6, 14입니다.
성웅: 외항은 3, 14입니다.

(   )

3 그림으로 나타낸 꽃밭의 가로와 세로를 자로 재어 보고 물음에 답하세요. [각 1점]

(1) 그림으로 나타낸 꽃밭의 가로와 세로의 비를 구해 보세요.

(   )

(2) 실제 꽃밭의 세로가 15 m라면 가로는 몇 m인지 구해 보세요.

(   )

4 65를 5 : 8로 나눈 것을 찾아 기호를 써 보세요. [1점]

㉠ 25, 40   ㉡ 30, 35

(   )

5 소금 16 kg을 얻으려면 바닷물 400 L가 필요합니다. 소금 10 kg을 얻으려면 바닷물 몇 L가 필요한지 구하려고 합니다. 필요한 바닷물의 양을 □ L라 하고 비례식을 세워 구해 보세요. [1점]

비례식 _____

답 _____

6 어느 날 낮과 밤의 길이의 비가 3 : 5라면 낮은 몇 시간인지 구해 보세요. [2점]

(   )

7 비례식에서 외항의 곱이 210일 때 □ 안에 알맞은 수를 써넣으세요. [2점]

$$35 : \boxed{} = 5 : \boxed{}$$

꼬리를 무는 유형

① 길이의 비를 간단한 자연수의 비로 나타내기

기본 유형

1 직사각형에서 가로와 세로의 비를 간단한 자연수의 비로 나타내어 보세요.

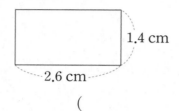

1.4 cm
2.6 cm

(   )

변형 유형

2 삼각형에서 밑변의 길이와 높이의 비를 간단한 자연수의 비로 나타내어 보세요.

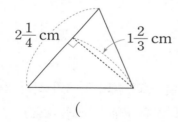

$2\frac{1}{4}$ cm $1\frac{2}{3}$ cm

(   )

문장제 유형

3 평행사변형의 밑변의 길이가 6.3 cm이고, 높이가 $5\frac{2}{5}$ cm일 때 밑변의 길이와 높이의 비를 간단한 자연수의 비로 나타내어 보세요.

(   )

② 도형에서 비율이 같은(다른) 것 찾기

기본 유형

4 가로와 세로의 비가 7 : 5와 비율이 같은 직사각형을 찾아 ○표 하세요.

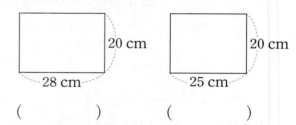

20 cm   20 cm
28 cm   25 cm

(   )   (   )

변형 유형

5 밑변의 길이와 높이의 비가 나머지와 다른 삼각형을 찾아 기호를 써 보세요.

가   나   다

6 cm   3 cm   12 cm
8 cm   9 cm   16 cm

(   )

실생활 유형

6 가로와 세로의 비가 4 : 3과 비율이 같은 사진을 찾아 기호를 써 보세요.

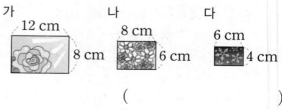

가   나   다
12 cm   8 cm   6 cm
8 cm   6 cm   4 cm

(   )

❸ 비례식에서 □의 값을 구하여 크기 비교하기

기본 유형
7 □ 안에 알맞은 수가 더 큰 것을 찾아 ○표 하세요.

$14 : 5 = 70 : \square$　　（　　　　　）

$7 : 9 = \square : 72$　　（　　　　　）

변형 유형
8 □ 안에 알맞은 수가 더 작은 것을 찾아 기호를 써 보세요.

㉠ $3.2 : 2.4 = \square : 90$

㉡ $\dfrac{3}{8} : 1\dfrac{4}{5} = 30 : \square$

（　　　　　　　　）

변형 유형
9 □ 안에 알맞은 수가 큰 것부터 차례로 기호를 써 보세요.

㉠ $\dfrac{4}{7} : 0.4 = \square : 21$

㉡ $\square : 18 = 6.4 : 7.2$

㉢ $14 : \square = 1\dfrac{3}{4} : 6$

（　　　　　　　　）

❹ 간단한 자연수의 비로 나타낸 후 비례배분하기

기본 유형
10 330을 가 : 나 $= 0.7 : 1.5$로 나누어 보세요.

가 （　　　　　　　　）
나 （　　　　　　　　）

변형 유형
11 72를 주어진 비로 나누어 보세요.

$0.5 : \dfrac{1}{7}$

（　　　　　）, （　　　　　）

문장제 유형
12 설탕과 물을 $\dfrac{1}{9} : \dfrac{1}{5}$로 섞어 설탕물 700 g을 만들었습니다. 사용한 설탕과 물의 양은 각각 몇 g인지 구해 보세요.

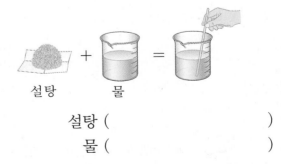

설탕　물

설탕 （　　　　　　　　）
물 （　　　　　　　　）

독해력 유형 1 비의 성질을 이용하여 비 구하기

비율이 $\frac{3}{8}$인 비 중에서 전항과 후항의 합이 44인 비를 구해 보세요.

What? 구하려는 것을 찾아 밑줄을 그어 보세요.

How? ❶ 비율을 간단한 자연수의 비로 나타내기

❷ 비의 성질을 이용하여 전항과 후항 구하기

❸ ❷에서 구한 전항과 후항의 합이 44인 비 구하기

Solve ❶ 비율 $\frac{3}{8}$을 전항이 3인 비로 나타내어 보세요.

(   )

❷ 비의 성질을 이용하여 표를 완성하고 두 항의 합을 구해 보세요.

전항	3	6	9	12	……
후항	8				……
합	11				……

❸ 전항과 후항의 합이 44인 비를 구해 보세요.

(   )

비의 어떤 성질을 이용하면 될까?

비의 전항과 후항에 0이 아닌 같은 수를 곱하여도 비율은 같다는 성질을 이용해.

쌍둥이 유형 1-1

비율이 $\frac{2}{7}$인 비 중에서 전항과 후항의 합이 45인 비를 구해 보세요.

❶

❷

❸

답 _____

쌍둥이 유형 1-2

비율이 $\frac{5}{9}$인 비 중에서 전항과 후항의 차가 16인 비를 구해 보세요.

❶

❷

❸

답 _____

독해력 유형 **2** 비례배분하여 두 수의 차 구하기

공책 56권을 은찬이와 지안이가 $\frac{1}{3} : \frac{1}{4}$로 나누어 가졌습니다. 두 사람 중에서 누가 공책을 몇 권 더 많이 가졌는지 구해 보세요.

What? 구하려는 것을 찾아 밑줄을 그어 보세요.

How?
❶ 주어진 비를 간단한 자연수의 비로 나타내기
❷ 비례배분하여 두 사람이 가진 공책의 수를 각각 구하기
❸ 누가 공책을 몇 권 더 많이 가졌는지 구하기

Solve ❶ $\frac{1}{3} : \frac{1}{4}$을 간단한 자연수의 비로 나타내어 보세요.

(   )

❷ 은찬이와 지안이가 나누어 가진 공책의 수를 각각 구해 보세요.

은찬 (   )
지안 (   )

❸ 두 사람 중에서 누가 공책을 몇 권 더 많이 가졌나요?

(   ), (   )

쌍둥이 유형 **2-1**

과자 78개를 수정이와 철민이가 $\frac{1}{8} : \frac{1}{5}$로 나누어 가졌습니다. 두 사람 중에서 누가 과자를 몇 개 더 많이 가졌나요?

❶

❷

❸

답 _____, _____

쌍둥이 유형 **2-2**

우유 1000 mL를 민지와 정호가 $0.4 : \frac{2}{3}$로 나누어 마셨습니다. 두 사람 중에서 누가 우유를 몇 mL 더 많이 마셨나요?

❶

❷

❸

답 _____, _____

4
단원

비례식과 비례배분

109

사고력 플러스 유형

플러스 유형 ❶ 옳은 비례식 찾기

1-1 옳은 비례식을 찾아 기호를 써 보세요.

> ㉠ 4 : 3 = 16 : 12
> ㉡ 5 : 2 = 4 : 10

(   )

1-2 옳은 비례식을 말한 사람의 이름을 써 보세요.

5 : 4 = 10 : 12
현서

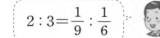
$2 : 3 = \frac{1}{9} : \frac{1}{6}$

지안

(   )

1-3 옳은 비례식을 모두 찾아 기호를 써 보세요.

> ㉠ 1 : 3 = 21 : 7
> ㉡ 9 : 7 = 18 : 14
> ㉢ 3 : 5 = 1.5 : 2.5

(   )

플러스 유형 처방전

외항의 곱과 내항의 곱이 같으면 옳은 비례식이에용~

플러스 유형 ❷ 수 카드를 사용하여 비례식 세우기

2-1 수 카드 중에서 2장을 골라 □ 안에 써넣어 비례식을 완성해 보세요.

| 8 | 21 | 15 | 12 |

4 : 7 = □ : □

2-2 수 카드 중에서 3장을 골라 □ 안에 써넣어 비례식을 완성해 보세요.

| 1 | 5 | 7 | 14 | 30 |

6 : □ = □ : □

서술형
2-3 수 카드 중에서 4장을 골라 한 번씩만 사용하여 비례식을 세우고, 만든 방법을 써 보세요.

| 4 | 2 | 9 | 5 | 10 | 7 |

비례식 _____

방법 _____

_____

플러스 유형 ❸ 비례식의 성질을 이용하여 □의 값 구하기

3-1 비례식의 성질을 이용하여 □ 안에 알맞은 수를 구해 보세요.

$$6 : (\boxed{} + 3) = 42 : 49$$

(　　　　　　　)

3-2 비례식의 성질을 이용하여 □ 안에 알맞은 수를 구해 보세요.

$$19.5 : (5 + \boxed{}) = 13 : 8$$

(　　　　　　　)

3-3 비례식의 성질을 이용하여 □ 안에 알맞은 수를 구해 보세요.

$$(9 - \boxed{}) : \frac{2}{5} = 15 : 2$$

(　　　　　　　)

플러스 유형 ❹ 부분의 비율이 나타내는 양을 알 때 전체의 양 구하기

4-1 연호네 반 학생의 60 %가 여학생입니다. 연호네 반 여학생이 15명이라면 연호네 반 전체 학생은 몇 명인가요?

(　　　　　　　)

4-2 상자에 노란 구슬과 파란 구슬이 들어 있습니다. 그중에서 30 %가 노란 구슬입니다. 노란 구슬이 18개라면 상자에 들어 있는 전체 구슬은 몇 개인가요?

(　　　　　　　)

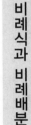

4단원

비례식과 비례배분

111

4-3 도로를 건설하는데 전체 도로의 35 %는 건설했고, 더 건설해야 할 도로의 길이는 52 km입니다. 전체 도로의 길이는 몇 km인가요?

(　　　　　　　)

플러스 유형 처방전

비례식에서 외항의 곱과 내항의 곱이 같다는 성질을 이용하여 □ 안에 알맞은 수를 구하면 된다능~

플러스 유형 처방전

4-3에서 전체 도로의 35 %를 건설했으므로 더 건설해야 할 도로의 길이 52 km는 전체 도로의 $100 - 35 = 65$ (%)예용~

플러스 유형 ❺ 조건에 맞게 비례식 완성하기

사고력 유형

5-1 조건에 맞게 비례식을 완성해 보세요.

조건

• 비율은 $\frac{1}{4}$입니다.

• 내항의 곱은 24입니다.

$6 : \boxed{} = \boxed{} : \boxed{}$

5-2 조건에 맞게 비례식을 완성해 보세요.

조건

• 비율은 $\frac{5}{7}$입니다.

• 내항의 곱은 105입니다.

$\boxed{} : 21 = \boxed{} : \boxed{}$

서술형

5-3 조건에 맞게 비례식을 완성하는 풀이 과정을 쓰고, 비례식을 완성해 보세요.

조건

• 비율은 $\frac{2}{9}$입니다.

• 외항의 곱은 108입니다.

$\boxed{} : \boxed{} = \boxed{} : 27$

풀이

플러스 유형 ❻ 비례배분하기 전 전체의 양 구하기

사고력 유형

6-1 어떤 수를 3 : 4로 나누었더니 더 작은 쪽의 수가 18이었습니다. 어떤 수를 구해 보세요.

( )

서술형

6-2 어떤 수를 8 : 5로 나누었더니 더 작은 쪽의 수가 20이었습니다. 어떤 수를 구하는 풀이 과정을 쓰고 답을 구해 보세요.

풀이

답 _____

6-3 색연필을 4 : 11로 나누었더니 더 많은 쪽의 색연필이 55자루였습니다. 나누기 전의 색연필은 몇 자루인지 구해 보세요.

( )

플러스 유형 처방전

6-3에서 전체의 양을 ☐라 하여 비례배분하는 식을 세워용~

플러스 유형 ❼ 　도형의 넓이 구하기

독해력 유형

7-1 가로와 세로의 합이 15 cm인 직사각형이 있습니다. 가로가 세로의 2배일 때 직사각형의 넓이는 몇 cm^2인지 구해 보세요.

단계**1** 직사각형의 가로와 세로의 비를 구해 보세요.

(　　　　　　　　　　)

단계**2** 직사각형의 가로와 세로는 각각 몇 cm인가요?

가로 (　　　　　　　　)

세로 (　　　　　　　　)

단계**3** 직사각형의 넓이는 몇 cm^2인가요?

(　　　　　　　　　　)

7-2 밑변의 길이와 높이의 합이 24 cm인 평행사변형이 있습니다. 밑변의 길이가 높이의 3배일 때 평행사변형의 넓이는 몇 cm^2인지 구해 보세요.

(　　　　　　　　　　)

플러스 유형 ❽ 　곱셈식을 간단한 자연수의 비로 나타내기

독해력 유형

8-1 ㉮와 ㉯를 간단한 자연수의 비로 나타내어 보세요.

$$㉮ \times \frac{1}{2} = ㉯ \times \frac{1}{3}$$

단계**1** ㉮$\times\frac{1}{2}$을 외항의 곱, ㉯$\times\frac{1}{3}$을 내항의 곱이라고 할 때 다음 비례식을 완성해 보세요.

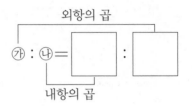

외항의 곱

㉮ : ㉯ = □ : □

내항의 곱

단계**2** 단계**1**의 비를 간단한 자연수의 비로 나타내어 보세요.

(　　　　　　　　　　)

단계**3** ㉮와 ㉯를 간단한 자연수의 비로 나타내어 보세요.

(　　　　　　　　　　)

8-2 ㉮와 ㉯를 간단한 자연수의 비로 나타내어 보세요.

$$㉮ \times \frac{5}{9} = ㉯ \times \frac{1}{2}$$

(　　　　　　　　　　)

플러스 유형 **처방전**

외항의 곱과 내항의 곱이 같은 비례식의 성질을 이용해용~

4
단원

비례식과 비례배분

113

1 비를 보고 전항에 △표, 후항에 ○표 하세요.

$$14 : 9$$

2 비의 성질을 이용하여 비율이 같은 비를 구하려고 합니다. □ 안에 알맞은 수를 써넣으세요.

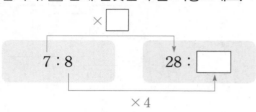

$7 : 8$ $28 : $ □

$\times 4$

3 간단한 자연수의 비로 나타내어 보세요.

$$\frac{5}{7} : \frac{2}{3}$$

(   )

4 현서가 말한 식이 비례식이면 ○표, 비례식이 아니면 ✕표 하세요.

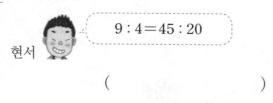

현서 $9 : 4 = 45 : 20$

(   )

5 98을 주어진 비로 나누어 보세요.

$$2 : 5$$

(,   )

6 비례식에서 외항이면서 후항인 것을 찾아 써 보세요.

$$8 : 20 = 6 : 15$$

(   )

7 비례식의 성질을 이용하여 □ 안에 알맞은 수를 써넣으세요.

$$40 : \boxed{} = 5 : 11$$

8 비율이 같은 두 비를 찾아 비례식을 세워 보세요.

$$5 : 6 \quad 6 : 5 \quad 11 : 10 \quad 10 : 12$$

(   )

9 밑변의 길이와 높이의 비가 5 : 2와 비율이 같은 삼각형을 찾아 기호를 써 보세요.

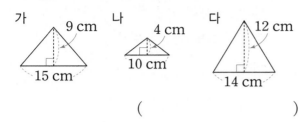

가   나   다

9 cm   4 cm   12 cm
15 cm   10 cm   14 cm

(   )

10 □ 안에 알맞은 수가 더 큰 것을 찾아 기호를 써 보세요.

> ㉠ $4.2 : 4.8 = \square : 8$
>
> ㉡ $\square : 7 = \dfrac{4}{7} : 0.8$

(   )

11 민호네 학교 6학년 학생은 300명이고, 남학생 수와 여학생 수의 비는 2 : 3입니다. 6학년 남학생은 몇 명인지 알아보기 위한 풀이 과정에서 잘못 계산한 부분을 찾아 바르게 계산해 보세요.

> $300 \times \dfrac{2}{2 \times 3} = 300 \times \dfrac{2}{6} = 100$(명)

➡

12 비율이 $\dfrac{3}{5}$인 비 중에서 전항과 후항의 차가 8인 비를 구해 보세요.

(   )

13 자동차가 일정한 빠르기로 9 km를 달리는 데 7분이 걸렸습니다. 같은 빠르기로 450 km를 달리는 데 몇 시간 몇 분이 걸리는지 구해 보세요.

(   )

14 아버지와 삼촌이 각각 350만 원, 300만 원을 투자하여 26만 원의 이익을 얻었습니다. 이 이익금을 투자한 금액의 비에 따라 나누어 가진다면 아버지는 얼마를 가지게 되나요?

(   )

15 ㉮와 ㉯를 간단한 자연수의 비로 나타내어 보세요.

> $㉮ \times 80 = ㉯ \times 64$

(   )

16 가로와 세로의 비가 4 : 7이고 둘레가 44 cm인 직사각형이 있습니다. 이 직사각형의 가로가 몇 cm인지 구하려고 합니다. 가로를 □ cm라 하고 비례식을 세워 구해 보세요.

비례식 _____

답 _____

17

서술형 》》110쪽 2-3 유사 문제

수 카드 중에서 4장을 골라 한 번씩만 사용하여 비례식을 세우고, 만든 방법을 써 보세요.

| 3 | 7 | 20 | 15 | 18 | 35 |

비례식 _____

방법 _____

_____

4 단원

비례식과 비례배분

116

18

서술형 》》112쪽 5-3 유사 문제

조건에 맞게 비례식을 완성하는 풀이 과정을 쓰고 비례식을 완성해 보세요.

조건
· 비율은 $\frac{3}{8}$입니다.
· 내항의 곱은 72입니다.

□ : 24 = □ : □

풀이 _____

_____

_____

_____

19

서술형 》》112쪽 6-2 유사 문제

학용품을 사는 데 필요한 돈을 지나와 동생이 9 : 4 로 모았더니 지나가 낸 돈은 4500원이었습니다. 지나와 동생이 모은 돈은 모두 얼마인지 풀이 과정 을 쓰고 답을 구해 보세요.

풀이 _____

_____

_____

_____

_____

답 _____

20

독해력 유형 서술형 》》113쪽 8-1 유사 문제

㉮와 ㉯를 간단한 자연수의 비로 나타내는 풀이 과정을 쓰고 답을 구해 보세요.

㉮ × 20 = ㉯ × 30

풀이 _____

_____

_____

_____

답 _____

쌓기나무의 개수 구하기

1 주어진 모양과 똑같이 쌓는 데 필요한 쌓기나무의 개수를 구해 보세요.

위에서 본 모양

(   )

위, 앞, 옆에서 본 모양 그리기

2 쌓기나무로 쌓은 모양과 위에서 본 모양입니다. 앞과 옆에서 본 모양을 각각 그려 보세요.

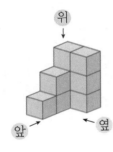

위

앞 ↗   ↖ 옆

  위   앞   옆

위, 앞, 옆에서 본 모양을 보고 쌓기나무의 개수 구하기

3 쌓기나무로 쌓은 모양을 위, 앞, 옆에서 본 모양입니다. 똑같은 모양으로 쌓는 데 필요한 쌓기나무는 몇 개인가요?

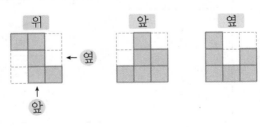

위   ← 옆   앞   옆

↑
앞

(   )

비례식을 코딩으로 풀기~

코딩 **1** 5 : 4 = 15 : 12가 비례식인지 아닌지 판별하는 순서도입니다. A＝5, B＝4, C＝15, D＝12를 입력했을 때 출력되어 나오는 표시는 ○인가요? ×인가요?

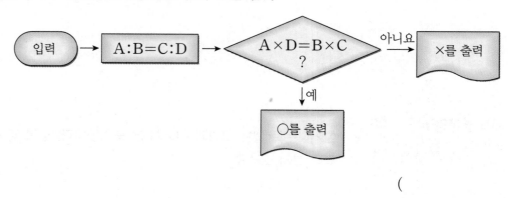

(   )

코딩 **2** 3 : 5와 같은 비를 2개 찾는 순서도입니다. N＝1, A＝3, B＝5를 입력했을 때 순서도에 따라 수행한 다음 결과를 써 보세요.

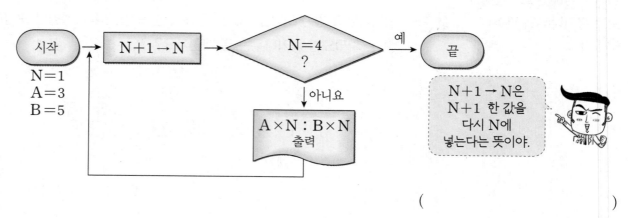

(   )

항산화 효과 실험 ~

창의 3 지우와 성태는 비타민 C 항산화 효과 실험을 하려고 합니다. 녹말을 넣은 물에 아이오딘 팅크처를 넣고 섞을 때 녹말을 넣은 물의 양과 아이오딘 팅크처의 양의 비를 간단한 자연수의 비로 나타내어 보세요.

녹말을 넣은 물의 양		아이오딘 팅크처의 양
mL	:	mL
↓		↓
	:	

5 원의 넓이

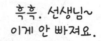

흑흑. 선생님~
이게 안 빠져요.

아니, 어쩌다가
이걸…….

TV 기인열전을 보고
재미 삼아 따라 해봤더니
이렇게 머리로도, 몸으로도
뺄 수가 없어요.

제 머리의 원주는 원주율이 3일 때
36cm, 채의 지름은 11cm이니까 통과할 수
있을 거 같았거든요~

에공~ 원주율이 3일 때 원주가
36cm이면 지름이 36÷3=12(cm)
이라능~ 그럼 머리둘레가
더 크다능~

앗!

Dr. 유형 처방전
*기인의 행동을 함부로 따라하지 말 것!

개념 ① 원주와 지름의 관계 알아보기

1. 원의 구성 요소

   원주: 원의 둘레

   원의 지름이 길어지면 원주도 길어져.

2. 정다각형의 둘레와 원의 지름 비교

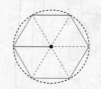

   (정육각형의 둘레)   (정사각형의 둘레)
   ＝(원의 지름)×3   ＝(원의 지름)×4

   (정육각형의 둘레)＜(원주)＜(정사각형의 둘레)
   ➜ (원의 지름)×3＜(원주)＜(원의 지름)×4
   ➜ 원주는 원의 지름의 3배보다 길고, 4배보다
   짧습니다.

유형

1 설명이 맞으면 ○표, 틀리면 ×표 하세요.

(1)   원주와 지름은 길이가 같습니다.

(   )

(2)   원의 지름이 길어지면 원주도 길어집니다.

(   )

[2~4] 한 변의 길이가 2 cm인 정육각형, 지름이
4 cm인 원, 한 변의 길이가 4 cm인 정사각
형을 보고 물음에 답하세요.

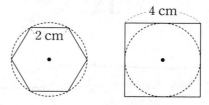

2 정육각형의 둘레, 정사각형의 둘레를 각각 수직선
에 표시해 보세요.

정육각형의 둘레:

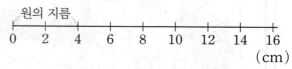

정사각형의 둘레:

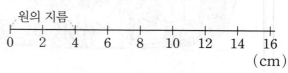

3 원주가 얼마쯤 될지 수직선에 표시해 보세요.

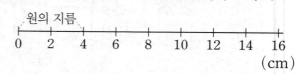

4 □ 안에 알맞은 수를 써넣으세요.

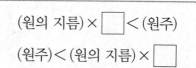

(원의 지름)× □ ＜ (원주)
(원주) ＜ (원의 지름)× □

개념 2 원주율 알아보기

원주율: 원의 지름에 대한 원주의 비율

$$(원주율)=(원주)÷(지름)$$

원주율을 소수로 나타내면
3.1415926535897932……와 같이 끝없이 계속됩니다.
따라서 필요에 따라 3, 3.1, 3.14 등으로 어림하여 사용하기도 합니다.

원의 크기에 상관없이
(원주)÷(지름)의 값은 변하지 않아.

 유형

5 □ 안에 알맞은 말을 써넣으세요.

원의 지름에 대한 원주의 비율을
[　　　]　(이)라고 합니다.

6 원주율에 대한 설명으로 틀린 것을 찾아 기호를 써 보세요.

㉠ (원주율)＝(지름)÷(원주)
㉡ 원주는 지름의 약 3배입니다.
㉢ 원주율은 끝없이 계속되기 때문에 3, 3.1, 3.14 등으로 어림해서 사용합니다.

(　　　　　　　　　)

7 빈칸에 알맞은 수를 써넣으세요.

원주(cm)	지름(cm)	(원주)÷(지름)
21.98	7	
28.26	9	

8 두 원의 (원주)÷(지름)을 비교하여 ◯ 안에 ＞, ＝, ＜를 알맞게 써넣으세요.

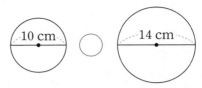

원주: 31 cm　　원주: 43.4 cm

[9~10] 성주는 교통 표지의 원주와 지름을 재어 보았습니다. 물음에 답하세요.

9 (원주)÷(지름)을 반올림하여 주어진 자리까지 나타내어 보세요.

원주: 81.6 cm
지름: 26 cm

반올림하여 소수 첫째 자리까지	반올림하여 소수 둘째 자리까지

10 위 **9**와 같이 원주율을 어림하여 사용하는 이유를 설명해 보세요.

이유

5 단원

원의 넓이

123

개념 ③ 지름을 알 때 원주 구하기

(원주)÷(지름)＝(원주율)
➡ (원주)＝(지름)×(원주율)

예 지름이 6 cm일 때 원주 구하기 (원주율: 3)

(원주)＝(지름)×(원주율)
＝6×3
＝18 (cm)

지름이 2배, 3배……가 되면 원주도 2배, 3배……가 돼.

5 단원

원의 넓이

유형

11 오른쪽 원의 원주를 바르게 구한 식의 기호를 써 보세요.

(원주율: 3.1)

8 cm

㉠ (원주)＝8×3.1＝24.8 (cm)
㉡ (원주)＝8×2×3.1＝49.6 (cm)

( )

124

[12~13] 원주가 몇 cm인지 구해 보세요.

(원주율: 3.14)

12

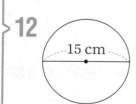
15 cm

( )

13

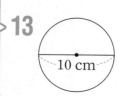
10 cm

( )

14 두 원 가, 나의 지름을 보고 원주를 각각 구해 보세요. (원주율: 3)

원	지름(cm)	원주(cm)
가	9	
나	13	

15 프로펠러의 길이가 12 cm인 드론이 있습니다. 프로펠러가 돌 때 생기는 원의 원주는 몇 cm인가요? (원주율: 3.1)

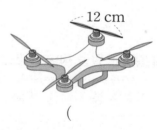
12 cm

( )

16 지름이 25 cm인 원 모양의 굴렁쇠가 한 바퀴 굴러갔을 때 굴렁쇠가 굴러간 거리는 몇 cm인가요? (원주율: 3.14)

식 _____

답 _____

17 오른쪽 원의 원주는 몇 cm인가요? (원주율: 3.1)

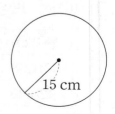
15 cm

( )

개념 4 원주를 알 때 지름 구하기

(원주)÷(지름)=(원주율)
➡ (지름)=(원주)÷(원주율)

예 원주가 15 cm일 때 지름 구하기 (원주율: 3)

(지름)=(원주)÷(원주율)
=15÷3
=5 (cm)

 원주가 2배, 3배……이면 지름도 2배, 3배……야.

유형

18 지름을 구하려고 합니다. □ 안에 알맞은 수를 써 넣으세요. (원주율: 3.14)

원주: 28.26 cm

(지름)= [　　　] ÷3.14= [　] (cm)

[19~20] 원의 지름이 몇 cm인지 구해 보세요.
(원주율: 3)

19

원주: 57 cm

(　　　　　　　)

20

원주: 42 cm

(　　　　　　　)

21 시계의 원주가 157 cm입니다. 이 시계의 지름은 몇 cm인가요? (원주율: 3.14)

(　　　　　　　)

22 길이가 55.8 cm인 철사를 겹치지 않게 붙여서 원을 만들었습니다. 만들어진 원의 지름은 몇 cm인가요? (원주율: 3.1)

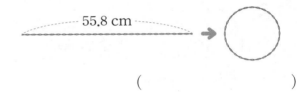

55.8 cm

(　　　　　　　)

23 원주가 68.2 cm인 원이 있습니다. 이 원의 지름은 몇 cm인가요? (원주율: 3.1)

식 _____

답 _____

24 원주가 36 cm입니다. □ 안에 알맞은 수를 써넣으세요. (원주율: 3)

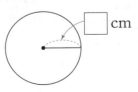

□ cm

[1~2] (원주)÷(지름)을 반올림하여 주어진 자리까지 나타내어 보세요.

1

9 cm

원주: 28.3 cm

반올림하여 자연수로	반올림하여 소수 첫째 자리까지	반올림하여 소수 둘째 자리까지

2

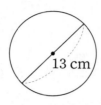

13 cm

원주: 40.84 cm

반올림하여 자연수로	반올림하여 소수 첫째 자리까지	반올림하여 소수 둘째 자리까지

[3~6] 원주가 몇 cm인지 구해 보세요.

3

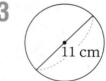

11 cm

원주율: 3.1

(   )

4

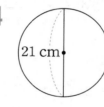

21 cm

원주율: 3

(   )

5

7 cm

원주율: 3.14

(   )

6

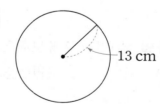

13 cm

원주율: 3.1

(   )

[7~8] □ 안에 알맞은 수를 써넣으세요.

7

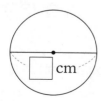

□ cm

원주: 21.98 cm
원주율: 3.14

8

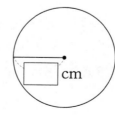

□ cm

원주: 108 cm
원주율: 3

1 바르게 설명한 사람은 누구인가요? [1점]

> 선하: 원의 지름이 커져도 원주는 변하지 않아.
> 정미: 원주율은 끝없이 이어지기 때문에 3, 3.1, 3.14 등으로 어림해서 사용해.

( )

4 오른쪽과 같이 컴퍼스의 침과 연필심 사이를 6 cm만큼 벌려서 원을 그렸 습니다. 이 원의 원주는 몇 cm인가 요? (원주율: 3.14) [2점]

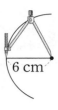

( )

2 지름이 4 cm인 원의 원주와 가장 비슷한 길이를 찾아 ○표 하세요. [1점]

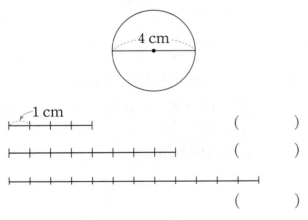

( )

( )

( )

5 두 원의 원주의 차는 몇 cm인가요?

(원주율: 3.1) [2점]

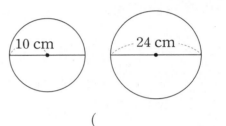

( )

3 지름이 1 cm인 원판을 만들고 자 위에서 한 바 퀴 굴렸습니다. 원판의 원주가 얼마쯤 될지 자에 표시해 보세요. [2점]

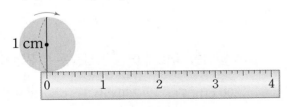

6 그림과 같이 원주가 125.6 cm인 원 모양의 파 전을 밑면이 정사각형 모양인 상자에 담으려고 합니다. 상자의 밑면의 한 변의 길이는 적어도 몇 cm이어야 하나요? (원주율: 3.14) [2점]

( )

개념 5 원의 넓이 어림하기

1. 정사각형으로 원의 넓이 어림하기

5 cm / 5 cm   5 cm / 5 cm

→마름모

• (원 안의 정사각형의 넓이)=50 cm²
• (원 밖의 정사각형의 넓이)=100 cm²

> 50 cm²<(반지름이 5 cm인 원의 넓이)
> <100 cm²

2. 모눈종이를 이용하여 원의 넓이 어림하기

1 cm²

• 연두색 모눈의 수: 60칸
• 빨간색 선 안쪽 모눈의 수: 88칸

> 60 cm²<(반지름이 5 cm인 원의 넓이)
> <88 cm²

5 단원

원의 넓이

128

유형

[1~2] 오른쪽 그림을 보고 반지름이 6 cm인 원의 넓이를 어림하려고 합니다. 물음에 답하세요.

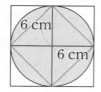

6 cm / 6 cm

1 원 안과 밖에 있는 정사각형의 넓이는 각각 몇 cm²인지 차례로 써 보세요.

(   ), (   )

2 원의 넓이를 어림해 보세요.

☐ cm²<(원의 넓이)<☐ cm²

3 그림과 같이 한 변의 길이가 8 cm인 정사각형에 지름이 8 cm인 원을 그리고 1 cm 간격으로 모눈을 그렸습니다. 모눈을 세어 원의 넓이를 어림해 보세요.

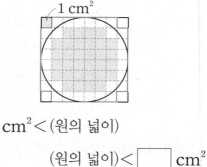

1 cm²

☐ cm²<(원의 넓이)

(원의 넓이)<☐ cm²

[4~5] 정육각형의 넓이를 이용하여 원의 넓이를 어림하려고 합니다. 삼각형 ㄱㅇㄷ의 넓이가 60 cm²이고, 삼각형 ㄹㅇㅂ의 넓이가 45 cm² 일 때 물음에 답하세요.

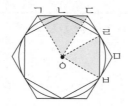

4 원 안과 밖에 있는 정육각형의 넓이는 각각 몇 cm²인지 차례로 써 보세요.

(   ), (   )

5 원의 넓이를 바르게 어림한 사람은 누구인가요?

200 cm² 현서   260 cm² 하윤   320 cm² 서준

(   )

개념 6 원의 넓이 구하는 방법 알아보기

원을 한없이 잘라 이어 붙이면 점점 직사각형이 됩니다.

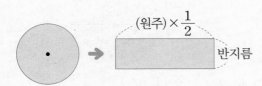

$$(원의 넓이) = (원주) \times \frac{1}{2} \times (반지름)$$

$$= (원주율) \times (지름) \times \frac{1}{2} \times (반지름)$$

$$= (반지름) \times (반지름) \times (원주율)$$

유형

6 원을 잘게 잘라서 다음과 같이 이어 붙였습니다. ㉠과 ㉡에 알맞은 말이나 식을 각각 써 보세요.

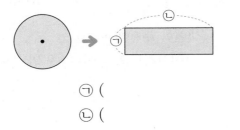

　　　　㉠ (　　　　　　　　　)

　　　　㉡ (　　　　　　　　　)

7 원을 한없이 잘게 잘라 이어 붙여서 직사각형을 만들었습니다. 원의 넓이는 몇 cm^2인가요?

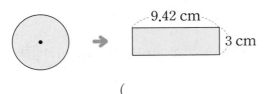

9.42 cm

3 cm

　　　　(　　　　　　　　　)

8 원을 한없이 잘게 잘라 이어 붙여서 직사각형을 만들었습니다. □ 안에 알맞은 수를 써넣으세요.

(원주율: 3.14)

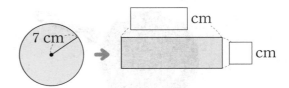

7 cm

□ cm

□ cm

[9~10] 원의 넓이가 몇 cm^2인지 구해 보세요.

(원주율: 3.1)

9

9 cm

　　　　　　　　(　　　　　　　　　)

10

4 cm

　　　　　　　　(　　　　　　　　　)

11 원의 지름을 이용하여 원의 넓이를 구해 보세요.

(원주율: 3)

지름(cm)	원의 넓이를 구하는 식	원의 넓이 (cm^2)
10		
16		

5

단원

원의 넓이

129

12 원 모양의 프라이팬이 있습니다. 프라이팬의 반지름이 13 cm일 때 프라이팬의 넓이는 몇 cm²인가요? (원주율: 3.1)

(   )

13 형호네 마을 공원에는 반지름이 11 m인 원 모양의 놀이터가 있습니다. 이 놀이터의 넓이는 몇 m²인가요? (원주율: 3.14)

 식 _____

 답 _____

14 한 변의 길이가 20 cm인 정사각형 안에 그릴 수 있는 가장 큰 원의 넓이는 몇 cm²인가요?

(원주율: 3.1)

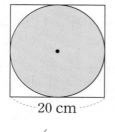

─ 20 cm ─

(   )

개념 7 여러 가지 원의 넓이 구하기

예) 노란색 부분의 넓이 구하기 (원주율: 3.1)

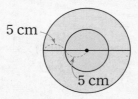

5 cm

5 cm

(노란색 부분의 넓이)
= (큰 원의 넓이) − (보라색 원의 넓이)
= 10 × 10 × 3.1 − 5 × 5 × 3.1
= 310 − 77.5 = 232.5 (cm²)

유형

15 오른쪽 도형에서 색칠한 부분의 넓이를 구하려고 합니다. □ 안에 알맞은 수를 써넣으세요. (원주율: 3.14)

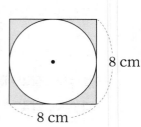

8 cm

8 cm

(색칠한 부분의 넓이)
= (정사각형의 넓이) − (원의 넓이)
= □ − □ = □ (cm²)

16 오른쪽 도형에서 색칠한 부분의 넓이를 구하려고 합니다. 물음에 답하세요.

(원주율: 3.1)

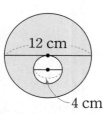

12 cm

4 cm

(1) 큰 원의 넓이는 몇 cm²인가요?

(   )

(2) 작은 원의 넓이는 몇 cm²인가요?

(   )

(3) 색칠한 부분의 넓이는 몇 cm²인가요?

(   )

[17~18] 원을 이용하여 오른쪽 도형의 색칠한 부분의 넓이가 몇 cm²인지 구해 보세요.

(원주율: 3.14)

17

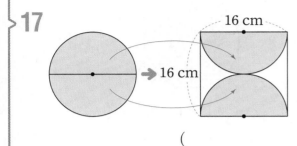

(　　　　　　　　)

18

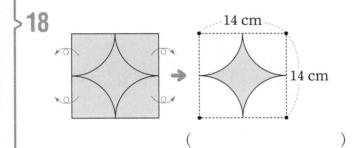

(　　　　　　　　)

19 다음과 같은 도형의 넓이를 구하려고 합니다. 물음에 답하세요. (원주율: 3.1)

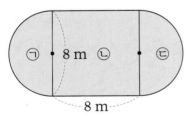

(1) 어떤 도형으로 이루어져 있는지 각각 써 보세요.

㉠: 반원, ㉡: ☐　, ㉢: ☐

(2) ㉠, ㉡, ㉢의 넓이의 합은 몇 m²인가요?

(　　　　　　　　)

[20~22] 분홍색 종이와 파란색 종이를 각각 오려서 다음과 같이 겹쳤습니다. 물음에 답하세요.

(원주율: 3)

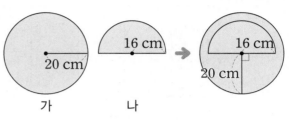

20 종이 가의 넓이는 몇 cm²인가요?

(　　　　　　　　)

21 종이 나의 넓이는 몇 cm²인가요?

(　　　　　　　　)

22 겹쳤을 때 보이는 분홍색 부분의 넓이는 몇 cm²인가요?

(　　　　　　　　)

23 그림과 같은 꽃밭의 넓이는 몇 m²인가요?

(원주율: 3.1)

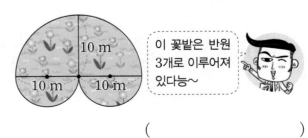

이 꽃밭은 반원 3개로 이루어져 있다능~

(　　　　　　　　)

1 원 안과 밖에 있는 정사각형을 이용하여 원의 넓이를 어림해 보세요.

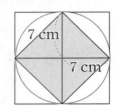

$\boxed{}$ cm² < (원의 넓이)

(원의 넓이) < $\boxed{}$ cm²

2 모눈을 세어 원의 넓이를 어림해 보세요.

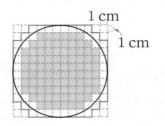

$\boxed{}$ cm² < (원의 넓이)

(원의 넓이) < $\boxed{}$ cm²

[3~6] 원의 넓이가 몇 cm²인지 구해 보세요.

3

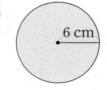

6 cm

원주율: 3.14

(   )

4

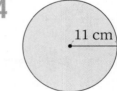

11 cm

원주율: 3.1

(   )

5

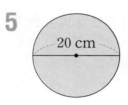

20 cm

원주율: 3.14

(   )

6

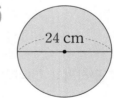

24 cm

원주율: 3

(   )

[7~8] 색칠한 부분의 넓이가 몇 cm²인지 구해 보세요.

7

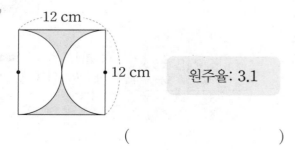

12 cm

12 cm

원주율: 3.1

(   )

8

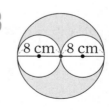

8 cm 8 cm

원주율: 3.14

(   )

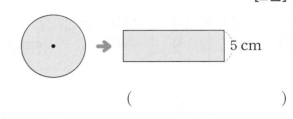
유형 진단 TEST

1 그림과 같이 컴퍼스를 벌려 원을 그렸을 때 그린 원의 넓이는 몇 cm²인가요? (원주율: 3.14) [1점]

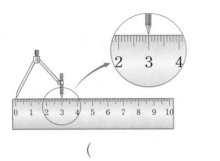

(　　　　　)

2 교통 표지의 넓이는 몇 cm²인가요?
(원주율: 3) [1점]

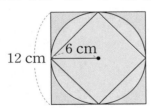

30 cm

(　　　　　)

3 □ 안에 알맞은 수를 써넣으세요. [1점]

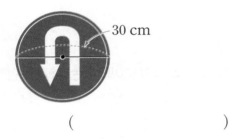

12 cm　6 cm

원 안의 정사각형의 넓이는 □ cm²이고,

원 밖의 정사각형의 넓이는 □ cm²이므로

원의 넓이는 □ cm²쯤 될 것이라고 어림

할 수 있습니다.

4 원을 한없이 잘라 이어 붙여 만든 직사각형입니다. 원의 넓이는 몇 cm²인가요? (원주율: 3.1) [2점]

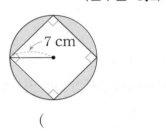

5 cm

(　　　　　)

5 색칠한 부분의 넓이는 몇 cm²인가요?
(원주율: 3.1) [2점]

7 cm

(　　　　　)

6 각 색깔의 넓이는 몇 cm²인가요? (원주율: 3)
[3점]

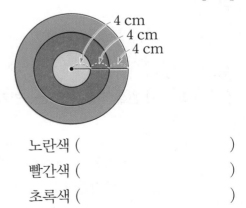

4 cm
4 cm
4 cm

노란색 (　　　　　)

빨간색 (　　　　　)

초록색 (　　　　　)

① 원주의 합(차) 구하기

1 가와 나의 원주의 합은 몇 cm인가요?

(원주율: 3.1)

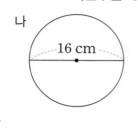

( )

2 가와 나의 원주의 차는 몇 cm인가요? (원주율: 3)

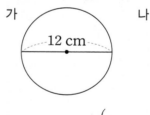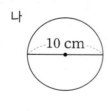

( )

3 ㉠과 ㉡의 원주의 합은 몇 cm인가요?

(원주율: 3.14)

┌─────────────────────┐
│ ㉠ 지름이 15 cm인 원   │
│ ㉡ 반지름이 7 cm인 원 │
└─────────────────────┘

( )

② 원의 넓이의 합(차) 구하기

4 가와 나의 넓이의 합은 몇 cm²인가요?

(원주율: 3.1)

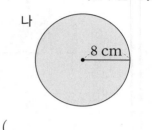

( )

5 가와 나의 넓이의 차는 몇 cm²인가요? (원주율: 3)

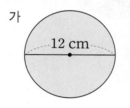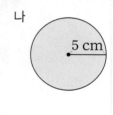

( )

6 세정이는 지름이 20 cm인 원을 그렸고, 정호는 반지름이 9 cm인 원을 그렸습니다. 누가 그린 원의 넓이가 몇 cm² 더 넓은지 차례로 써 보세요. (원주율: 3.14)

( ), ( )

❸ 직사각형 안에 그릴 수 있는 가장 큰 원의 넓이 구하기

기본 유형
7 정사각형 안에 그릴 수 있는 가장 큰 원의 넓이는 몇 cm²인가요? (원주율: 3)

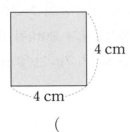

4 cm

4 cm

(　　　　　　)

변형 유형
8 직사각형 모양의 종이를 잘라 만들 수 있는 가장 큰 원의 넓이는 몇 cm²인가요? (원주율: 3)

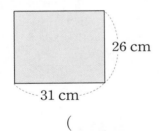

26 cm

31 cm

(　　　　　　)

실생활 유형
9 전교 어린이 회장 선거에 쓸 원 모양의 손 팻말을 만들려고 합니다. 직사각형 모양의 종이를 잘라 만들 수 있는 가장 큰 원의 넓이는 몇 cm²인가요? (원주율: 3.14)

30 cm

45 cm

(　　　　　　)

❹ 넓이를 알 때 반지름(지름) 구하기

기본 유형
10 원의 넓이가 151.9 cm²일 때, □ 안에 알맞은 수를 써넣으세요. (원주율: 3.1)

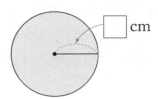

□ cm

변형 유형
11 원의 넓이가 113.04 cm²일 때, □ 안에 알맞은 수를 써넣으세요. (원주율: 3.14)

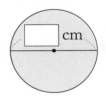

□ cm

문장제 유형
12 넓이가 192 cm²인 원의 반지름은 몇 cm인가요? (원주율: 3)

(　　　　　　)

원의 넓이를 구하는 식을 이용해서 원의 반지름을 구해 보라능~

독해력 유형 **1** 굴러간 거리 구하기

지름이 40 cm인 원 모양의 바퀴 자를 사용하여 집에서 문구점까지의 거리를 알아보려고 합니다. 바퀴가 100바퀴 돌았다면 집에서 문구점까지의 거리는 몇 m인지 구해 보세요. (원주율: 3)

What? 구하려는 것을 찾아 밑줄을 그어 보세요.

How?
❶ 바퀴가 한 바퀴 돈 거리가 바퀴 자의 원주와 같음을 알기
❷ 바퀴가 100바퀴 돈 거리는 몇 cm인지 구하기
❸ 집에서 문구점까지의 거리가 바퀴가 100바퀴 돈 거리임을 알고 구한 거리를 m 단위로 나타내기

Solve
❶ 바퀴가 한 바퀴 돈 거리는 몇 cm인가요?

( )

❷ 바퀴가 100바퀴 돈 거리는 몇 cm인가요?

( )

❸ 집에서 문구점까지의 거리는 몇 m인가요?

( )

바퀴가 한 바퀴 돈 거리는 바퀴 자의 원주와 같다능~

5단원 원의 넓이

136

쌍둥이 유형 **1-1**

지름이 30 cm인 훌라후프를 사용하여 학교에서 체육관까지의 거리를 알아보려고 합니다. 훌라후프가 80바퀴 돌았다면 학교에서 체육관까지의 거리는 몇 m인가요?

(원주율: 3.14)

❶

❷

❸

답 _____

쌍둥이 유형 **1-2**

지름이 35 cm인 굴렁쇠를 사용하여 복도의 길이를 알아보려고 합니다. 굴렁쇠가 5바퀴 돌았다면 복도의 길이는 몇 m인가요?

(원주율: 3)

❶

❷

❸

답 _____

독해력 유형 **2** 여러 가지 원의 둘레 구하기

그림과 같은 모양의 둘레는 몇 m인지 구해 보세요.

(원주율: 3.14)

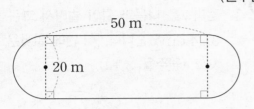

What? 구하려는 것을 찾아 밑줄을 그어 보세요.

How? ❶ 곡선 부분을 합치면 어떤 모양이 되는지 알아보기

❷ 곡선 부분의 길이 구하기

❸ 곡선 부분과 직선 부분의 합으로 전체 모양의 둘레 구하기

Solve ❶ 빨간색으로 표시한 부분을 합치면 어떤 모양이 되는지 알맞은 말에 ◯표 하세요.

(반지름 , 지름)이 20 m인 (원 , 사각형)이 됩니다.

❷ 위 ❶에서 빨간색으로 표시한 부분의 길이의 합은 몇 m인가요?

(　　　　　　)

❸ 그림과 같은 모양의 둘레는 몇 m인가요?

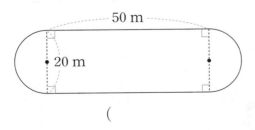

(　　　　　　)

쌍둥이 유형 **2-1**

그림과 같은 모양의 꽃밭의 둘레는 몇 m인가요? (원주율: 3.1)

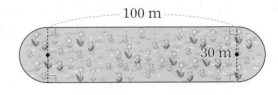

❶

❷

❸

답 _____

쌍둥이 유형 **2-2**

그림과 같은 모양의 공원이 있습니다. 이 공원의 둘레가 235 m일 때 ☐ 안에 알맞은 수를 구해 보세요. (원주율: 3)

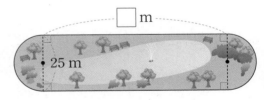

❶

❷

❸

답 _____

플러스 유형 ❶ 원주와 지름의 관계 알아보기

1-1 나의 지름은 가의 지름의 2배입니다. 표의 빈칸을 채우고 나의 원주는 가의 원주의 몇 배인지 구해 보세요. (원주율: 3)

원	지름(cm)	원주(cm)
가	7	
나		

( )

1-2 나의 지름은 가의 지름의 3배입니다. 표의 빈칸을 채우고 나의 원주는 가의 원주의 몇 배인지 구해 보세요. (원주율: 3)

원	지름(cm)	원주(cm)
가	6	
나		

( )

1-3 나의 원주는 가의 원주의 몇 배인가요?

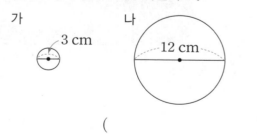

가   나

( )

플러스 유형 ❷ 컴퍼스를 벌린 너비 구하기

2-1 컴퍼스를 다음과 같이 벌려서 그린 원의 원주가 31.4 cm였습니다. ☐ 안에 알맞은 수를 써넣으세요. (원주율: 3.14)

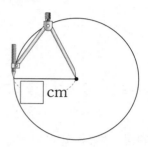

☐ cm

2-2 컴퍼스를 다음과 같이 벌려서 그린 원의 원주가 49.6 cm였습니다. ☐ 안에 알맞은 수를 써넣으세요. (원주율: 3.1)

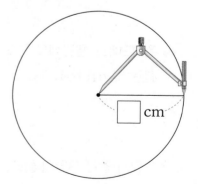

☐ cm

플러스 유형 처방전

지름이 ■배가 되면 원주도 ■배가 된다능~

5 단원

원의 넓이

138

플러스 유형 ❸　넓이가 더 넓은 원 알아보기

3-1 넓이가 더 넓은 원의 기호를 써 보세요.

(원주율: 3.14)

> ㉠ 넓이가 28.26 cm²인 원
> ㉡ 반지름이 4 cm인 원

(　　　　)

3-2 넓이가 더 넓은 원의 기호를 써 보세요.

(원주율: 3.1)

> ㉠ 넓이가 198.4 cm²인 원
> ㉡ 지름이 18 cm인 원

(　　　　)

3-3 넓이가 더 넓은 원의 기호를 써 보세요. (원주율: 3)

> ㉠ 원주가 42 cm인 원
> ㉡ 지름이 10 cm인 원

(　　　　)

플러스 유형 처방전

3-3에서 (반)지름이 길수록 원의 크기도 커지고 넓이도 넓어지니 반드시 넓이를 구해서 비교할 필요가 없다능~

플러스 유형 ❹　원의 일부분의 넓이 구하기

사고력 유형

4-1 원을 4등분 한 것 중의 하나입니다. 이 도형의 넓이는 몇 cm²인가요? (원주율: 3.14)

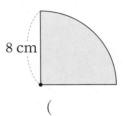

8 cm

(　　　　)

서술형

4-2 원을 3등분 한 것 중의 하나입니다. 이 도형의 넓이는 몇 cm²인지 풀이 과정을 쓰고 답을 구해 보세요. (원주율: 3)

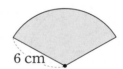

6 cm

풀이

답 _____

4-3 도형의 넓이는 몇 cm²인가요? (원주율: 3.14)

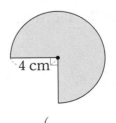

4 cm

(　　　　)

5
단원

원의 넓이

139

플러스 유형 **5** 원주를 알 때 원의 넓이 구하기

5-1 원주가 18.6 cm인 원의 넓이는 몇 cm²인가요? (원주율: 3.1)

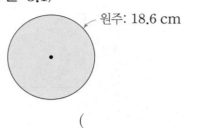

원주: 18.6 cm

( )

서술형

5-2 원주가 31.4 cm인 원의 넓이는 몇 cm²인지 풀이 과정을 쓰고 답을 구해 보세요. (원주율: 3.14)

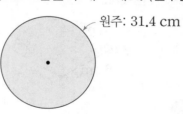

원주: 31.4 cm

풀이 _____

_____

_____

답 _____

사고력 유형

5-3 원을 한없이 잘라 이어 붙여 만든 직사각형입니다. 원의 넓이는 몇 cm²인가요? (원주율: 3)

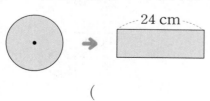

24 cm

( )

플러스 유형 **6** 넓이를 알 때 원주 구하기

6-1 넓이가 50.24 cm²인 원의 원주는 몇 cm인가요? (원주율: 3.14)

( )

6-2 넓이가 251.1 cm²인 원의 원주는 몇 cm인가요? (원주율: 3.1)

( )

서술형

6-3 넓이가 147 cm²인 원의 원주는 몇 cm인지 풀이 과정을 쓰고 답을 구해 보세요. (원주율: 3)

풀이 _____

_____

_____

_____

답 _____

플러스 유형 ❼   색칠한 부분의 넓이 구하기

독해력 유형

7-1 오른쪽 도형에서 색칠한 부분의 넓이는 몇 cm²인지 구해 보세요.

(원주율: 3.1)

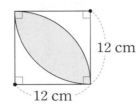

12 cm
12 cm

단계 **1** 색칠한 부분의 넓이는 몇 cm²인가요?

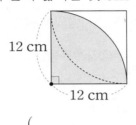

12 cm
12 cm

(   )

단계 **2** 색칠한 부분의 넓이는 몇 cm²인가요?

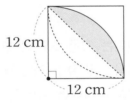

12 cm
12 cm

(   )

단계 **3** 분홍색으로 색칠한 부분의 넓이는 몇 cm²인가요?

(   )

7-2 오른쪽 도형에서 색칠한 부분의 넓이는 몇 cm²인가요? (원주율: 3.14)

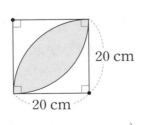

20 cm
20 cm

(   )

플러스 유형 ❽   둘러싼 선의 길이 구하기

독해력 유형

8-1 그림과 같이 반지름이 6 cm인 원 3개를 겹치지 않게 붙였습니다. 빨간색 선의 길이는 몇 cm인지 구해 보세요. (원주율: 3.1)

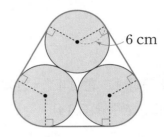

6 cm

단계 **1** 세 곡선 부분의 길이의 합은 몇 cm인가요?

(   )

단계 **2** 세 직선 부분의 길이의 합은 몇 cm인가요?

(   )

단계 **3** 빨간색 선의 길이는 몇 cm인가요?

(   )

플러스 유형 처방전

곡선 부분과 직선 부분으로 나눠서 생각해 보라능~
이때, 세 곡선 부분을 붙이면 원 1개의 원주와 같다능~

5
단원

원의 넓이

141

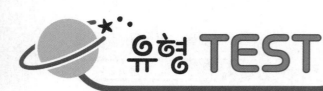

1 □ 안에 알맞은 말을 써넣으세요.

원의 지름에 대한 원주의 비율을
[ ](이)라고 합니다.

2 원주를 구하려고 합니다. □ 안에 알맞은 수를 써넣으세요. (원주율: 3.14)

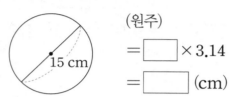

(원주)
= [ ] × 3.14
= [ ] (cm)

3 원의 지름은 몇 cm인가요?

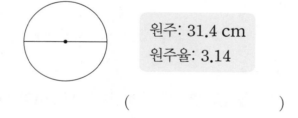

원주: 31.4 cm
원주율: 3.14

( )

4 그림과 같이 한 변의 길이가 10 cm인 정사각형에 지름이 10 cm인 원을 그리고 1 cm 간격으로 모눈을 그렸습니다. 모눈을 세어 원의 넓이를 어림해 보세요.

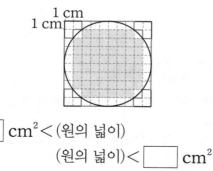

[ ] cm² < (원의 넓이)
(원의 넓이) < [ ] cm²

5 오른쪽 원의 넓이는 몇 cm²인가요? (원주율: 3.1)

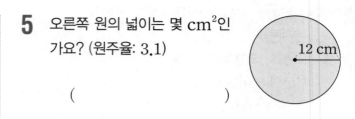

( )

6 잘못 말한 사람의 이름을 써 보세요.

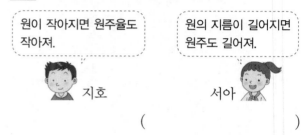

원이 작아지면 원주율도 작아져.

지호

원의 지름이 길어지면 원주도 길어져.

서아

( )

7 지민이는 교통 표지의 원주와 지름을 재어 보았습니다. (원주)÷(지름)을 반올림하여 주어진 자리까지 나타내어 보세요.

원주: 87.8 cm
지름: 28 cm

반올림하여 소수 첫째 자리까지	반올림하여 소수 둘째 자리까지

8 원을 한없이 잘게 잘라 이어 붙여서 직사각형을 만들었습니다. □ 안에 알맞은 수를 써넣으세요.
(원주율: 3.1)

9 원주는 몇 cm인가요?

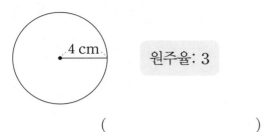

원주율: 3

(　　　　　　　　)

10 원의 지름을 이용하여 원의 넓이를 구해 보세요.

(원주율: 3.1)

지름(cm)	원의 넓이를 구하는 식	원의 넓이 (cm^2)
12		
14		

11 길이가 53.38 cm인 종이띠를 겹치지 않게 붙여서 원을 만들었습니다. 만들어진 원의 지름은 몇 cm인가요? (원주율: 3.14)

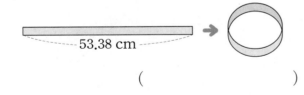

(　　　　　　　　)

12 컴퍼스를 다음과 같이 벌려서 그린 원의 원주가 56.52 cm였습니다. □ 안에 알맞은 수를 써넣으세요. (원주율: 3.14)

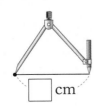

13 바퀴의 지름이 24 m인 대관람차에 4 m 간격으로 관람차가 매달려 있습니다. 모두 몇 대의 관람차가 매달려 있는지 구해 보세요. (원주율: 3)

(　　　　　　　　)

14 원 모양의 편지지를 만들려고 합니다. 직사각형 모양의 종이를 잘라 만들 수 있는 가장 큰 원의 넓이는 몇 cm^2인가요? (원주율: 3.1)

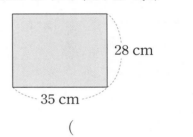

28 cm

35 cm

(　　　　　　　　)

15 색칠한 부분의 넓이는 몇 cm^2인가요? (원주율: 3)

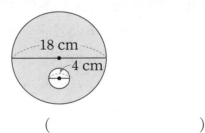

18 cm

4 cm

(　　　　　　　　)

16 서준이는 바퀴의 지름이 60 cm인 자전거를 타고 집에서 놀이터까지 갔습니다. 집에서 놀이터까지 가는 데 바퀴가 200바퀴 굴렀다면 집에서 놀이터까지의 거리는 몇 cm인가요? (원주율: 3.14)

(　　　　　　　　)

정답 및 풀이 35쪽

》139쪽 4-2 유사 문제

17 원을 반으로 나눈 것 중의 하나입니다. 이 도형의 넓이는 몇 cm²인지 풀이 과정을 쓰고 답을 구해 보세요. (원주율: 3.1)

서술형

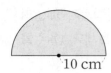

풀이

답

》140쪽 6-3 유사 문제

19 넓이가 300 cm²인 원의 원주는 몇 cm인지 풀이 과정을 쓰고 답을 구해 보세요. (원주율: 3)

서술형

넓이:
300 cm²

풀이

답

5 단원

원의 넓이

144

》140쪽 5-2 유사 문제

18 원주가 49.6 cm인 원의 넓이는 몇 cm²인지 풀이 과정을 쓰고 답을 구해 보세요. (원주율: 3.1)

서술형

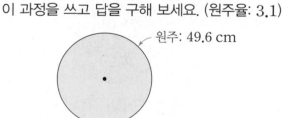

원주: 49.6 cm

풀이

답

》141쪽 7-1 유사 문제

20 색칠한 부분의 넓이는 몇 cm²인지 풀이 과정을 쓰고 답을 구해 보세요. (원주율: 3.1)

독해력 유형 서술형

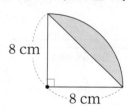

8 cm

8 cm

풀이

답

비의 성질을 이용하여 비율이 같은 비 찾기

비의 성질을 이용하여 비율이 같은 비를 찾아 이어 보세요.

5 : 9 •   • 14 : 21

12 : 20 •   • 100 : 180

2 : 3 •   • 3 : 5

간단한 자연수의 비로 나타내기

간단한 자연수의 비로 나타내어 보세요.

$$\frac{5}{9} : \frac{3}{4}$$

(   )

비례식의 활용

진희와 영수가 가지고 있는 구슬 수의 비는 2 : 7입니다. 진희가 구슬을 16개 가지고 있다면 영수가 가지고 있는 구슬은 몇 개인가요?

(   )

비례배분

4 가로와 세로의 비가 3 : 5이고 둘레가 32 cm인 직사각형이 있습니다. 이 직사각형의 가로는 몇 cm인지 비례배분하여 구해 보세요.

(   )

원 그리기

다음은 중심이 'ㅇ'이고 반지름이 2 cm인 원 가를 만드는 명령어입니다.

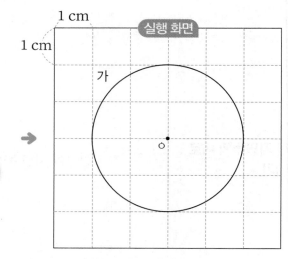

▶ 시작하기 버튼을 클릭했을 때

점 [ㅇ] 만들기

중심이 [ㅇ] 이고 반지름이 [2] cm인 원 [가] 만들기

코딩 1 중심이 'ㅅ'이고 반지름이 3 cm인 원 나를 만드는 명령어를 만들어 보세요.

▶ 시작하기 버튼을 클릭했을 때

점 [ ] 만들기

중심이 [ ] 이고 반지름이 [ ] cm인 원 [ ] 만들기

코딩 2 위 코딩 1을 실행했을 때의 화면을 그려 보고 그린 원의 원주와 넓이를 각각 구해 보세요. (원주율: 3)

실행 화면

원주는 [ ] cm,
넓이는 [ ] cm²
입니다.

종이띠로 도형을 만들어 넓이 구하기

길이가 12 cm인 종이띠를 겹치지 않게 붙여서 정삼각형, 정사각형, 원을 각각 만들었습니다. 만들어진 도형의 넓이를 구해 볼까요?

12 cm

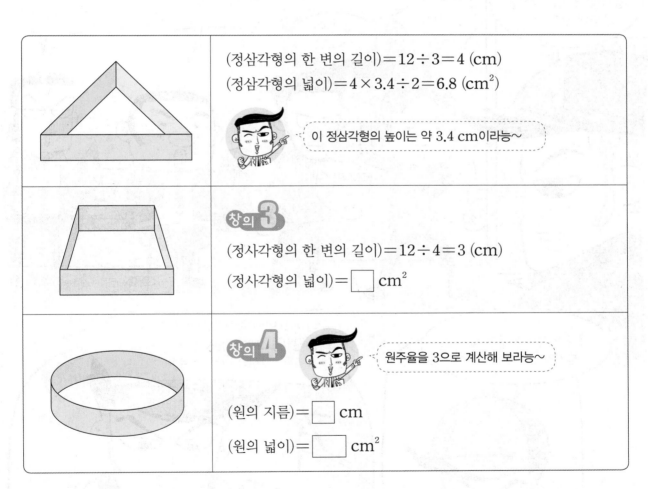

(정삼각형의 한 변의 길이)=12÷3=4 (cm)
(정삼각형의 넓이)=4×3.4÷2=6.8 (cm²)

이 정삼각형의 높이는 약 3.4 cm이라능~

창의 **3**

(정사각형의 한 변의 길이)=12÷4=3 (cm)

(정사각형의 넓이)=☐ cm²

창의 **4**

원주율을 3으로 계산해 보라능~

(원의 지름)=☐ cm

(원의 넓이)=☐ cm²

같은 길이의 종이띠로 정삼각형, 정사각형, 원을 각각 만들어 보면 원의 넓이가 가장 크다는 걸 알 수 있습니다.
피자가 원 모양인 것도 그 위에 피자 재료를 많이 얹기 위해서이지요. 마찬가지로 다른 모양보다 원 모양의 접시에 더 많은 음식을 담을 수 있고, 둥근 테이블에 더 많은 접시를 올려놓을 수 있습니다.

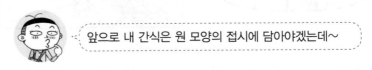

앞으로 내 간식은 원 모양의 접시에 담아야겠는데~

6 원기둥, 원뿔, 구

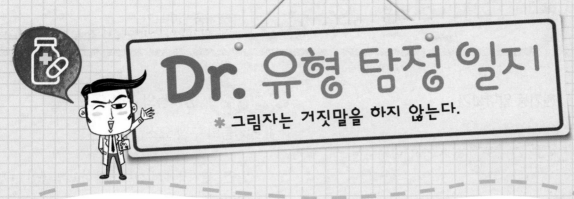

개념 1 원기둥 알아보기

원기둥: 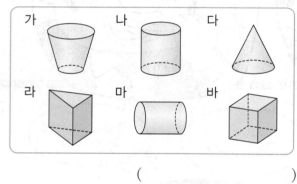 , , 등과 같은 입체도형

〈원기둥의 특징〉
• 두 면은 평평한 원으로 합동이고 평행합니다.
• 옆을 둘러싼 면은 굽은 면입니다.
• 굴리면 일직선으로 잘 굴러갑니다.

유형

1 원기둥을 모두 찾아 기호를 써 보세요.

가 나 다

라 마 바

( )

2 원기둥의 특징에 대한 설명이 맞으면 ○표, 틀리면 ×표 하세요.

(1) 마주 보는 두 면이 서로 평행합니다.

( )

(2) 옆을 둘러싼 면이 평평합니다.

( )

개념 2 원기둥의 구성 요소

1. 원기둥의 구성 요소

• 밑면: 원기둥에서 서로 평행하고 합동인 두 면
• 옆면: 두 밑면과 만나는 면
  이때 원기둥의 옆면은 굽은 면입니다.
• 높이: 두 밑면에 수직인 선분의 길이

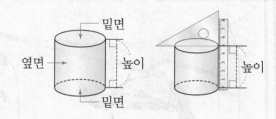

2. 원기둥 만들기

직사각형 모양의 종이를 한 변을 기준으로 돌리면 원기둥이 됩니다.

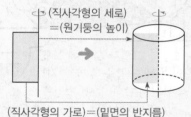

（직사각형의 세로）
＝（원기둥의 높이）

（직사각형의 가로）＝（밑면의 반지름）

주의 돌리는 선의 위치에 따라 돌리기 전의 직사각형의 가로가 원기둥의 높이가 될 수도 있습니다. 5번 문제를 풀어 보세요.

유형

3 원기둥의 높이는 몇 cm인가요?

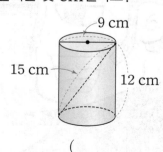

9 cm
15 cm
12 cm

( )

[4~5] 한 변을 기준으로 직사각형 모양의 종이를 돌리면 어떤 입체도형이 되는지 알아보려고 합니다. 물음에 답하세요.

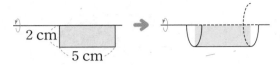

4 어떤 입체도형이 되는지 쓰고, 그림을 완성해 보세요.

(   )

5 만들어진 입체도형의 밑면의 지름과 높이는 각각 몇 cm인지 차례로 써 보세요.

(   ), (   )

6 원기둥에 대해 잘못된 설명을 찾아 기호를 써 보세요.

> ㉠ 옆면은 굽은 면입니다.
> ㉡ 밑면은 1개입니다.
> ㉢ 두 밑면에 수직인 선분의 길이는 높이입니다.

(   )

7 오른쪽 원기둥 모형을 관찰하며 나눈 대화를 보고 밑면의 지름과 높이는 각각 몇 cm인지 구해 보세요.

> 위에서 본 모양은 반지름이 6 cm인 원이야.

> 앞에서 본 모양은 정사각형이야.

밑면의 지름 (   )

높이 (   )

입체도형		원기둥	각기둥
공통점		• 기둥 모양입니다. • 밑면이 2개입니다. • 두 밑면이 서로 평행하고 합동입니다. • 앞, 옆에서 본 모양이 직사각형입니다.	
차이점	밑면의 모양	원	다각형
	옆면의 모양	굽은 면	직사각형
	꼭짓점, 모서리	없습니다.	있습니다.

유형

8 원기둥에 대한 설명에는 '원', 각기둥에 대한 설명에는 '각'이라고 써 보세요.

⑴ 밑면이 원입니다. (   )
⑵ 꼭짓점이 있습니다. (   )
⑶ 옆면의 모양이 직사각형입니다. (   )
⑷ 모서리가 없습니다. (   )

9 원기둥과 사각기둥을 비교하여 빈칸에 알맞은 수나 말을 써넣으세요.

입체도형	원기둥	사각기둥
밑면의 모양		사각형
밑면의 수(개)		
옆면의 모양		직사각형

개념 4 원기둥의 전개도 알아보기

원기둥의 전개도: 원기둥을 잘라서 펼쳐 놓은 그림

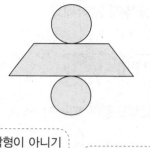

밑면은 원 모양이고 합동이며 2개야.
또, 옆면은 직사각형 모양이고 1개야.

유형

[10∼11] 원기둥의 전개도를 보고 □ 안에 알맞은 수나 말을 써넣으세요.

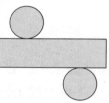

10 원기둥의 전개도에서 밑면은 □ 모양이고 □개입니다.

11 원기둥의 전개도에서 옆면은 □ 모양이고 □개입니다.

12 원기둥의 전개도를 찾아 기호를 써 보세요.

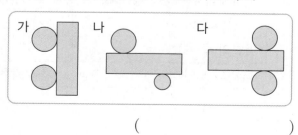

(   )

13 다음 그림이 원기둥의 전개도가 <u>아닌</u> 이유를 바르게 설명한 사람의 이름을 써 보세요.

옆면이 직사각형이 아니기 때문에 원기둥의 전개도가 아니야.

밑면이 2개이므로 원기둥의 전개도가 아니야.

현서   다은

(   )

14 원기둥의 전개도에 대한 설명으로 옳은 것을 찾아 기호를 써 보세요.

> ㉠ 밑면의 모양은 직사각형입니다.
> ㉡ 옆면은 2개입니다.
> ㉢ 두 밑면은 서로 합동입니다.

(   )

15 원기둥의 전개도를 완성해 보세요.

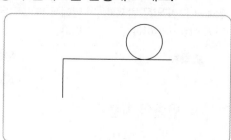

개념 5　원기둥의 전개도에서 각 부분의 길이 구하기

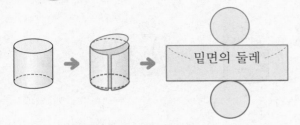

* 원기둥의 전개도에서 옆면의 가로의 길이는 밑면의 둘레와 같습니다.

  (옆면의 가로)＝(밑면의 둘레)
  　　　　　 ＝(밑면의 지름)×(원주율)

* 원기둥의 전개도에서 옆면의 세로의 길이는 원기둥의 높이와 같습니다.

  (옆면의 세로)＝(원기둥의 높이)

유형

[16~17] 원기둥의 전개도를 보고 물음에 답하세요.

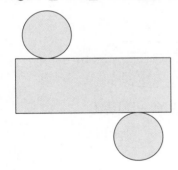

16 원기둥의 밑면의 둘레와 길이가 같은 선분을 모두 빨간색 선으로 표시해 보세요.

17 원기둥의 높이와 길이가 같은 선분을 모두 파란색 선으로 표시해 보세요.

18 원기둥의 전개도를 보고 원기둥의 높이와 밑면의 둘레는 각각 몇 cm인지 구해 보세요.

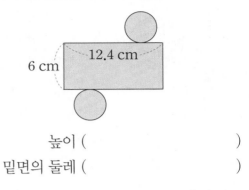

높이 (　　　　　　　　　　)
밑면의 둘레 (　　　　　　　　　　)

19 오른쪽 원기둥의 전개도를 완성하고 □ 안에 알맞은 수를 써넣으세요. (원주율: 3)

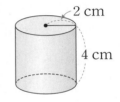

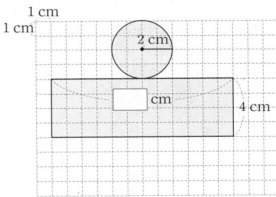

20 원기둥과 원기둥의 전개도를 보고 □ 안에 알맞은 수를 써넣으세요. (원주율: 3.1)

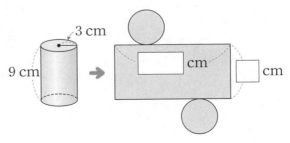

[1~2] 원기둥에 ○표 하세요.

1

(   )   (   )

2

(   )   (   )

[3~5] 원기둥의 밑면을 모두 찾아 색칠해 보세요.

3

4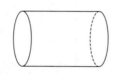

5

[6~7] 원기둥의 밑면의 반지름과 높이는 각각 몇 cm인지 써 보세요.

6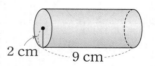

2 cm   9 cm

밑면의 반지름 (   )

높이 (   )

7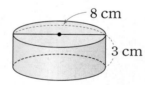

8 cm

3 cm

밑면의 반지름 (   )

높이 (   )

[8~10] 원기둥을 만들 수 있는 전개도에 ○표, 만들 수 <u>없는</u> 전개도에 ✕표 하세요.

8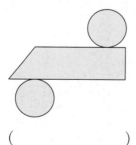

(   )

9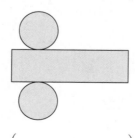

(   )

10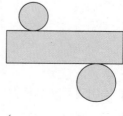

(   )

1 원기둥의 전개도를 보고 밑면과 옆면은 각각 어떤 모양인지 도형의 이름을 써 보세요. [1점]

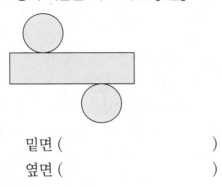

밑면 (   )

옆면 (   )

2 직사각형 모양의 종이를 한 변을 기준으로 한 바퀴 돌려 만든 입체도형의 밑면의 지름은 몇 cm인가요? [1점]

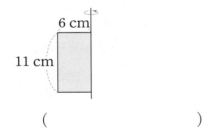

6 cm

11 cm

(   )

서술형
3 오른쪽 입체도형이 원기둥이 아닌 이유를 써 보세요. [2점]

이유 _____

_____

4 원기둥과 삼각기둥의 공통점을 모두 찾아 기호를 써 보세요. [2점]

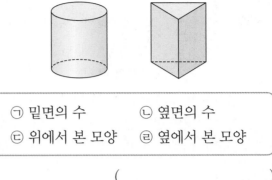

┌─────────────────────────────────┐
│ ㉠ 밑면의 수   ㉡ 옆면의 수   │
│ ㉢ 위에서 본 모양   ㉣ 옆에서 본 모양   │
└─────────────────────────────────┘

(   )

5 두 원기둥의 높이의 차는 몇 cm인가요? [2점]

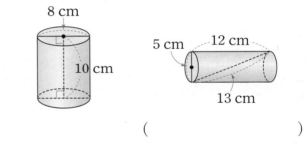

8 cm

10 cm

5 cm   12 cm

13 cm

(   )

6 원기둥의 전개도에서 선분 ㄱㄹ의 길이는 몇 cm인가요? (원주율: 3.14) [2점]

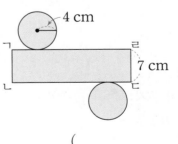

4 cm

ㄱ   ㄹ

7 cm

ㄴ   ㄷ

(   )

개념 6 원뿔 알아보기

원뿔: 등과 같은 입체도형

〈원뿔의 특징〉
- 평평한 면이 원이고 1개입니다.
- 옆을 둘러싼 면이 굽은 면인 뿔 모양입니다.
- 굴리면 제자리에서 원을 그리며 구릅니다.

유형 6

1 오른쪽 그림과 같은 입체도형을 무엇이라고 하나요?

(   )

2 원뿔을 모두 찾아 기호를 써 보세요.

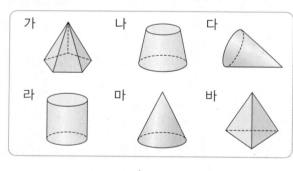

가 나 다
라 마 바

(   )

서술형

3 오른쪽 입체도형이 원뿔이 <u>아닌</u> 이유를 써 보세요.

이유 _____

_____

개념 7 원뿔의 구성 요소

1. 원뿔의 구성 요소

- **밑면**: 원뿔에서 평평한 면
- **옆면**: 옆을 둘러싼 굽은 면
- **원뿔의 꼭짓점**: 원뿔에서 뾰족한 부분의 점
- **모선**: 원뿔에서 원뿔의 꼭짓점과 밑면인 원의 둘레의 한 점을 이은 선분
- **높이**: 원뿔의 꼭짓점에서 밑면에 수직인 선분의 길이

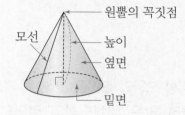

2. 원뿔 만들기

직각삼각형 모양의 종이를 한 변을 기준으로 돌리면 원뿔이 됩니다.

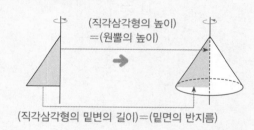

(직각삼각형의 높이)
=(원뿔의 높이)

(직각삼각형의 밑변의 길이)=(밑면의 반지름)

유형

4 원뿔에서 모선의 길이는 몇 cm인가요?

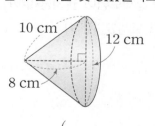

10 cm
12 cm
8 cm

(   )

5 오른쪽은 원뿔의 무엇을 재는 그림인지 보기 에서 찾아 써 보세요.

보기

모선 　 높이

(　　　　　)

6 한 변을 기준으로 직각삼각형 모양의 종이를 돌려 만든 입체도형을 보고, 밑면의 지름과 높이가 각각 몇 cm인지 구해 보세요.

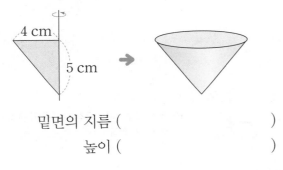

밑면의 지름 (　　　　　)

높이 (　　　　　)

7 원뿔에 대한 설명으로 옳지 <u>않은</u> 것을 찾아 기호를 써 보세요.

㉠ 원뿔의 꼭짓점은 1개입니다.
㉡ 원뿔의 높이는 항상 모선의 길이보다 깁니다.
㉢ 밑면의 모양은 원이고 1개입니다.

(　　　　　)

플러스
개념 **8** 원기둥과 원뿔의 비교

입체도형		원기둥	원뿔
공통점		• 입체도형입니다. • 위에서 본 모양이 원입니다. • 옆면이 굽은 면입니다.	
차이점	밑면의 수	2개	1개
	앞에서 본 모양	직사각형	삼각형
	꼭짓점	없습니다.	있습니다.

8 원기둥과 원뿔을 비교하여 빈칸에 알맞은 수나 말을 써넣으세요.

입체도형	원기둥	원뿔
밑면의 모양		
밑면의 수(개)		1
위에서 본 모양	원	
앞에서 본 모양		삼각형

9 원뿔에는 있지만 원기둥에는 <u>없는</u> 것을 찾아 기호를 써 보세요.

㉠ 밑면 　　 ㉡ 옆면
㉢ 꼭짓점 　　 ㉣ 높이

(　　　　　)

개념 **9** 구 알아보기

구: , , 등과 같은 입체도형

〈구의 특징〉
• 굽은 면으로 둘러싸여 있습니다.
• 굴리면 잘 굴러갑니다.
• 어느 방향에서 보아도 원 모양입니다.

유형

10 구를 찾아 기호를 써 보세요.

가   나   다

(   )

11 구에 대한 설명이 맞으면 ○표, 틀리면 × 표 하세요.

⑴ 구는 굽은 면으로 둘러싸여 있습니다.

(   )

⑵ 구는 앞에서 본 모양과 옆에서 본 모양이 다릅니다. (   )

12 오른쪽 구를 위, 앞, 옆에서 본 모양을 각각 그려 보세요.

위	앞	옆

개념 **10** 구의 구성 요소

1. 구의 구성 요소

• 구의 중심: 구에서 가장 안쪽에 있는 점
• 구의 반지름: 구의 중심에서 구의 겉면의 한 점을 이은 선분

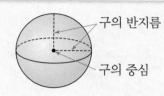

2. 구 만들기

반원 모양의 종이를 지름을 기준으로 돌리면 구가 됩니다.

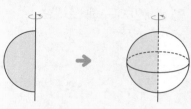

위와 같이 돌리면
(돌리기 전의 반원의 중심)＝(구의 중심)
(돌리기 전의 반원의 반지름)＝(구의 반지름)

유형

13 반원 모양의 종이를 지름을 기준으로 한 바퀴 돌려서 만들 수 있는 입체도형은 무엇인가요?

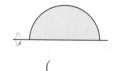

(   )

14 구에서 각 부분의 이름을 □ 안에 써넣으세요.

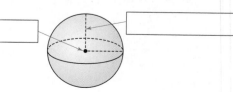

[15~16] 지름을 기준으로 반원 모양의 종이를 돌렸습니다. 물음에 답하세요.

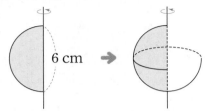

6 cm ➡

15 그림을 완성해 보고, 구의 중심과 반지름을 표시해 보세요.

16 구의 지름은 몇 cm인가요?

(　　　　　　　)

17 구의 반지름은 몇 cm인가요?

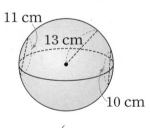

11 cm
13 cm
10 cm

(　　　　　　　)

18 반지름이 9 cm인 반원 모양의 종이를 지름을 기준으로 돌리면 구가 만들어집니다. 이 구의 지름은 몇 cm인가요?

(　　　　　　　)

입체도형	원기둥	원뿔	구
공통점	• 굽은 면이 있습니다. • 평면도형을 돌려서 만들 수 있습니다. • 위에서 본 모양이 모두 원입니다.		
차이점 앞, 옆에서 본 모양	직사각형	삼각형	원
차이점 밑면의 모양	원	원	없습니다.
차이점 꼭짓점	없습니다.	있습니다.	없습니다.

유형

19 원기둥, 원뿔, 구를 다음과 같이 분류했습니다. 분류한 기준을 찾아 □ 안에 알맞은 말을 써넣으세요.

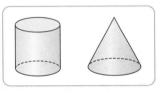

□ 이/가 있는 것과 없는 것으로 분류했습니다.

20 원기둥, 원뿔, 구의 공통점과 차이점에 대해 바르게 말한 사람의 이름을 써 보세요.

원기둥은 기둥 모양, 원뿔은 뿔 모양, 구는 공 모양이야.

구와 원기둥, 원뿔은 앞에서 본 모양이 모두 원이야.

 서준　　　　　　　 민서

(　　　　　　　)

6
단원

원기둥, 원뿔, 구

159

[1~3] 원뿔이면 ○표, 원뿔이 <u>아니면</u> ×표 하세요.

1

( )

2
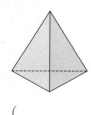

( )

3

( )

[4~5] 원뿔에서 높이, 모선의 길이, 밑면의 반지름은 각각 몇 cm인지 써 보세요.

4
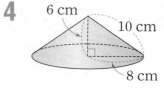

높이 ( )
모선의 길이 ( )
밑면의 반지름 ( )

5
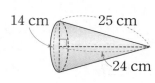

높이 ( )
모선의 길이 ( )
밑면의 반지름 ( )

[6~8] 구이면 ○표, 구가 <u>아니면</u> ×표 하세요.

6

( )

7

( )

8

( )

[9~11] 구의 반지름은 몇 cm인지 구해 보세요.

9
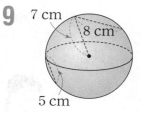

( )

10
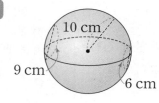

( )

11
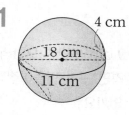

( )

유형 진단 TEST

점수

/10점

[1~3] 입체도형을 위, 앞, 옆에서 본 모양을 보기에서 골라 그려 보세요. [각 1점]

보기

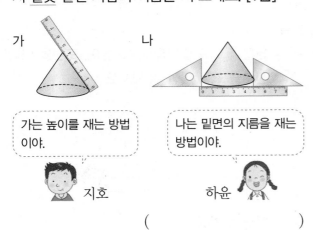

입체도형	위에서 본 모양	앞에서 본 모양	옆에서 본 모양
1			
2			
3			

4 원뿔의 각 부분을 재는 모습을 보고 나눈 대화에서 잘못 말한 사람의 이름을 써 보세요. [1점]

가　　　　　　나

가는 높이를 재는 방법이야.

지호

나는 밑면의 지름을 재는 방법이야.

하윤

(　　　　　　　)

5 오른쪽 원뿔에서 길이가 나머지와 다른 선분을 찾아 기호를 써 보세요. [2점]

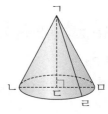

ㄱ 선분 ㄱㄴ　　ㄴ 선분 ㄱㄷ
ㄷ 선분 ㄱㄹ　　ㄹ 선분 ㄱㅁ

(　　　　　　　)

6 원기둥과 원뿔의 공통점을 찾아 기호를 써 보세요. [2점]

ㄱ 밑면의 수　　　ㄴ 밑면의 모양
ㄷ 앞에서 본 모양　　ㄹ 꼭짓점의 수

(　　　　　　　)

7 반원 모양의 종이를 지름을 기준으로 돌려서 구를 만들었습니다. 구의 반지름이 9 cm라면 돌린 종이의 반지름은 몇 cm인가요? [2점]

(　　　　　　　)

❶ 원기둥의 높이 구하기

기본 유형

1 원기둥의 높이는 몇 cm인가요?

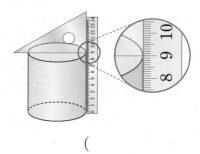

( )

변형 유형

2 원기둥의 높이는 몇 cm인가요?

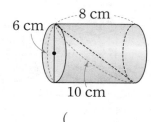

6 cm
8 cm
10 cm

( )

변형 유형

3 오른쪽 원기둥을 위와 앞에서 본 모양을 설명한 것입니다. 원기둥의 높이는 몇 cm인가요?

• 위에서 본 모양은 반지름이 7 cm인 원입니다.
• 앞에서 본 모양은 정사각형입니다.

( )

❷ 원뿔에서 각 부분의 길이 알아보기

기본 유형

4 원뿔의 어느 부분을 재는 것인지 이어 보세요.

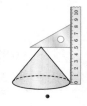 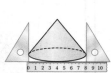

•　　　　　•　　　　　•

| 모선의 길이 | 밑면의 지름 | 높이 |

변형 유형

5 원뿔의 높이, 모선의 길이, 밑면의 지름은 각각 몇 cm인가요?

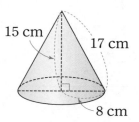

15 cm
17 cm
8 cm

높이	모선의 길이	밑면의 지름

변형 유형

6 원뿔을 보고 밑면의 지름, 높이, 모선을 나타내는 선분을 모두 찾아 써 보세요.

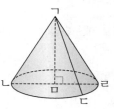

밑면의 지름 ( )
높이 ( )
모선 ( )

❸ 구의 지름(반지름) 알아보기

기본 유형

7 반원 모양의 종이를 지름을 기준으로 돌려 구를 만들었습니다. 만든 구의 반지름은 몇 cm인가요?

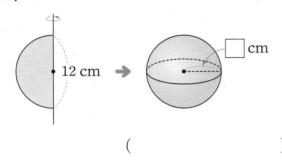

(　　　　)

변형 유형

8 반원 모양의 종이를 지름을 기준으로 돌려 구를 만들었습니다. 돌리기 전 반원의 지름은 몇 cm인가요?

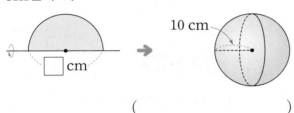

(　　　　)

실생활 유형

9 반원 모양의 종이를 지름을 기준으로 돌려 만들어지는 구를 농구공 모양으로 꾸몄습니다. 농구공 모양의 반지름은 몇 cm인가요?

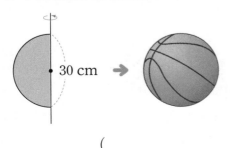

(　　　　)

❹ 구를 잘랐을 때 생기는 가장 큰 원 알아보기

기본 유형

10 그림과 같은 구를 평면으로 잘랐을 때 생기는 가장 큰 단면의 지름은 몇 cm인가요?

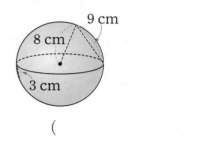

(　　　　)

변형 유형

11 그림과 같은 구를 평면으로 잘랐을 때 생기는 가장 큰 단면의 둘레는 몇 cm인가요?

(원주율: 3.14)

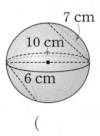

(　　　　)

문장제 유형

12 지름이 14 cm인 구를 평면으로 잘랐을 때 생기는 가장 큰 단면의 둘레는 몇 cm인가요?

(원주율: 3.1)

(　　　　)

 구를 지름을 포함하여 자른 단면의 모양을 알아보고 그 모양의 둘레를 구해 봐.

독해력 유형 1 앞에서 본 모양의 넓이 구하기

원기둥을 앞에서 본 모양의 넓이는 몇 cm²인지 구해 보세요.

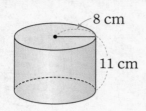

8 cm

11 cm

What? 구하려는 것을 찾아 밑줄을 그어 보세요.

How?
❶ 원기둥을 앞에서 본 모양 알아보기
❷ 앞에서 본 모양의 가로와 세로 구하기
❸ 앞에서 본 모양의 넓이 구하기

Solve
❶ 원기둥을 앞에서 본 모양의 이름을 써 보세요.

(   )

❷ 앞에서 본 모양의 가로와 세로는 각각 몇 cm인가요?

가로 (   )

세로 (   )

❸ 앞에서 본 모양의 넓이는 몇 cm²인가요?

(   )

앞에서 본 모양은 원기둥의 어느 부분과 길이가 서로 같은지 알아봐.

쌍둥이 유형 1-1

오른쪽 원뿔을 앞에서 본 모양의 넓이는 몇 cm²인가요?

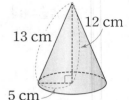

13 cm

12 cm

5 cm

❶

❷

❸

답 _____

쌍둥이 유형 1-2

오른쪽 구를 앞에서 본 모양의 넓이는 몇 cm²인가요? (원주율: 3.1)

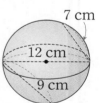

7 cm

12 cm

9 cm

❶

❷

❸

답 _____

독해력 유형 **2** 　조건을 만족하는 원기둥의 높이 구하기

쌍둥이 유형 **2-1**

다음 조건 을 만족하는 원기둥의 높이는 몇 cm인지 구해 보세요. (원주율: 3)

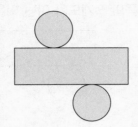

조건
• 전개도에서 옆면의 둘레는 48 cm입니다.
• 원기둥의 높이와 밑면의 지름은 같습니다.

다음 조건 을 만족하는 원기둥의 높이는 몇 cm인가요? (원주율: 3)

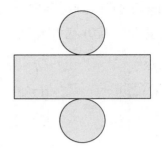

조건
• 전개도에서 옆면의 둘레는 64 cm입니다.
• 원기둥의 높이와 밑면의 지름은 같습니다.

What? 구하려는 것을 찾아 밑줄을 그어 보세요.

How? ❶ 전개도에서 옆면의 가로는 밑면의 둘레와 같고 옆면의 세로는 원기둥의 높이와 같음을 이용하기
❷ 옆면의 둘레 구하는 식을 이용해 밑면의 지름 구하기
❸ 조건을 확인하여 원기둥의 높이 구하기

❶

❷

❸

Solve ❶ 밑면의 지름을 ■ cm라 할 때 전개도에서 옆면의 가로와 세로는 각각 몇 cm인가요?

가로 (　　　　　　　　)

세로 (　　　　　　　　)

❷ 위 ❶에서 ■의 값을 구해 보세요.

(　　　　　　　　)

답 _____

❸ 원기둥의 높이는 몇 cm인가요?

(　　　　　　　　)

 전개도에서 옆면의 가로는 밑면의 둘레와 길이가 같아.

6
단원

원기둥, 원뿔, 구

165

사고력 플러스 유형

1-1 원기둥의 전개도에서 밑면의 둘레와 길이가 같은 선분을 모두 찾아 써 보세요.

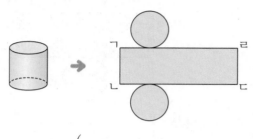

( )

1-2 원기둥의 전개도에서 원기둥의 높이와 길이가 같은 선분을 모두 찾아 써 보세요.

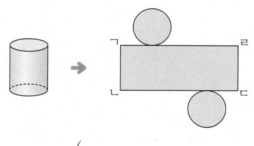

( )

1-3 한 밑면의 둘레가 31 cm인 원기둥의 전개도입니다. 옆면의 가로는 몇 cm인가요?

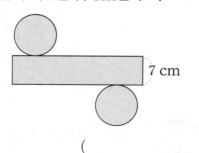

7 cm

( )

서술형
2-1 원기둥의 전개도가 아닌 이유를 써 보세요.

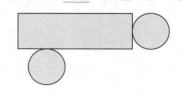

이유

서술형
2-2 원기둥의 전개도가 아닌 이유를 써 보세요.

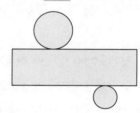

이유

서술형
2-3 원기둥의 전개도가 아닌 이유를 써 보세요.

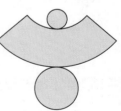

이유

플러스 유형 처방전
원기둥의 전개도에서 두 밑면은 합동인 원이고, 옆면은 직사각형이라능~

플러스 유형 ❸　입체도형의 공통점과 차이점

서술형

3-1 원기둥과 각기둥의 공통점과 차이점을 각각 한 가지씩 써 보세요.

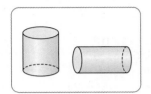 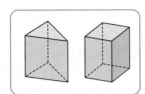

공통점 ＿＿＿＿＿＿＿＿＿＿＿＿＿＿＿

차이점 ＿＿＿＿＿＿＿＿＿＿＿＿＿＿＿

＿＿＿＿＿＿＿＿＿＿＿＿＿＿＿＿＿

서술형

3-2 원뿔과 원기둥의 공통점과 차이점을 각각 한 가지씩 써 보세요.

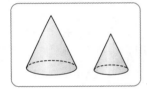 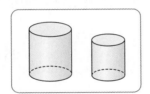

공통점 ＿＿＿＿＿＿＿＿＿＿＿＿＿＿

차이점 ＿＿＿＿＿＿＿＿＿＿＿＿＿＿

＿＿＿＿＿＿＿＿＿＿＿＿＿＿＿＿＿

서술형

3-3 원기둥, 원뿔, 구를 다음과 같이 분류했습니다. 분류한 기준을 써 보세요.

＿＿＿＿＿＿＿＿＿＿＿＿＿＿＿＿＿

＿＿＿＿＿＿＿＿＿＿＿＿＿＿＿＿＿

플러스 유형 ❹　원기둥의 전개도에서 밑면의 반지름 구하기

4-1 원기둥의 전개도에서 옆면의 가로가 37.2 cm, 세로가 10 cm일 때, 원기둥의 밑면의 반지름은 몇 cm인가요? (원주율: 3.1)

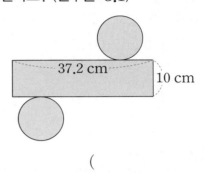

(　　　　　　　　　)

서술형

4-2 원기둥의 전개도에서 옆면의 가로가 25.12 cm, 세로가 7 cm일 때, 원기둥의 밑면의 반지름은 몇 cm인지 풀이 과정을 쓰고 답을 구해 보세요.

(원주율: 3.14)

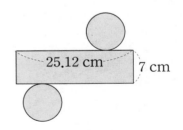

풀이 ＿＿＿＿＿＿＿＿＿＿＿＿＿＿＿＿

＿＿＿＿＿＿＿＿＿＿＿＿＿＿＿＿＿＿＿

＿＿＿＿＿＿＿＿＿＿＿＿＿＿＿＿＿＿＿

＿＿＿＿＿＿＿＿＿＿＿＿＿＿＿＿＿＿＿

답

플러스 유형 ❺ | 평면도형을 여러 방향으로 돌려 입체도형 만들기

사고력 유형

5-1 오른쪽 직사각형의 가로와 세로를 기준으로 각각 돌려 입체도형을 만들었습니다. 만들어진 두 입체도형의 높이의 차는 몇 cm인가요?

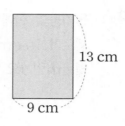

13 cm
9 cm

(   )

서술형

5-2 직사각형의 가로와 세로를 기준으로 각각 돌려 입체도형을 만들었습니다. 만들어진 두 입체도형의 높이의 차는 몇 cm인지 풀이 과정을 쓰고 답을 구해 보세요.

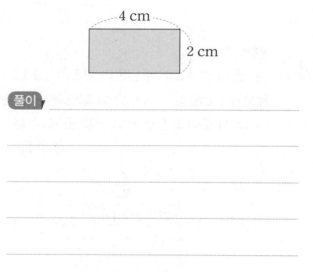

4 cm
2 cm

풀이 ▸ _____

_____

_____

_____

답 _____

5-3 오른쪽 직각삼각형의 변 ㄱㄴ과 변 ㄴㄷ을 기준으로 각각 돌려 입체도형을 만들었습니다. 만들어진 두 입체도형의 높이의 차는 몇 cm인가요?

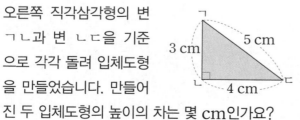

5 cm
3 cm
4 cm

(   )

플러스 유형 ❻ | 돌리기 전 평면도형의 넓이 구하기

6-1 어떤 평면도형을 한 변을 기준으로 돌려서 만든 입체도형입니다. 돌리기 전의 평면도형의 넓이는 몇 cm²인가요?

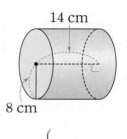

14 cm
8 cm

(   )

서술형

6-2 어떤 평면도형을 한 변을 기준으로 돌려서 만든 입체도형입니다. 돌리기 전의 평면도형의 넓이는 몇 cm²인지 풀이 과정을 쓰고 답을 구해 보세요.

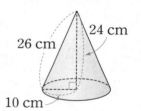

26 cm   24 cm
10 cm

풀이 ▸ _____

_____

_____

답 _____

플러스 유형 처방전

돌리기 전의 평면도형과 돌려서 만든 입체도형은 어느 길이가 서로 같은지 알아보라능~

플러스 유형 ❼　원기둥의 전개도 둘레 구하기

독해력 유형

7-1 원기둥의 전개도입니다. 전개도의 둘레는 몇 cm 인지 구해 보세요. (원주율: 3)

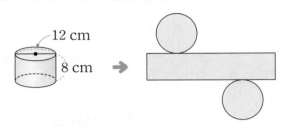

단계 **1** 한 밑면의 둘레는 몇 cm인가요?
（　　　　　　　）

단계 **2** 전개도에서 옆면의 가로는 몇 cm인 가요?
（　　　　　　　）

단계 **3** 전개도에서 옆면의 둘레는 몇 cm인 가요?
（　　　　　　　）

단계 **4** 전개도의 둘레는 몇 cm인가요?
（　　　　　　　）

7-2 원기둥의 전개도입니다. 전개도의 둘레는 몇 cm 인가요? (원주율: 3.1)

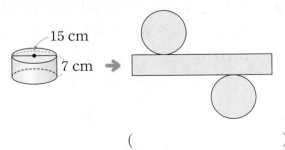

（　　　　　　　）

플러스 유형 ❽　원기둥의 최대 높이 구하기

독해력 유형

8-1 가로 25 cm, 세로 16 cm인 직사각형 모양 종 이에 원기둥의 전개도를 그리고 오려 붙여 원기 둥 모양의 상자를 만들었습니다. 밑면의 반지름을 3 cm로 하여 최대한 높은 상자를 만들었다면 상 자의 높이는 몇 cm인지 구해 보세요. (원주율: 3)

단계 **1** 원기둥의 한 밑면의 둘레는 몇 cm인 가요?　（　　　　　　　）

단계 **2** 종이에 그릴 수 있는 이 원기둥의 전개 도 모양에 ○표 하세요.

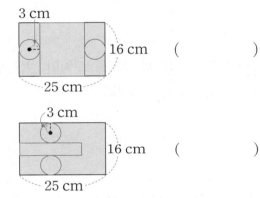

단계 **3** 최대한 높은 상자를 만들었다면 상자 의 높이는 몇 cm인가요?
（　　　　　　　）

8-2 가로 45 cm, 세로 33 cm인 직사각형 모양 종 이에 원기둥의 전개도를 그리고 오려 붙여 원기 둥 모양의 상자를 만들었습니다. 밑면의 반지름을 6 cm로 하여 최대한 높은 상자를 만들었다면 상 자의 높이는 몇 cm인가요? (원주율: 3)
（　　　　　　　）

[1~2] 입체도형을 보고 물음에 답하세요.

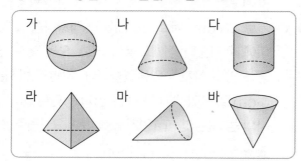

1 빈칸에 알맞은 기호를 써넣으세요.

원뿔	구

2 어느 방향에서 보아도 모양이 같은 입체도형을 찾아 기호를 써 보세요.

(   )

3 원기둥의 전개도에서 원기둥의 높이와 같은 길이의 선분을 모두 찾아 표시해 보세요.

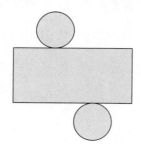

4 원기둥을 만들 수 <u>없는</u> 전개도에 × 표 하세요.

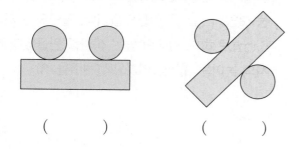

(   )   (   )

5 오른쪽 그림은 원뿔의 무엇을 재는 그림인가요?

(   )

[6~7] 오른쪽 직각삼각형 모양의 종이를 한 변을 기준으로 돌렸습니다. 물음에 답하세요.

8 cm

5 cm

6 직각삼각형 모양의 종이를 한 변을 기준으로 돌려 만든 입체도형을 찾아 ○표 하세요.

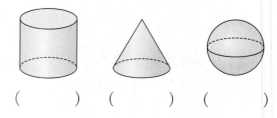

(   )   (   )   (   )

7 돌려 만든 입체도형의 모선의 길이와 밑면의 지름은 각각 몇 cm인가요?

모선의 길이 (   )

밑면의 지름 (   )

8 한 변을 기준으로 직사각형 모양의 종이를 돌려 만든 입체도형의 밑면의 지름과 높이는 각각 몇 cm인가요?

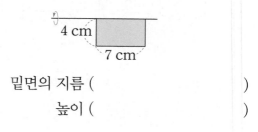

4 cm

7 cm

밑면의 지름 (   )

높이 (   )

9 반원 모양의 종이를 지름을 기준으로 돌려서 구를 만들었습니다. ☐ 안에 알맞은 수를 써넣으세요.

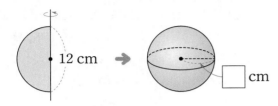

10 입체도형에 대해 잘못 설명한 사람은 누구인가요?

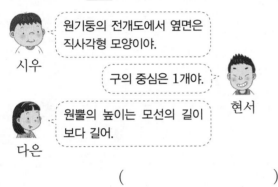

시우 : 원기둥의 전개도에서 옆면은 직사각형 모양이야.

현서 : 구의 중심은 1개야.

다은 : 원뿔의 높이는 모선의 길이보다 길어.

(   )

서술형

11 오른쪽 그림이 원뿔이 아닌 이유를 써 보세요.

이유 _____

_____

12 원기둥의 전개도에서 옆면의 가로는 몇 cm인가요? (원주율: 3.1)

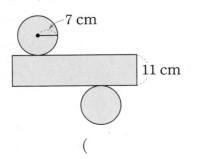

(   )

13 원기둥과 원뿔 중 어느 입체도형의 높이가 몇 cm 더 높은지 차례로 써 보세요.

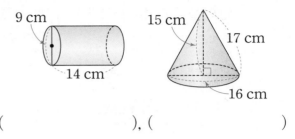

(   ), (   )

14 오른쪽 그림과 같은 구를 평면으로 잘랐을 때 생기는 가장 큰 단면의 둘레는 몇 cm인가요? (원주율: 3.1)

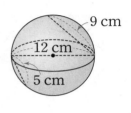

(   )

서술형

15 원기둥, 원뿔, 구의 공통점과 차이점을 각각 한 가지씩 써 보세요.

공통점 _____

차이점 _____

_____

16 오른쪽 원기둥의 전개도를 그리고, 밑면의 반지름과 옆면의 가로, 세로의 길이를 각각 나타내어 보세요. (원주율: 3)

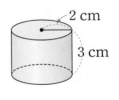

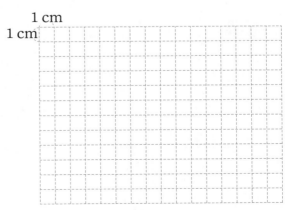

정답 및 풀이 41쪽

서술형 　　　　　　　　　　　　 》 167쪽 　4-2 유사 문제

17 원기둥의 전개도에서 옆면의 가로가 31.4 cm, 세로가 6 cm일 때 원기둥의 밑면의 반지름은 몇 cm인지 풀이 과정을 쓰고 답을 구해 보세요.

(원주율: 3.14)

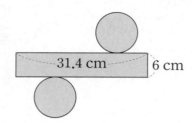

31.4 cm　6 cm

풀이

답

원기둥, 원뿔, 구

172

서술형 　　　　　　　　　　　　 》 168쪽 　5-3 유사 문제

18 직각삼각형의 변 ㄱㄷ과 변 ㄴㄷ을 기준으로 각각 돌려 입체도형을 만들었습니다. 만들어진 두 입체도형의 높이의 차는 몇 cm인지 풀이 과정을 쓰고 답을 구해 보세요.

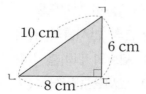

10 cm　6 cm　8 cm

풀이

답

서술형 　　　　　　　　　　　　 》 168쪽 　6-2 유사 문제

19 어떤 평면도형을 한 변을 기준으로 돌려서 만든 입체도형입니다. 돌리기 전의 평면도형의 넓이는 몇 cm²인지 풀이 과정을 쓰고 답을 구해 보세요.

(원주율: 3.14)

5 cm

풀이

답

독해력 유형 서술형 　　　　　　　 》 169쪽 　7-1 유사 문제

20 원기둥의 전개도입니다. 전개도의 둘레는 몇 cm인지 풀이 과정을 쓰고 답을 구해 보세요.

(원주율: 3.1)

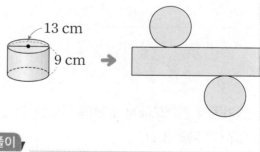

13 cm　9 cm

풀이

답

원주를 알 때 지름 구하기 ① 원주가 40.82 cm일 때 □ 안에 알맞은 수를 써넣으세요. (원주율: 3.14)

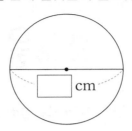

원의 넓이 구하기 ② 원의 넓이는 몇 cm²인가요? (원주율: 3.14)

6 cm

(   )

원주 구하기 ③ 두 원의 원주의 차는 몇 cm인가요? (원주율: 3.1)

> ㉠ 지름이 14 cm인 원
> ㉡ 반지름이 9 cm인 원

(   )

색칠한 부분의 넓이 구하기 ④ 색칠한 부분의 넓이는 몇 cm²인가요? (원주율: 3)

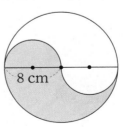

8 cm

(   )

구하기 쉬운 모양이
되도록 모양의 일부분
을 옮겨 봐.

모양을 바꾸는 상자

다음과 같이 입체도형을 넣으면 한 방향으로 눌러 평면도형이 되어 나오는 기계가 있습니다. 빈 곳에 어떤 평면도형이 나오는지 그려 보세요.

기계에서 나온 평면도형은 입체도형을 어느 방향으로 눌러서 나온 건지 잘 생각해 봐.

별별 창의·융합

그림자의 넓이 구하기

손전등을 어느 위치에서 비추냐에 따라 그림자의 크기는 다음과 같이 달라집니다.

▲ 손전등을 멀리서 비추었을 때

▲ 손전등을 가까이에서 비추었을 때

손전등을 가까이에 서 비추니 그림자가 커졌어.

원뿔 모양의 고깔모자와 구 모양의 농구공을 이용하여 그림자놀이를 하고 있습니다.
그림자의 크기가 각 물건을 옆에서 본 모양의 크기와 같을 때 고깔모자와 농구공의 그림자의 넓이를 구해 보세요.

평행하게 빛을 비추면 그림자의 넓이는 빛을 비춘 방향에서 본 모양의 넓이와 같단다.

창의 3

고깔모자의 그림자의 넓이는 몇 cm²일까?

(   )

 18 cm

빛

20 cm

창의 4

농구공의 그림자의 넓이는 몇 cm²일까?
(원주율: 3)

(   )

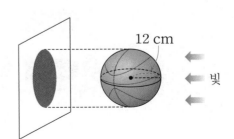 12 cm

빛

단원
평가

점선대로 잘라서 파이널 테스트지로 활용하세요.

1 그림을 보고 □ 안에 알맞은 수를 써넣으세요.

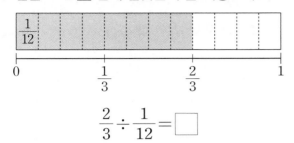

$$\frac{2}{3} \div \frac{1}{12} = \boxed{}$$

2 □ 안에 알맞은 수를 써넣으세요.

$$\frac{11}{15} \div \frac{14}{15} = 11 \div \boxed{} = \frac{\boxed{}}{\boxed{}}$$

3 계산 결과가 같은 것끼리 이어 보세요.

$$\frac{3}{4} \div \frac{1}{4}$$ ·　　　· $$8 \div 3$$

$$\frac{8}{13} \div \frac{3}{13}$$ ·　　　· $$3 \div 1$$

$$\frac{9}{10} \div \frac{7}{10}$$ ·　　　· $$9 \div 7$$

⏰ 계산해 보세요. (**4~5**)

4 $$\frac{5}{6} \div \frac{1}{6}$$

5 $$\frac{15}{8} \div \frac{3}{8}$$

6 빈 곳에 알맞은 수를 써넣으세요.

$$\frac{10}{11}$$ → $$\div \frac{2}{11}$$ → □

7 자연수를 분수로 나눈 몫을 구해 보세요.

| 14 | $$\frac{7}{9}$$ |

(　　　　　　　)

8 ㉠과 ㉡에 알맞은 수의 합을 구해 보세요.

$$\frac{7}{15} \div \frac{㉠}{15} = 7 \div 4, \quad \frac{15}{16} \div \frac{3}{16} = 15 \div ㉡$$

(　　　　　　　)

9 계산 결과가 자연수인 것을 찾아 기호를 써 보세요.

㉠ $$\frac{3}{4} \div \frac{7}{8}$$　　㉡ $$\frac{9}{14} \div \frac{3}{10}$$　　㉢ $$\frac{8}{3} \div \frac{2}{9}$$

(　　　　　　　)

10 계산해 보세요.

$$1\frac{3}{5} \div 2\frac{1}{2} \div \frac{8}{15}$$

11 계산 결과를 비교하여 ○ 안에 $$>$$, $$=$$, $$<$$를 알맞게 써넣으세요.

$$3\frac{1}{3} \div 4\frac{1}{6}$$ ○ $$1\frac{3}{4} \div 1\frac{1}{2}$$

12 어느 음식점에서는 밀가루를 하루에 $\frac{4}{5}$ kg씩 사용합니다. 이 음식점에서 밀가루 12 kg으로 며칠 동안 사용할 수 있나요?

(   )

13 수아가 $4\frac{1}{6}$ km를 일정한 빠르기로 걸어가는 데 $1\frac{1}{4}$ 시간이 걸렸습니다. 한 시간 동안 몇 km를 걸은 셈인가요?

(   )

14 어떤 수에 $1\frac{1}{10}$ 을 곱했더니 $\frac{3}{5}$ 이 되었습니다. 어떤 수를 구해 보세요.

(   )

15 오른쪽과 같이 밑변이 $\frac{2}{3}$ m, 넓이가 $\frac{1}{4}$ m^{2}인 삼각형이 있습니다. 이 삼각형의 높이는 몇 m인가요?

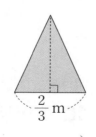

$\frac{2}{3}$ m

(   )

16 다음 중 $15 \div \frac{1}{\square}$ 의 □ 안에 넣었을 때 계산 결과가 가장 크게 되는 것을 찾아 기호를 써 보세요.

㉠ 15   ㉡ 5   ㉢ 3

(   )

17 한 병에 $\frac{2}{3}$ L씩 들어 있는 우유가 12병 있습니다. 이 우유를 한 사람이 $\frac{2}{7}$ L씩 나누어 마시면 몇 명까지 마실 수 있나요?

(   )

18 □ 안에 들어갈 수 있는 자연수는 모두 몇 개인가요?

$$\frac{9}{10} \div \frac{3}{10} < \square < \frac{35}{6} \div \frac{7}{8}$$

(   )

19 ⟨2⟩, ⟨5⟩, ⟨7⟩, ⟨9⟩ 4장의 수 카드 중에서 2장을 뽑아 한 번씩 사용하여 진분수를 만들려고 합니다. 만들 수 있는 진분수 중 가장 큰 진분수를 가장 작은 진분수로 나눈 몫을 구해 보세요.

(   )

20 길이가 $14\frac{2}{5}$ cm인 양초에 불을 붙인 다음 1시간 후 길이를 재어 보니 $4\frac{4}{5}$ cm가 남았습니다. 양초의 타는 빠르기가 일정할 때 처음부터 이 양초가 다 타는 데 걸리는 시간은 몇 시간인가요?

(   )

1 단원

분수의 나눗셈

2

1 그림을 보고 □ 안에 알맞은 수를 써넣으세요.

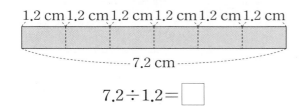

1.2 cm 1.2 cm 1.2 cm 1.2 cm 1.2 cm 1.2 cm

7.2 cm

$7.2 \div 1.2 = \boxed{}$

2 □ 안에 알맞은 수를 써넣으세요.

$27.6 \div 4.6 = \dfrac{\boxed{}}{10} \div \dfrac{\boxed{}}{10}$

$= \boxed{} \div \boxed{} = \boxed{}$

3 소수의 나눗셈을 자연수의 나눗셈을 이용하여 계산해 보세요.

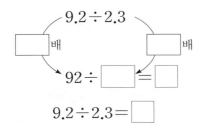

$9.2 \div 2.3$

$\boxed{}$배　　　$\boxed{}$배

$92 \div \boxed{} = \boxed{}$

$9.2 \div 2.3 = \boxed{}$

4 보기 와 같이 분수의 나눗셈으로 계산해 보세요.

보기

$45 \div 0.75 = \dfrac{4500}{100} \div \dfrac{75}{100}$

$= 4500 \div 75 = 60$

$7 \div 0.25$

⏰ 계산해 보세요. **(5~6)**

5

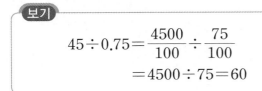

$1.3\,)\overline{3.9}$

6

$1.84\,)\overline{8\ 6.4\ 8}$

7 큰 수를 작은 수로 나눈 몫을 빈 곳에 써넣으세요.

14.28	5.1

8 □ 안에 알맞은 수를 써넣으세요.

$0.48 \div 0.06 = \boxed{}$

$4.8 \div 0.06 = \boxed{}$

$48 \div 0.06 = \boxed{}$

9 나눗셈식에서 잘못된 곳을 찾아 바르게 고쳐 계산해 보세요.

```
        3.2
7.5 ) 2 4 0.0
      2 2 5
      1 5 0
      1 5 0
          0
```

→

```
7.5 ) 2 4 0
```

10 몫이 더 큰 것의 기호를 써 보세요.

㉠ $8.76 \div 2.92$　　　㉡ $8.4 \div 4.2$

(　　　　　　　)

11 주스 45.51 L를 한 사람에게 3.7 L씩 나누어 주려고 합니다. 몇 명까지 나누어 줄 수 있나요?

(　　　　　　　)

12 막대사탕의 무게는 17.1 g이고 초콜릿의 무게는 7 g입니다. 막대사탕의 무게는 초콜릿의 무게의 몇 배인지 반올림하여 소수 둘째 자리까지 나타내어 보세요.

(   )

13 쌀 45.7 kg을 한 봉지에 6 kg씩 나누어 담으려고 합니다. 나누어 담을 수 있는 봉지 수와 남는 쌀은 몇 kg인가요?

나누어 담을 수 있는 봉지 수 (   )

남는 쌀의 양 (   )

14 높이가 5.2 cm, 넓이가 22.36 cm²인 평행사변형의 밑변의 길이는 몇 cm인가요?

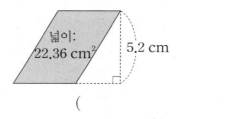

넓이: 22.36 cm² 5.2 cm

(   )

15 1.8시간 동안 151.2 km를 달리는 버스가 있습니다. 이 버스가 같은 빠르기로 한 시간 동안 달리는 거리는 몇 km인가요?

(   )

16 철사 4 m를 겹치지 않게 모두 사용하여 한 변의 길이가 0.5 m인 정다각형을 만들었습니다. 만든 정다각형의 이름을 써 보세요.

(   )

17 ⑶ , ⑼ , ⑹ 3장의 수 카드를 사용하여 다음 나눗셈식의 몫이 가장 크게 되도록 써넣고 몫을 구해 보세요.

0.☐)☐☐

(   )

18 가☆나＝(가÷나)＋나일 때 다음 식의 값을 구해 보세요.

18☆0.75

(   )

19 ☐ 안에 알맞은 수를 써넣으세요.

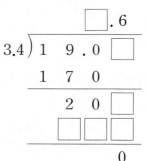

20 어느 자동차로 71.7 km를 가는 데 1시간 24분이 걸렸습니다. 이 자동차는 1시간 동안 몇 km를 간 셈인지 반올림하여 소수 첫째 자리까지 나타내어 보세요.

(   )

3. 공간과 입체

6학년   이름 :

날짜

점수

1 알맞은 말에 ○표 하세요.

 모양에 쌓기나무 1개를 붙여서 만들

수 있는 모양은 (,)입니다.

2 주어진 모양과 똑같이 쌓는 데 필요한 쌓기나무는 몇 개인가요?

위에서 본 모양

(   )

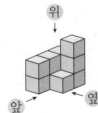 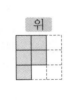

3 앞

4 옆

5 왼쪽과 같이 공을 놓았을 때 오른쪽 사진은 어느 방향에서 찍은 것인지 찾아 기호에 ○표 하세요.

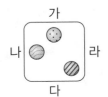

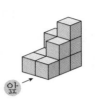

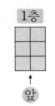
1층
↑
앞

6 2층
↑
앞

7 3층
↑
앞

  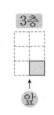
1층   2층   3층
↑   ↑   ↑
앞   앞   앞

8 쌓기나무로 쌓은 모양을 찾아 기호에 ○표 하세요.

가   나   다

9 똑같은 모양으로 쌓는 데 필요한 쌓기나무는 몇 개인가요?   (   )

10 쌓기나무로 쌓은 모양을 위, 앞, 옆에서 본 모양입니다. 똑같은 모양으로 쌓는 데 필요한 쌓기나무는 몇 개인가요?

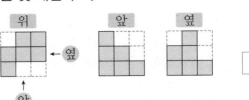

☐ 개

3
단원

공간과 입체

5

⏰ 오른쪽의 쌓기나무로 쌓은 모양을 보고 물음에 답하세요. **(11~12)**

앞

11 위에서 본 모양에 수를 써넣으세요.

위
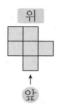
앞

12 똑같은 모양으로 쌓는 데 필요한 쌓기나무는 몇 개인가요? ( )

13 오른쪽 모양을 위에서 내려다보면 어떤 모양인지 찾아 기호에 ○표 하세요.

가　　　나　　　다

14 뒤집거나 돌렸을 때 같은 모양이면 ○표, <u>아니면</u> ×표 하세요.

( )

15 쌓기나무로 쌓은 모양을 보고 위에서 본 모양에 수를 썼습니다. 2층에 쌓인 쌓기나무는 몇 개인가요?

위
		2
3	2	1
4	4	1

( )

16 쌓기나무로 쌓은 모양을 층별로 나타낸 모양입니다. 쌓은 모양의 위에서 본 모양을 그려 보세요.

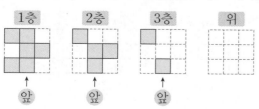

1층　　2층　　3층　　위
앞　　　앞　　　앞

⏰ 쌓기나무로 쌓은 모양을 위, 앞, 옆에서 보고 그렸는데 표시를 하지 않아서 어느 것이 위와 앞에서 본 모양인지 알 수 없었습니다. 물음에 답하세요. **(17~18)**

(옆)　　( )　　( )

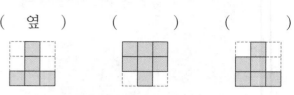

17 위, 앞에서 본 모양을 찾아 위 그림의 ( ) 안에 써넣으세요.

18 쌓기나무로 쌓은 모양을 **17**에서 찾은 위에서 본 모양에 수를 쓰는 방법으로 나타내어 보세요.

19 쌓기나무 7개를 사용하여 다음을 만족하는 모양을 모두 몇 가지 만들 수 있는지 구해 보세요. (단, 돌려서 같은 모양은 한 가지로 생각합니다.)

> • 쌓기나무로 쌓은 모양은 3층입니다.
> • 각 층의 쌓기나무 수는 모두 다릅니다.
> • 위에서 본 모양은 정사각형입니다.

( )

20 쌓기나무로 쌓은 모양과 위에서 본 모양입니다. 주어진 모양에 쌓기나무를 더 쌓아서 정육면체 모양을 만들려면 쌓기나무는 적어도 몇 개 더 필요한가요?

위에서 본 모양

( )

1 비를 보고 □ 안에 알맞은 수나 말을 써넣으세요.

비 5 : 13에서 5는 [ ], [ ]은 후항입니다.

2 비의 성질을 이용하여 □ 안에 알맞은 수를 써넣으세요.

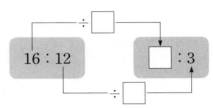

3 비의 성질을 이용하여 9 : 8과 비율이 같은 비를 찾아 써 보세요.

16 : 18   27 : 24   63 : 64

(   )

4 비례식 5 : 7＝20 : 28에 대한 설명으로 잘못된 것의 기호를 써 보세요.

㉠ 외항은 7과 28입니다.
㉡ 내항은 7과 20입니다.

(   )

5 54 : 36과 비율이 같은 비를 만들려고 합니다. □ 안에 공통으로 들어갈 수 없는 수는 어느 것인가요? ·····················( )

(54÷□) : (36÷□)

① 0   ② 2   ③ 3
④ 6   ⑤ 9

6 50을 주어진 비로 나누어 보세요.

7 : 3 ➡ (,   )

7 가로와 세로의 비가 3 : 5와 비율이 같은 직사각형의 기호를 써 보세요.

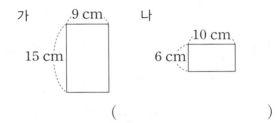

(   )

8 비례식인 것을 모두 고르세요. ·········( )

① 2 : 9＝4 : 18   ② 10 : 7＝7 : 10
③ 5 : 11＝10 : 16   ④ 44 : 11＝4 : 1
⑤ 90 : 45＝2 : 1

9 비율이 같은 두 비를 찾아 비례식을 세워 보세요.

4 : 8   8 : 10   6 : 12

(   )

10 비례식의 성질을 이용하여 □ 안에 알맞은 수를 써넣으세요.

25 : 6＝[ ] : 30

11 철사 55 cm를 서윤이와 연후가 6 : 5로 나누어 가지려고 합니다. 서윤이와 연후는 철사를 각각 몇 cm씩 가지면 되는지 차례로 써 보세요.

(   ), (   )

12 수정이네 집에서 학교까지의 거리는 1.2 km이고, 편의점까지의 거리는 $\frac{5}{8}$ km입니다. 수정이네 집에서 학교와 편의점까지의 거리의 비를 간단한 자연수의 비로 나타내어 보세요.

( )

13 태극기의 가로와 세로의 비는 3 : 2입니다. 세로가 18 cm일 때 ☐ 안에 알맞은 수를 써넣으세요.

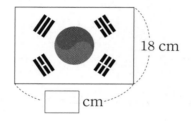

14 비례식에서 내항의 곱이 36일 때 ㉠과 ㉡은 각각 얼마인지 차례로 써 보세요.

$$9 : ㉠ = 6 : ㉡$$

( ), ( )

15 비례식에서 ☐ 안에 알맞은 수가 가장 큰 것을 찾아 기호를 써 보세요.

㉠ 8 : 7 = ☐ : 35
㉡ 1.4 : 3 = ☐ : 30
㉢ $2\frac{3}{5}$: ☐ = 26 : 25

( )

16 높이가 3 m인 나무의 그림자 길이가 3.3 m입니다. 같은 시각 옆 건물의 그림자 길이가 5.5 m라면 옆 건물의 높이는 몇 m인가요?

( )

17 90을 ▲ : 7로 나누었더니 48, 42가 되었습니다. ▲에 알맞은 수를 구해 보세요. (단, ▲ > 7입니다.)

( )

18 미술 시간에 사용할 리본을 현주와 예은이는 12 : 7로 나누어 현주가 36 cm 가졌습니다. 나누어 갖기 전 리본의 길이는 몇 cm였나요?

( )

19 똑같은 일을 하는 데 재석이는 2시간, 보라는 3시간이 걸렸습니다. 재석이와 보라가 한 시간 동안 한 일의 양의 비를 간단한 자연수의 비로 나타내어 보세요. (단, 두 사람은 각각 일정한 빠르기로 일을 합니다.)

( )

20 보기 의 조건에 맞게 비례식을 완성해 보세요.

보기
• 비율은 $\frac{3}{4}$입니다.
• 외항의 곱은 144입니다.

9 : ☐ = ☐ : ☐

1 원의 넓이를 구하려고 합니다. □ 안에 알맞은 수를 써넣으세요. (원주율: 3.14)

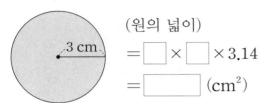

(원의 넓이)
= □ × □ × 3.14
= □ (cm²)

2 반지름이 7 cm인 원을 한없이 잘게 잘라 붙여 직사각형을 만들었습니다. □ 안에 알맞은 수를 써넣으세요.

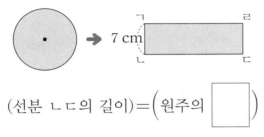

(선분 ㄴㄷ의 길이) = (원주의 □)

3 원주는 몇 cm인가요? (원주율: 3.1)

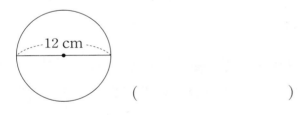

(   )

4 잘못된 곳을 찾아 밑줄을 긋고 바르게 고쳐 보세요.

반지름에 대한 원주의 비율이 원주율입니다.

5 (원주)÷(지름)을 비교하여 ○ 안에 >, =, <를 알맞게 써넣으세요.

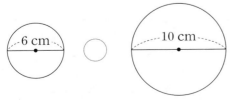

원주: 18.84 cm   원주: 31.4 cm

6 원 안의 마름모의 넓이와 원 밖의 정사각형의 넓이로 원의 넓이의 범위를 구하려고 합니다. □ 안에 알맞은 수를 써넣으세요.

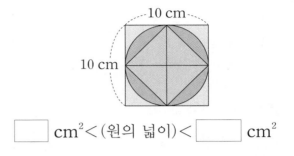

□ cm² < (원의 넓이) < □ cm²

7 원주가 12.56 cm인 원의 지름은 몇 cm인가요?
(원주율: 3.14)

(   )

8 반지름이 7 cm인 원의 넓이는 몇 cm²인가요?
(원주율: 3.1)

(   )

9 원주는 몇 cm인가요? (원주율: 3.14)

(   )

10 원의 넓이는 몇 cm²인가요? (원주율: 3.1)

(   )

11 길이가 50.24 cm인 철사를 겹치지 않게 모두 사용하여 가장 큰 원을 만들었습니다. 만든 원의 반지름은 몇 cm인가요? (원주율: 3.14)

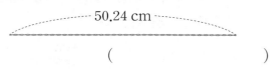

(   )

12 오른쪽 원의 넓이는 77.5 cm²입니다. □ 안에 알맞은 수를 써넣으세요.
(원주율: 3.1)

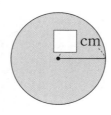

13 두 원의 넓이의 차는 몇 cm²인가요? (원주율: 3)

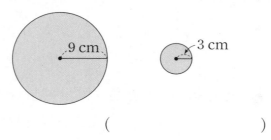

(   )

14 오른쪽과 같은 직사각형 안에 그릴 수 있는 가장 큰 원의 넓이는 몇 cm²인가요? (원주율: 3.14)

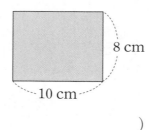

(   )

15 색칠한 부분의 넓이를 비교하여 ○ 안에 >, =, <를 알맞게 써넣으세요. (원주율: 3)

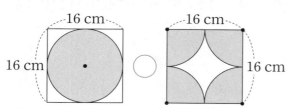

16 원주가 78 cm인 원 모양의 접시가 있습니다. 이 접시의 넓이는 몇 cm²인가요? (원주율: 3)

(   )

17 색칠한 부분의 넓이는 몇 cm²인가요? (원주율: 3.1)

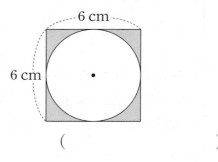

(   )

18 현주가 반지름이 25 cm인 굴렁쇠를 굴린 거리는 10 m 50 cm입니다. 굴렁쇠가 몇 바퀴 굴렀나요? (원주율: 3)

(   )

19 오른쪽 도형에서 색칠한 부분의 넓이는 몇 cm²인가요?
(원주율: 3.14)

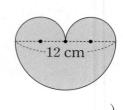

(   )

20 그림과 같이 반지름이 7 cm인 원 3개를 겹치지 않게 붙였습니다. 굵은 선의 길이는 몇 cm인가요? (원주율: 3.1)

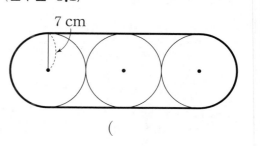

(   )

5 단원

원의 넓이

10

⏰ 그림을 보고 물음에 답하세요. (1~4)

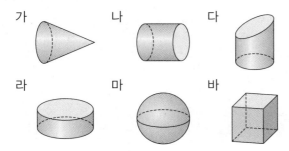

가   나   다

라   마   바

1 원기둥을 모두 찾아 기호를 써 보세요.

(   )

2 원뿔을 찾아 기호를 써 보세요.

(   )

3 구를 찾아 기호를 써 보세요.

(   )

4 어느 방향에서 보아도 항상 원 모양인 입체도형을 찾아 기호를 써 보세요.

(   )

5 원뿔의 높이를 재는 그림을 찾아 기호를 써 보세요.

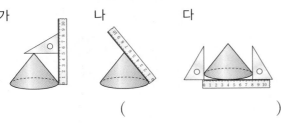

가   나   다

(   )

6 원기둥의 전개도를 바르게 그린 사람을 찾아 이름을 써 보세요.

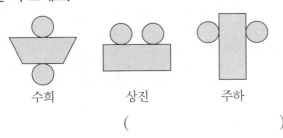

수희   상진   주하

(   )

7 전개도의 옆면에서 밑면의 둘레와 길이가 같은 선분을 모두 찾아 써 보세요.

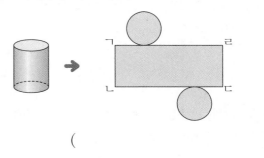

(   )

8 직사각형 모양의 종이를 한 변을 기준으로 돌려 만든 입체도형은 어느 것인가요?·········(   )

① 원기둥   ② 원뿔   ③ 사각뿔
④ 구   ⑤ 사각기둥

⏰ 원기둥의 전개도를 보고 물음에 답하세요.

(9~10)

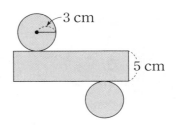

3 cm

5 cm

9 원기둥의 높이는 몇 cm인가요?

(   )

10 옆면의 가로는 몇 cm인가요? (원주율: 3.14)

(   )

11 반원 모양의 종이를 돌려 만든 입체도형입니다. □ 안에 알맞은 수를 써넣으세요.

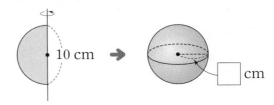

10 cm

□ cm

12 직각삼각형 모양의 종이를 오른쪽 과 같이 한 변을 기준으로 한 바퀴 돌려 만든 입체도형의 밑면의 지름과 높이는 각각 몇 cm인지 차례로 써 보세요.

(   ), (   )

13 원기둥, 원뿔, 구에 대한 시우의 생각이 옳은지 쓰고, 그 이유를 설명해 보세요.

시우 │ 원기둥과 원뿔은 뾰족한 부분이 있지만 구는 뾰족한 부분이 없어.

시우의 생각 _____

이유 _____

_____

14 두 입체도형의 높이의 차는 몇 cm인가요?

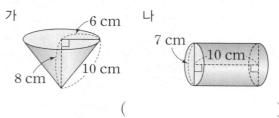

(   )

15 원기둥과 각기둥의 공통점을 모두 찾아 기호를 써 보세요.

> ㉠ 밑면의 모양   ㉡ 밑면의 수
> ㉢ 높이를 재는 방법   ㉣ 꼭짓점의 수

(   )

16 원기둥 모양의 캔에 페인트를 묻힌 후 바닥에 일직선으로 한 바퀴 굴렸습니다. 페인트가 칠해진 바닥의 넓이는 몇 cm²인가요? (원주율: 3.1)

(   )

17 원기둥의 전개도를 그리고, 밑면의 반지름과 옆면의 가로, 세로의 길이를 각각 나타내어 보세요.

(원주율: 3)

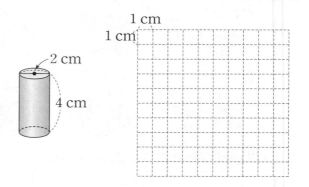

18 원기둥의 전개도에서 옆면의 가로가 27.9 cm일 때 원기둥의 밑면의 반지름은 몇 cm인가요?

(원주율: 3.1)

(   )

19 원기둥의 전개도의 둘레는 몇 cm인가요?

(원주율: 3.14)

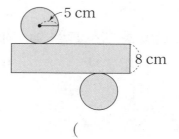

(   )

20 다음 을 모두 만족하는 원기둥의 높이는 몇 cm인가요? (원주율: 3)

> 조건
> • 전개도에서 옆면의 둘레는 72 cm입니다.
> • 원기둥의 높이와 밑면의 지름은 같습니다.

(   )

수학 성취도 평가

6학년 2학기 과정을 모두 끝내셨나요?

한 학기 성취도를 확인해 볼 수 있도록 25문항으로 구성된 평가지입니다.
2학기 내용을 얼마나 이해했는지 평가해 보세요.

차세대 리더

반 이름

1 □ 안에 알맞은 수를 써넣으세요.

비 2 : 7에서 전항은 □, 후항은 □입니다.

🔔 원을 보고 □ 안에 알맞은 수를 써넣으세요.
(원주율: 3.14) **(2~3)**

2 (원주)= □ ×3.14= □ (cm)

3 (원의 넓이)= □ × □ ×3.14
= □ (cm²)

4 계산 결과가 같은 것끼리 이어 보세요.

$\frac{3}{7} \div \frac{2}{7}$ · · $3 \div 2$

$\frac{19}{13} \div \frac{5}{13}$ · · $19 \div 5$

5 오른쪽은 쌓기나무 10개로 쌓은 모양입니다. 2층 모양에 ○표 하세요.

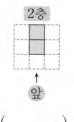

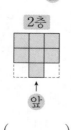

( )   ( )

6 $\frac{5}{6} : \frac{1}{5}$ 을 간단한 자연수의 비로 나타내어 보세요.

( )

7 나눗셈의 몫을 반올림하여 소수 첫째 자리까지 나타내어 보세요.

$4.6\overline{)15.4}$

( )

8 빈 곳에 알맞은 수를 써넣으세요.

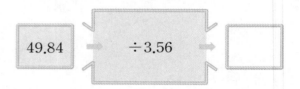

9 44를 주어진 비로 나누어 보세요.

5 : 6 ➡ (,)

10 조형물에서 보기 는 어느 방향에서 본 것인지 찾아 기호를 써 보세요.

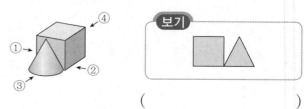

( )

11 $\frac{14}{15}$ m의 나무 막대를 $\frac{2}{15}$ m씩 자르면 몇 도막이 되나요?

(   )

12 가장 큰 수를 가장 작은 수로 나눈 몫을 구해 보세요.

$$\frac{6}{7} \qquad 2\frac{1}{3} \qquad \frac{16}{15}$$

(   )

13 오른쪽은 쌓기나무로 쌓은 모양을 보고 위에서 본 모양에 수를 쓴 것입니다. 앞과 옆에서 본 모양을 각각 그려 보세요.

14 구를 위, 앞, 옆에서 본 모양을 각각 그려 보세요.

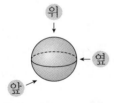

위에서 본 모양	앞에서 본 모양	옆에서 본 모양

15 원기둥과 원뿔을 바르게 비교한 것을 찾아 기호를 써 보세요.

> ㉠ 밑면의 수가 같습니다.
> ㉡ 위에서 본 모양이 같습니다.
> ㉢ 꼭짓점이 있습니다.

(   )

16 콩 9.4 kg을 한 사람에게 2 kg씩 나누어 주려고 합니다. 나누어 줄 수 있는 사람 수와 남는 콩의 양을 2가지 방법으로 구해 보세요.

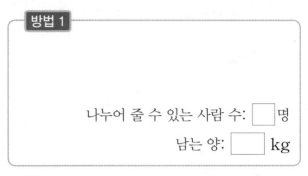

방법 1

나누어 줄 수 있는 사람 수: ☐ 명

남는 양: ☐ kg

방법 2

나누어 줄 수 있는 사람 수: ☐ 명

남는 양: ☐ kg

서술형

17 옥수수가 2개에 3000원입니다. 9000원으로 옥수수를 몇 개 살 수 있는지 살 수 있는 옥수수의 수를 ☐개라 하여 비례식을 이용한 풀이 과정을 쓰고 답을 구해 보세요.

풀이

답 _____

18 휘발유 $\frac{4}{5}$ L로 $8\frac{3}{4}$ km를 가는 자동차가 있습니다. 이 자동차는 휘발유 1 L로 몇 km를 갈 수 있나요?

식 _____

답 _____

19 오른쪽 원기둥의 전개도를 그리고 밑면의 반지름과 옆면의 가로, 세로의 길이를 각각 나타내어 보세요. (원주율: 3)

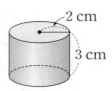

2 cm
3 cm

1 cm
1 cm

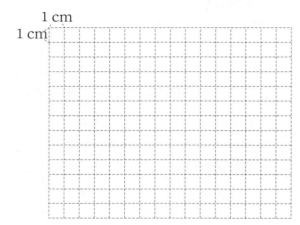

20 오른쪽 원기둥의 높이는 16 cm이고 앞에서 본 모양은 정사각형입니다. 이 원기둥의 한 밑면의 넓이는 몇 cm²인가요? (원주율: 3)

( )

21 원 모양의 쟁반을 앞으로 5바퀴 굴렸더니 600 cm 굴러갔습니다. 쟁반의 지름은 몇 cm인지 풀이 과정을 쓰고 답을 구해 보세요. (원주율: 3)

풀이

답 _____

22 길이가 48 m인 도로 양쪽에 3.2 m 간격으로 처음부터 끝까지 나무를 심으려고 합니다. 필요한 나무는 모두 몇 그루인가요? (단, 나무의 두께는 생각하지 않습니다.)

( )

서술형

23 오른쪽 원의 원주는 몇 cm인지 풀이 과정을 쓰고 답을 구해 보세요. (원주율: 3.1)

넓이: 49.6 cm²

풀이

답 _____

24 쌓기나무로 쌓은 모양을 위, 앞, 옆에서 본 모양입니다. 쌓은 쌓기나무가 가장 많은 경우의 쌓기나무는 몇 개인가요?

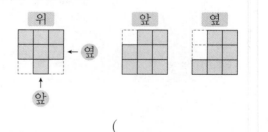

위   앞   옆
옆
앞

( )

25 떨어뜨린 높이의 $\frac{3}{5}$만큼 튀어오르는 공이 있습니다. 이 공을 떨어뜨린 후 두 번째로 튀어오른 높이가 $55\frac{1}{2}$ cm라면 공을 떨어뜨린 높이는 몇 cm인가요?

( )

미래를 바꾸는
긍정의 한마디

모든 언행을 칭찬하는 자보다
결점을 친절하게 말해주는 친구를 가까이 하라.

소크라테스(Socrates)

어리석은 사람은 박수에 웃음 짓고 현명한 사람은 비판을 들었을 때 기뻐한다고
합니다. 물론 쓴소리를 들은 직후엔 기분이 좋지 않을 수 있지만, 그 비판이 진심
어린 조언이었다면 여러분의 미래를 바꾸는 터닝포인트가 될 수 있어요.
만약 여러분에게 진심 어린 조언을 해 주는 친구가 있다면 더욱 돈독한 우정을
쌓으세요. 그 친구가 바로 진정한 친구니까요.

험난한 공부 여정의 진정한 친구, 천재교육이 항상 옆을 지켜줄게요.

#난이도별
#천재되는_수학교재

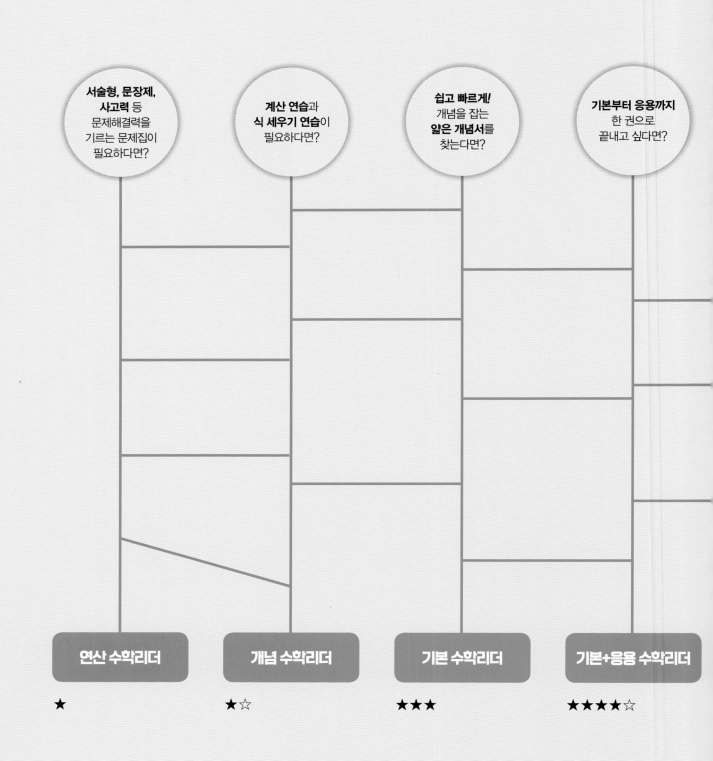

서술형, 문장제, 사고력 등 문제해결력을 기르는 문제집이 필요하다면?

계산 연습과 식 세우기 연습이 필요하다면?

쉽고 빠르게! 개념을 잡는 얇은 개념서를 찾는다면?

기본부터 응용까지 한 권으로 끝내고 싶다면?

연산 수학리더
★

개념 수학리더
★☆

기본 수학리더
★★★

기본+응용 수학리더
★★★★☆

수학리더 유형

해법전략

BOOK 2

6-2

리더가 되기 위한
공부 비법

라이트 유형서
개념별 유형
+ 꼬리를 무는 유형
+ 수학 독해력 유형
+ 사고력 플러스 유형

 천재교육

해법전략
포인트 3가지

▶ 혼자서도 이해할 수 있는 친절한 문제 풀이

▶ 참고, 주의 등 자세한 풀이 제시

▶ 다른 풀이를 제시하여 다양한 방법으로 문제 풀이 가능

정답 및 풀이

1. 분수의 나눗셈

STEP 1 개념별 유형   6~9쪽

1 예 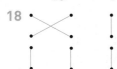 , 5개   **2** 5

3 (1) 4 (2) 2

4 6

5 (선 잇기)

6 <

7 $\dfrac{4}{5} \div \dfrac{1}{5} = 4$, 4병

8 6, 3, 2   **9** (1) 2 (2) 3

10 3   **11** ( )( )(○)

12 ( )(○)   **13** 2번

14 $\dfrac{18}{19} \div \dfrac{9}{19} = 2$, 2배

15 $\dfrac{5}{9} \div \dfrac{8}{9} = 5 \div 8 = \dfrac{5}{8}$

16 (1) $\dfrac{9}{13}$ (2) $1\dfrac{3}{4}$ **17** $1\dfrac{2}{3}$

18 (선 잇기)

19 $\dfrac{24}{25} \div \dfrac{13}{25} = 1\dfrac{11}{13}$, $1\dfrac{11}{13}$배

20 $2\dfrac{1}{3}$배   **21** 9, 20

22 예 $\dfrac{1}{3} \div \dfrac{4}{9} = \dfrac{3}{9} \div \dfrac{4}{9} = 3 \div 4 = \dfrac{3}{4}$

23 $1\dfrac{13}{50}$

24 예 $\dfrac{4}{15} \div \dfrac{4}{30} = \dfrac{8}{30} \div \dfrac{4}{30} = 8 \div 4 = 2$

25 $\dfrac{7}{9}$ m   **26** 6 km

6 $\dfrac{9}{10} \div \dfrac{1}{10} = 9 \Rightarrow \dfrac{9}{10} \div \dfrac{1}{10} \lessgtr 10$

10 $\dfrac{6}{7} > \dfrac{2}{7} \Rightarrow \dfrac{6}{7} \div \dfrac{2}{7} = 6 \div 2 = 3$

12 $\dfrac{15}{17} \div \dfrac{3}{17} = 15 \div 3 = 5$, $\dfrac{6}{7} \div \dfrac{1}{7} = 6 \div 1 = 6$

---

13 $\dfrac{14}{25} \div \dfrac{7}{25} = 14 \div 7 = 2$(번)

14 (빨간색 리본의 길이)÷(파란색 리본의 길이)
$= \dfrac{18}{19} \div \dfrac{9}{19} = 18 \div 9 = 2$(배)

17 ㉠÷㉡ $= \dfrac{5}{7} \div \dfrac{3}{7} = 5 \div 3 = \dfrac{5}{3} = 1\dfrac{2}{3}$

> **참고**
> 계산 결과를 대분수나 기약분수로 나타내어야 정답이지만 가분수 또는 기약분수가 아닌 분수도 정답으로 인정합니다.

19 (로봇의 무게)÷(인형의 무게)
$= \dfrac{24}{25} \div \dfrac{13}{25} = 24 \div 13 = \dfrac{24}{13} = 1\dfrac{11}{13}$(배)

20 (오전에 마신 물의 양)÷(오후에 마신 물의 양)
$= \dfrac{7}{10} \div \dfrac{3}{10} = 7 \div 3 = \dfrac{7}{3} = 2\dfrac{1}{3}$(배)

23 $\dfrac{9}{10} \div \dfrac{5}{7} = \dfrac{63}{70} \div \dfrac{50}{70} = 63 \div 50 = \dfrac{63}{50} = 1\dfrac{13}{50}$

25 (가로)=(직사각형의 넓이)÷(세로)
$= \dfrac{1}{3} \div \dfrac{3}{7} = \dfrac{7}{21} \div \dfrac{9}{21} = 7 \div 9 = \dfrac{7}{9}$ (m)

26 (1시간 동안 갈 수 있는 거리)
$= \dfrac{4}{5} \div \dfrac{2}{15} = \dfrac{12}{15} \div \dfrac{2}{15} = 12 \div 2 = 6$ (km)

개념 1~4   기초력 집중 연습   10쪽

1 2   **2** 2   **3** 3

4 $\dfrac{9}{10}$ **5** $\dfrac{16}{17}$ **6** $1\dfrac{6}{7}$

7 5   **8** $\dfrac{15}{16}$ **9** $\dfrac{3}{5}$

10 (선 잇기)   **11** (선 잇기)

12 $1\dfrac{1}{6}$ **13** $2\dfrac{1}{7}$

정답 및 풀이

1

정답 및 풀이

유형 진단 TEST — 11쪽

1 (○)(   )   **2** $1\dfrac{7}{9}$ **3** 현서, 6

4 $1\dfrac{5}{9}$ m   **5** $\dfrac{12}{25} \div \dfrac{6}{25} = 2$, 2배

6 1, 2, 3에 ○표

3 현서: $\dfrac{36}{49} \div \dfrac{6}{49} = 36 \div 6 = 6$

4 (가로)=(직사각형의 넓이)÷(세로)

$= \dfrac{14}{15} \div \dfrac{9}{15} = 14 \div 9 = \dfrac{14}{9} = 1\dfrac{5}{9}$ (m)

5 (집에서 공원까지의 거리)÷(집에서 편의점까지의 거리)

$= \dfrac{12}{25} \div \dfrac{6}{25} = 12 \div 6 = 2$(배)

6 $\dfrac{3}{5} \div \dfrac{3}{20} = \dfrac{12}{20} \div \dfrac{3}{20} = 12 \div 3 = 4$

➡ 4>□에서 □ 안에 들어갈 수 있는 수는 1, 2, 3 입니다.

① STEP 개념별 유형 — 12~17쪽

1 $15 \div \dfrac{5}{8} = (15 \div 5) \times 8 = 24$

2 (1) 14 (2) 18   **3** 24

4 서아   **5** <   **6** 28

7 $14 \div \dfrac{2}{7}$에 ○표   **8** 48명

9 $6 \div \dfrac{3}{4} = 8$, 8 kg   **11** ·—————·

10 3, 8

12 (1) $\dfrac{2}{5} \div \dfrac{5}{9} = \dfrac{2}{5} \times \dfrac{9}{5} = \dfrac{18}{25}$

(2) 예 $\dfrac{15}{16} \div \dfrac{5}{8} = \dfrac{15}{16} \times \dfrac{8}{5} = \dfrac{3}{2} = 1\dfrac{1}{2}$

13 $\dfrac{14}{5} \times \dfrac{4}{7}$에 ○표,

예 $\dfrac{5}{14} \div \dfrac{4}{7} = \dfrac{5}{14} \times \dfrac{7}{4} = \dfrac{35}{56} = \dfrac{5}{8}$

14 $1\dfrac{3}{32}$배   **15** $\dfrac{3}{4}$, $\dfrac{9}{10}$

16 $\dfrac{3}{4} \div \dfrac{1}{8} = 6$, 6개   **17** $2\dfrac{1}{3}$ L

18 (1) $9 \div \dfrac{2}{5} = 9 \times \dfrac{5}{2} = \dfrac{45}{2} = 22\dfrac{1}{2}$

(2) $5 \div \dfrac{3}{4} = 5 \times \dfrac{4}{3} = \dfrac{20}{3} = 6\dfrac{2}{3}$

19 $8\dfrac{2}{5}$ **20** $2\dfrac{2}{7}$ m

21 예 $\dfrac{18}{5} \div \dfrac{6}{7} = \dfrac{126}{35} \div \dfrac{30}{35} = 126 \div 30$

$= \dfrac{126}{30} = \dfrac{21}{5} = 4\dfrac{1}{5}$

22 예 $\dfrac{8}{5} \div \dfrac{3}{5} = \dfrac{8}{5} \times \dfrac{5}{3} = \dfrac{8}{3} = 2\dfrac{2}{3}$

23 (위에서부터) $2\dfrac{8}{9}$, $4\dfrac{7}{8}$ **24** $5\dfrac{3}{5}$

25 (   )(○)   **26** $\dfrac{16}{3} \div \dfrac{2}{15} = 40$, 40개

27 $1\dfrac{29}{51}$ kg

28 예 $1\dfrac{1}{5} \div 1\dfrac{2}{7} = \dfrac{6}{5} \div \dfrac{9}{7} = \dfrac{42}{35} \div \dfrac{45}{35}$

$= 42 \div 45 = \dfrac{42}{45} = \dfrac{14}{15}$

29 예 $1\dfrac{1}{5} \div 1\dfrac{2}{7} = \dfrac{6}{5} \div \dfrac{9}{7} = \dfrac{6}{5} \times \dfrac{7}{9} = \dfrac{42}{45} = \dfrac{14}{15}$

30 $2\dfrac{2}{3}$배

31 예 대분수를 가분수로 나타내어 계산하지 않았습니다. / 예 $7\dfrac{1}{3} \div \dfrac{1}{3} = \dfrac{22}{3} \div \dfrac{1}{3} = \dfrac{22}{3} \times 3 = 22$

32 ㉠   **33** 6 km   **34** $3\dfrac{3}{4}$

35 $2\dfrac{4}{7}$ **36** >

4 $1 \div \dfrac{1}{2} = (1 \div 1) \times 2 = 2$이므로 계산 결과는 나누어지는 수 1보다 큽니다.

6 (가장 큰 수)÷(가장 작은 수)$=12÷\dfrac{3}{7}=28$

참고

분자가 같을 때 분모가 클수록 더 작은 수입니다.

7 $14÷\dfrac{2}{7}=49$, $24÷\dfrac{1}{2}=$ ⑱ , $42÷\dfrac{7}{8}=$ ⑱

8 (털실의 길이)÷(한 명에게 나누어 주는 털실의 길이)

$=30÷\dfrac{5}{8}=(30÷5)×8=48$(명)

14 (빨간색 털실의 길이)÷(초록색 털실의 길이)

$=\dfrac{7}{8}÷\dfrac{4}{5}=\dfrac{7}{8}×\dfrac{5}{4}=\dfrac{35}{32}=1\dfrac{3}{32}$(배)

17 $\dfrac{14}{15}÷\dfrac{2}{5}=\dfrac{\overset{7}{\cancel{14}}}{\underset{3}{\cancel{15}}}×\dfrac{\overset{1}{\cancel{5}}}{\underset{1}{\cancel{2}}}=\dfrac{7}{3}=2\dfrac{1}{3}$ (L)

19 (자연수)÷(분수)$=6÷\dfrac{5}{7}=6×\dfrac{7}{5}=\dfrac{42}{5}=8\dfrac{2}{5}$

20 (밑변의 길이)=(평행사변형의 넓이)÷(높이)

$=2÷\dfrac{7}{8}=2×\dfrac{8}{7}=\dfrac{16}{7}=2\dfrac{2}{7}$ (m)

24 $\dfrac{7}{2}>\dfrac{5}{8}$ ➡ $\dfrac{7}{2}÷\dfrac{5}{8}=\dfrac{7}{\underset{1}{\cancel{2}}}×\dfrac{\overset{4}{\cancel{8}}}{5}=\dfrac{28}{5}=5\dfrac{3}{5}$

26 (만들 수 있는 붕어빵의 수)

=(밀가루의 양)

÷(붕어빵 한 개를 만드는 데 필요한 밀가루의 양)

27 (철사 1 m의 무게)$=\dfrac{20}{17}÷\dfrac{3}{4}=\dfrac{20}{17}×\dfrac{4}{3}=1\dfrac{29}{51}$ (kg)

30 $1\dfrac{7}{9}÷\dfrac{2}{3}=\dfrac{16}{9}÷\dfrac{2}{3}=\dfrac{16}{9}÷\dfrac{6}{9}=2\dfrac{2}{3}$(배)

31 **평가 기준**

대분수를 가분수로 나타내어 계산하지 않았다는 이유를 쓰고, 바르게 고쳤으면 정답입니다.

32 ㉠ $3\dfrac{1}{3}÷\dfrac{5}{9}=6$ ㉡ $4\dfrac{1}{4}÷1\dfrac{1}{5}=3\dfrac{13}{24}$

---

33 (휘발유 1 L로 간 거리)

$=16\dfrac{1}{2}÷2\dfrac{3}{4}=\dfrac{33}{2}÷\dfrac{11}{4}=\dfrac{\overset{3}{\cancel{33}}}{\underset{1}{\cancel{2}}}×\dfrac{\overset{2}{\cancel{4}}}{\underset{1}{\cancel{11}}}=6$ (km)

36 $\dfrac{4}{3}÷\dfrac{2}{5}÷\dfrac{6}{7}=\dfrac{\overset{2}{\cancel{4}}}{3}×\dfrac{5}{\underset{1}{\cancel{2}}}×\dfrac{7}{\underset{3}{\cancel{6}}}=\dfrac{35}{9}=3\dfrac{8}{9}>3$

개념 5 ~ 10 **기초력 집중 연습** **18쪽**

1 8, 9, 27   **2** 3, 5, 20

3 $7÷\dfrac{4}{13}=7×\dfrac{13}{4}=\dfrac{91}{4}=22\dfrac{3}{4}$

4 $\dfrac{10}{9}÷\dfrac{3}{7}=\dfrac{10}{9}×\dfrac{7}{3}=\dfrac{70}{27}=2\dfrac{16}{27}$

5 $1\dfrac{2}{3}÷\dfrac{3}{10}=\dfrac{5}{3}÷\dfrac{3}{10}=\dfrac{5}{3}×\dfrac{10}{3}=\dfrac{50}{9}=5\dfrac{5}{9}$

6 예 $2\dfrac{3}{4}÷1\dfrac{1}{10}=\dfrac{11}{4}÷\dfrac{11}{10}=\dfrac{\overset{1}{\cancel{11}}}{\underset{2}{\cancel{4}}}×\dfrac{\overset{5}{\cancel{10}}}{\underset{1}{\cancel{11}}}$

$=\dfrac{5}{2}=2\dfrac{1}{2}$

7 28   **8** $31\dfrac{3}{7}$ **9** $\dfrac{4}{17}$ **10** $2\dfrac{1}{6}$

11 $18\dfrac{1}{5}$ **12** $3\dfrac{1}{3}$ A. 화장실

유형 진단 TEST **19쪽**

1 60   **2** 18   **3** $10\dfrac{5}{6}$ **4** ㉠

5 **방법 1** 예 $\dfrac{21}{10}÷\dfrac{7}{9}=\dfrac{189}{90}÷\dfrac{70}{90}=189÷70$

$=\dfrac{\overset{27}{\cancel{189}}}{\underset{10}{\cancel{70}}}=\dfrac{27}{10}=2\dfrac{7}{10}$

방법 2 예 $\dfrac{21}{10}÷\dfrac{7}{9}=\dfrac{\overset{3}{\cancel{21}}}{10}×\dfrac{9}{\underset{1}{\cancel{7}}}=\dfrac{27}{10}=2\dfrac{7}{10}$

6 36   **7** $2\dfrac{2}{5}$ m

1 ㉠+㉡=15+45=60

3 (지안이가 말한 수)÷(지호가 말한 수)

$$=4\frac{1}{6}\div\frac{5}{13}=\frac{25}{6}\div\frac{5}{13}=\frac{\overset{5}{\cancel{25}}}{6}\times\frac{13}{\cancel{5}_{1}}=10\frac{5}{6}$$

4 ㉠ $4\frac{1}{2}>$ ㉡ $3\frac{1}{6}$

6 (어떤 수)$\times\frac{7}{12}=21$, (어떤 수)$=21\div\frac{7}{12}=36$

7 (밑변의 길이)=(삼각형의 넓이)$\div\frac{1}{2}\div$(높이)

> **참고**
>
> (삼각형의 넓이)=(밑변의 길이)$\times$(높이)$\times\frac{1}{2}$
>
> ➡ (밑변의 길이)=(삼각형의 넓이)$\div\frac{1}{2}\div$(높이)

---

② STEP 꼬리를 무는 유형 20~21쪽

1 12배	**2** 44배	**3** 3배	**4** $1\frac{1}{6}$배
5 $>$	**6** 다은		**7** ㉡, ㉠, ㉢
8 $2\frac{11}{14}$ m	**9** $1\frac{1}{3}$ m		**10** $\frac{1}{12}$ m
11 $2\frac{1}{2}$ kg	**12** 40인치		**13** $\frac{4}{5}$시간

3 (학교에서 경찰서까지의 거리)÷(학교에서 전철역까지의 거리)$=\frac{39}{50}\div\frac{13}{50}=39\div13=3$(배)

4 (세훈이가 마신 우유량)÷(지영이가 마신 우유량)

$$=\frac{7}{20}\div\frac{6}{20}=7\div6=\frac{7}{6}=1\frac{1}{6}(배)$$

6 현서: $\frac{13}{16}\div\frac{5}{16}=2\frac{3}{5}$

다은: $4\frac{1}{4}\div2\frac{1}{3}=1\frac{23}{28}$

➡ $2\frac{3}{5}>1\frac{23}{28}$이므로 계산 결과가 더 작은 나눗셈을 들고 있는 사람은 다은입니다.

---

7 ㉠ $\frac{7}{9}\div\frac{5}{8}=1\frac{11}{45}$ ㉡ $\frac{4}{3}\div\frac{7}{4}=\frac{16}{21}$

㉢ $\frac{15}{14}\div\frac{5}{14}=3$

➡ $\frac{16}{21}<1\frac{11}{45}<3$이므로 몫이 가장 작은 것부터 차례로 쓰면 ㉡, ㉠, ㉢입니다.

8 (가로)=(직사각형의 넓이)÷(세로)

$$=9\frac{2}{7}\div3\frac{1}{3}=\frac{65}{7}\times\frac{3}{\cancel{10}_{2}}^{13}=2\frac{11}{14}\text{ (m)}$$

9 (높이)=(평행사변형의 넓이)÷(밑변)

$$=\frac{4}{5}\div\frac{3}{5}=4\div3=\frac{4}{3}=1\frac{1}{3}\text{ (m)}$$

10 (세로)=(태극기의 넓이)÷(가로)

$$=\frac{1}{96}\div\frac{1}{8}=\frac{1}{96}\div\frac{12}{96}=1\div12=\frac{1}{12}\text{ (m)}$$

11 (귤 한 상자의 무게)$=\frac{1}{2}\div\frac{1}{5}=\frac{1}{2}\times5=2\frac{1}{2}$ (kg)

12 1인치가 약 $\frac{1}{40}$ m이므로 1 m는

약 $1\div\frac{1}{40}=1\times40=40$(인치)입니다.

13 (완전히 충전하는 데 걸리는 시간)

$$=\frac{1}{5}\div\frac{1}{4}=\frac{4}{20}\div\frac{5}{20}=4\div5=\frac{4}{5}(시간)$$

---

③ STEP 수학 독해력 유형 22~23쪽

독해력 유형 1 ❶ 6250원	❷ 6400원
❸ 햇살 고구마	
쌍둥이 유형 1-1 달콤 딸기	**쌍둥이 유형 1-2** 상큼 귤
독해력 유형 2 ❶ $\frac{5}{8}$	❷ $\frac{3}{8}$ ❸ 88쪽
쌍둥이 유형 2-1 95 m²	**쌍둥이 유형 2-2** 5 kg

독해력 유형 1 ❶ (햇살 고구마 1 kg의 가격)

$$=5000\div\frac{4}{5}=(5000\div4)\times5=6250(원)$$

② (달콤 고구마 1 kg의 가격)

$=5600 \div \dfrac{7}{8} = (5600 \div 7) \times 8 = 6400$(원)

③ 1 kg의 가격이 햇살 고구마는 6250원, 달콤 고구마는 6400원이므로 햇살 고구마가 더 저렴합니다.

쌍둥이 유형 1-1 ① (새콤 딸기 1 kg의 가격)

$=9900 \div \dfrac{3}{5} = (9900 \div 3) \times 5 = 16500$(원)

② (달콤 딸기 1 kg의 가격)

$=12000 \div \dfrac{3}{4} = (12000 \div 3) \times 4 = 16000$(원)

③ 달콤 딸기가 더 저렴합니다.

쌍둥이 유형 1-2 ① (달달 귤 1 kg의 가격)

$=10500 \div 3\dfrac{1}{2} = 10500 \div \dfrac{7}{2} = 3000$(원)

② (상큼 귤 1 kg의 가격)

$=4200 \div 1\dfrac{1}{2} = 4200 \div \dfrac{3}{2} = 2800$(원)

③ 상큼 귤이 더 저렴합니다.

독해력 유형 2 ① (어제까지 읽은 만큼) + (오늘 읽은 만큼)

$=\dfrac{3}{8} + \dfrac{1}{4} = \dfrac{3}{8} + \dfrac{2}{8} = \dfrac{5}{8}$

② (남은 만큼) = 1 − (오늘까지 읽은 만큼) $= 1 - \dfrac{5}{8} = \dfrac{3}{8}$

③ 33쪽이 전체의 $\dfrac{3}{8}$이므로 위인전의 전체 쪽수는

$33 \div \dfrac{3}{8} = (33 \div 3) \times 8 = 88$(쪽)입니다.

쌍둥이 유형 2-1 ① (고추를 심은 만큼) + (오이를 심은

만큼) $= \dfrac{1}{3} + \dfrac{2}{15} = \dfrac{5}{15} + \dfrac{2}{15} = \dfrac{7}{15}$

② (아무것도 심지 않은 만큼)

= 1 − (고추와 오이를 심은 만큼)

$= 1 - \dfrac{7}{15} = \dfrac{8}{15}$

③ $50\dfrac{2}{3}$ m²가 전체의 $\dfrac{8}{15}$이므로 텃밭 전체 넓이는

$50\dfrac{2}{3} \div \dfrac{8}{15} = \dfrac{\overset{19}{\cancel{152}}}{\cancel{3}} \times \dfrac{\overset{5}{\cancel{15}}}{\cancel{8}} = 95$ (m²)입니다.

쌍둥이 유형 2-2 ① (포도잼을 만든 만큼) + (포도주스를

만든 만큼) $= \dfrac{2}{5} + \dfrac{1}{6} = \dfrac{12}{30} + \dfrac{5}{30} = \dfrac{17}{30}$

② (남은 만큼)

= 1 − (포도잼과 포도주스를 만든 만큼)

$= 1 - \dfrac{17}{30} = \dfrac{13}{30}$

③ $\dfrac{13}{6}$ kg이 전체의 $\dfrac{13}{30}$이므로 포도 전체의 무게는

$\dfrac{13}{6} \div \dfrac{13}{30} = \dfrac{\cancel{13}^{1}}{\cancel{6}_{1}} \times \dfrac{\cancel{30}^{5}}{\cancel{13}_{1}} = 5$ (kg)입니다.

4 STEP 사고력 플러스 유형 24~27쪽

1-1 6, 3, 2 / 2 **1-2** 9, 3, 3 / 3

1-3 $\dfrac{8}{9} \div \dfrac{2}{9} = 4$, 4

2-1 예 $\dfrac{11}{16} \div \dfrac{1}{16} = 11 \div 1 = 11$

2-2 예 $\dfrac{5}{7} \div \dfrac{2}{3} = \dfrac{15}{21} \div \dfrac{14}{21} = 15 \div 14 = \dfrac{15}{14} = 1\dfrac{1}{14}$

2-3 예 나누는 분수의 분자로 나누고, 분모를 곱해야 하는데 분모로 나누고, 분자를 곱했습니다.

3-1 $1\dfrac{1}{2}$ **3-2** $1\dfrac{2}{7}$ **3-3** $11\dfrac{2}{3}$

3-4 $1\dfrac{1}{2}$ **4-1** 3병

4-2 예 $4\dfrac{4}{9} \div \dfrac{4}{11} = \dfrac{40}{9} \div \dfrac{4}{11} = \dfrac{\overset{10}{\cancel{40}}}{9} \times \dfrac{11}{\cancel{4}_{1}}$

$= \dfrac{110}{9} = 12\dfrac{2}{9}$이므로 최대 12개까지 만들 수 있습니다. **답** 12개

4-3 19번 **5-1** $\dfrac{6}{7} \div \dfrac{5}{7}$

5-2 예 $\dfrac{7}{\square} \div \dfrac{11}{\square}$에서 $\square$는 14보다 작고 $\dfrac{7}{\square}$과 $\dfrac{11}{\square}$은 진분수이므로 $\square$는 11보다 큽니다.

따라서 조건 을 모두 만족하는 분수의 나눗셈

식은 $\dfrac{7}{12} \div \dfrac{11}{12}$, $\dfrac{7}{13} \div \dfrac{11}{13}$입니다.

답 $\dfrac{7}{12} \div \dfrac{11}{12}$, $\dfrac{7}{13} \div \dfrac{11}{13}$

6-1 5, 6, 7, 8

6-2 예 $44 \div \dfrac{11}{\square} = \overset{4}{44} \times \dfrac{\square}{\underset{1}{11}} = 4 \times \square$ 이므로

$30 < 4 \times \square < 40$ 입니다.

$4 \times 7 = 28$, $4 \times 8 = 32$, $4 \times 9 = 36$, $4 \times 10 = 40$ 이므로 $\square$ 안에 들어갈 수 있는 자연수는 8, 9입니다.　　　　　　　　**답** 8, 9

6-3 11, 12, 13

7-1 단계**1** 큰, 작은에 ○표

단계**2** $5 \div \dfrac{3}{4}$ $\left($또는 $4 \div \dfrac{3}{5}\right)$　　단계**3** $6\dfrac{2}{3}$

7-2 $9 \div \dfrac{2}{7}$ $\left($또는 $7 \div \dfrac{2}{9}\right)$, $31\dfrac{1}{2}$

8-1 단계**1** $\dfrac{2}{3}$시간　　단계**2** $5\dfrac{1}{16}$ km

단계**3** $6\dfrac{3}{40}$ km

8-2 $\dfrac{1}{2}$ km

2-3 평가 기준

나누는 분수의 분모로 나누고, 분자를 곱했기 때문이라는 이유를 썼으면 정답입니다.

3-1 $\dfrac{2}{5} \times \square = \dfrac{3}{5}$, $\square = \dfrac{3}{5} \div \dfrac{2}{5} = 3 \div 2 = \dfrac{3}{2} = 1\dfrac{1}{2}$

3-2 $\dfrac{2}{3} \times \square = \dfrac{6}{7}$, $\square = \dfrac{6}{7} \div \dfrac{2}{3} = \dfrac{\overset{3}{6}}{7} \times \dfrac{3}{\underset{1}{2}} = \dfrac{9}{7} = 1\dfrac{2}{7}$

3-3 $\dfrac{7}{9} \div \dfrac{1}{9} = 7$이므로 $\dfrac{3}{5} \times \square = 7$입니다.

→ $\square = 7 \div \dfrac{3}{5} = 7 \times \dfrac{5}{3} = \dfrac{35}{3} = 11\dfrac{2}{3}$

3-4 $\dfrac{9}{10} \div \dfrac{8}{10} = 9 \div 8 = \dfrac{9}{8}$입니다.

→ $\dfrac{3}{4} \times \square = \dfrac{9}{8}$, $\square = \dfrac{9}{8} \div \dfrac{3}{4} = \dfrac{9}{8} \div \dfrac{6}{8} = 1\dfrac{1}{2}$

4-1 $\dfrac{11}{8} \div \dfrac{3}{8} = 3\dfrac{2}{3}$이므로 최대 3병에 나누어 담을 수 있습니다.

주의

몇 병에 나누어 담을 수 있는지 물었으므로 자연수로 답해야 함에 주의합니다.

4-2 평가 기준

$4\dfrac{4}{9} \div \dfrac{4}{11}$를 계산하고 자연수로 답했으면 정답입니다.

4-3 $5\dfrac{1}{3} \div \dfrac{2}{7} = \dfrac{16}{3} \div \dfrac{2}{7} = \dfrac{\overset{8}{16}}{3} \times \dfrac{7}{\underset{1}{2}} = \dfrac{56}{3} = 18\dfrac{2}{3}$

이므로 최소 $18 + 1 = 19$(번) 부어야 합니다.

주의

18번 부으면 어항에 물이 가득 차지 않음에 주의해야 합니다.

5-1 $\dfrac{6}{\square} \div \dfrac{5}{\square}$에서 $\square$는 8보다 작고 $\dfrac{6}{\square}$과 $\dfrac{5}{\square}$는 진분수이므로 $\square$는 6보다 큽니다.

따라서 조건 을 모두 만족하는 분수의 나눗셈식은 $\dfrac{6}{7} \div \dfrac{5}{7}$입니다.

5-2 평가 기준

분모가 14보다 작고 11보다 커야 함을 알고 조건을 모두 만족하는 분수의 나눗셈식을 모두 썼으면 정답입니다.

6-1 $9 \div \dfrac{1}{\square} = 9 \times \square$이므로 $40 < 9 \times \square < 80$입니다.

$9 \times 4 = 36$, $9 \times 5 = 45$, $9 \times 6 = 54$, $9 \times 7 = 63$, $9 \times 8 = 72$, $9 \times 9 = 81$이므로 $\square$ 안에 들어갈 수 있는 자연수는 5, 6, 7, 8입니다.

6-2 평가 기준

$44 \div \dfrac{11}{\square}$을 간단한 곱셈식으로 나타내어 $\square$ 안에 들어갈 수 있는 자연수를 모두 구했으면 정답입니다.

6-3 $\dfrac{1}{2} \div \dfrac{1}{\square} = \dfrac{1}{2} \times \square$이므로 $5 < \dfrac{1}{2} \times \square < 7$입니다.

$\dfrac{1}{2} \times 10 = 5$, $\dfrac{1}{2} \times 11 = \dfrac{11}{2}$, $\dfrac{1}{2} \times 12 = 6$,

$\dfrac{1}{2} \times 13 = \dfrac{13}{2} = 6\dfrac{1}{2}$, $\dfrac{1}{2} \times 14 = 7$이므로 $\square$ 안에 들어갈 수 있는 자연수는 11, 12, 13입니다.

8-1 단계**1** 1분 $= \dfrac{1}{60}$시간이므로

40분 $= \dfrac{40}{60}$시간 $= \dfrac{2}{3}$시간입니다.

단계**2** (한 시간 동안 갈 수 있는 거리)

$=$ (간 거리) $\div$ (걸린 시간) $= 3\dfrac{3}{8} \div \dfrac{2}{3} = 5\dfrac{1}{16}$ (km)

단계3 $\left(1\dfrac{1}{5}\text{시간 동안 갈 수 있는 거리}\right)$

$=(\text{한 시간 동안 갈 수 있는 거리})\times 1\dfrac{1}{5}=6\dfrac{3}{40}$ (km)

8-2 4시간 15분$=4\dfrac{1}{4}$시간

(한 시간 동안 뚫을 수 있는 터널의 길이)

$=(\text{터널의 길이})\div(\text{걸린 시간})$

$=\dfrac{1}{8}\div 4\dfrac{1}{4}=\dfrac{1}{34}$ (km)

(17시간 동안 뚫을 수 있는 터널의 길이)

$=(\text{한 시간 동안 뚫을 수 있는 터널의 길이})\times 17$

$=\dfrac{1}{\overset{}{34}}\times\overset{1}{17}=\dfrac{1}{2}$ (km)

유형 TEST

1 3 　　**2** 3, 4 　　**3** (1) 7 (2) 2

4 $12\div\dfrac{6}{13}=(12\div 6)\times 13=26$ 　**5** $6\dfrac{3}{10}$

6 지안, 6 　**7** $<$ 　**8** 60 　**9** 다은

10 $2\dfrac{4}{7}$배 　**11** 12일 　**12** ⑤

13 방법1 예 $\dfrac{9}{10}\div\dfrac{7}{10}=9\div 7=\dfrac{9}{7}=1\dfrac{2}{7}$

방법2 예 $\dfrac{9}{10}\div\dfrac{7}{10}=\dfrac{9}{\overset{}{10}}\times\dfrac{\overset{1}{10}}{7}=\dfrac{9}{7}=1\dfrac{2}{7}$

14 $\dfrac{16}{21}$ 　　**15** 4 　　**16** $1\dfrac{3}{5}$ L

17 예 ❶ $\dfrac{13}{4}\div\dfrac{1}{3}=\dfrac{39}{12}\div\dfrac{4}{12}=39\div 4$

$=\dfrac{39}{4}=9\dfrac{3}{4}$이므로

❷ 최대 9개까지 만들 수 있습니다. 　답 9개

18 예 ❶ $\dfrac{15}{\square}\div\dfrac{13}{\square}$에서 $\square$는 18보다 작고 $\dfrac{15}{\square}$와

$\dfrac{13}{\square}$은 진분수이므로 $\square$는 15보다 큽니다.

❷ 따라서 조건 을 모두 만족하는 분수의 나눗

셈식은 $\dfrac{15}{16}\div\dfrac{13}{16}$, $\dfrac{15}{17}\div\dfrac{13}{17}$입니다.

답 $\dfrac{15}{16}\div\dfrac{13}{16}$, $\dfrac{15}{17}\div\dfrac{13}{17}$

19 예 ❶ $54\div\dfrac{9}{\square}=54\times\dfrac{\overset{6}{\square}}{\underset{1}{9}}=6\times\square$이므로

$20<6\times\square<40$입니다.

❷ $6\times 3=18$, $6\times 4=24$, $6\times 5=30$,

$6\times 6=36$, $6\times 7=42$이므로

❸ $\square$ 안에 들어갈 수 있는 자연수는 4, 5, 6입

니다. 　답 4, 5, 6

20 예 ❶ 36분$=\dfrac{36}{60}$시간$=\dfrac{3}{5}$시간

❷ (한 시간 동안 나오는 물의 양)

$=(\text{나온 물의 양})\div(\text{나온 시간})$

$=6\dfrac{3}{4}\div\dfrac{3}{5}=\dfrac{27}{4}\div\dfrac{3}{5}=\dfrac{\overset{9}{27}}{4}\times\dfrac{5}{\underset{1}{3}}$

$=\dfrac{45}{4}=11\dfrac{1}{4}$ (L)

❸ (2시간 동안 나오는 물의 양)

$=11\dfrac{1}{4}\times 2=\dfrac{45}{\overset{}{4}}\times\overset{1}{2}=\dfrac{45}{2}=22\dfrac{1}{2}$ (L)

답 $22\dfrac{1}{2}$ L

6 지안: $\dfrac{15}{4}\div\dfrac{5}{8}=\dfrac{30}{8}\div\dfrac{5}{8}=30\div 5=6$

7 $\dfrac{20}{21}\div\dfrac{2}{21}=20\div 2=10$

$14\div\dfrac{2}{3}=(14\div 2)\times 3=21$ ⟶ $10 \bigcirc\!\!< 21$

9 시우: $\dfrac{14}{15}\div\dfrac{2}{5}=\dfrac{\overset{7}{14}}{\underset{3}{15}}\times\dfrac{\overset{1}{5}}{\underset{1}{2}}=\dfrac{7}{3}=2\dfrac{1}{3}>1$

다은: $\dfrac{4}{7}\div\dfrac{8}{9}=\dfrac{4}{7}\times\dfrac{9}{\underset{2}{8}}=\dfrac{9}{14}<1$

10 (유진이가 캔 감자의 양)$\div$(진호가 캔 감자의 양)

$=3\dfrac{3}{7}\div 1\dfrac{1}{3}=\dfrac{24}{7}\div\dfrac{4}{3}=\dfrac{\overset{6}{24}}{7}\times\dfrac{3}{\underset{1}{4}}=2\dfrac{4}{7}$(배)

11 (주스의 양)$\div$(하루에 마시는 주스의 양)

$=4\dfrac{4}{5}\div\dfrac{2}{5}=\dfrac{24}{5}\div\dfrac{2}{5}=24\div 2=12$(일)

12 ① $\dfrac{9}{7} \div \dfrac{9}{8} = 1\dfrac{1}{7}$ ② $\dfrac{9}{7} \div \dfrac{3}{7} = 3$

③ $\dfrac{9}{7} \div \dfrac{7}{9} = 1\dfrac{32}{49}$ ④ $\dfrac{9}{7} \div \dfrac{18}{7} = \dfrac{1}{2}$

⑤ $\dfrac{9}{7} \div \dfrac{3}{14} = 6$

다른 풀이

$\dfrac{3}{14} < \dfrac{3}{7} < \dfrac{7}{9} < \dfrac{9}{8} < \dfrac{18}{7}$ 이므로 가장 작은 수 $\dfrac{3}{14}$ 으로
나누면 계산 결과가 가장 큽니다.

14 $3\dfrac{3}{4} \times (어떤 수) = 2\dfrac{6}{7}$,

(어떤 수) $= 2\dfrac{6}{7} \div 3\dfrac{3}{4} = \dfrac{16}{21}$

15 $\dfrac{14}{15} \div \dfrac{4}{15} = 14 \div 4 = \dfrac{14}{4} = \dfrac{7}{2} = 3\dfrac{1}{2}$

➡ $3\dfrac{1}{2} < \square$ 에서 $\square$ 안에 들어갈 수 있는 자연수는
4, 5, 6……이므로 가장 작은 자연수는 4입니다.

16 (사용한 페인트의 양)÷(벽의 넓이)

$= 3\dfrac{3}{5} \div \dfrac{9}{4} = \dfrac{18}{5} \div \dfrac{9}{4} = \dfrac{\overset{2}{\cancel{18}}}{5} \times \dfrac{4}{\underset{1}{\cancel{9}}} = 1\dfrac{3}{5}$ (L)

17 **채점 기준**

❶ $\dfrac{13}{4} \div \dfrac{1}{3}$ 의 계산을 바르게 함.	3점	5점
❷ 장식의 개수를 자연수로 구함.	2점	

18 **채점 기준**

❶ 분모가 18보다 작고 15보다 큼을 앎.	3점	5점
❷ 조건을 만족하는 분수의 나눗셈식을 모두 씀.	2점	

19 **채점 기준**

❶ $54 \div \dfrac{9}{\square}$ 를 $6 \times \square$ 로 간단히 나타냄.	2점	5점
❷ 20과 40 사이에 있는 $6 \times \square$ 의 값을 구함.	2점	
❸ $\square$ 안에 들어갈 수 있는 자연수를 모두 구함.	1점	

20 **채점 기준**

❶ 36분을 시간으로 나타냄.	1점	5점
❷ 한 시간 동안 나오는 물의 양을 구함.	2점	
❸ 2시간 동안 나오는 물의 양을 구함.	2점	

앞 단원 유형 다시 보기 31쪽

① 30 cm³ ② 150 cm²
③ 136 cm² ④ $5 \times 2 \times 7 = 70$, 70 cm³

② (겉넓이) $= 5 \times 5 \times 6 = 150$ (cm²)

③ $(8 \times 3) \times 2 + (8 + 3 + 8 + 3) \times 4$
$= 48 + 88 = 136$ (cm²)

재미있는 창의·융합·코딩 32~33쪽

코딩1 50
코딩2 삼 분의 오를 삼 분의 이로 나누시오 / $2\dfrac{1}{2}$
창의3 $1\dfrac{1}{4}$ **창의4** $2\dfrac{16}{39}$

코딩1 3 / $\dfrac{3}{5}$ 은 $3 \div \dfrac{3}{5} = (3 \div 3) \times 5 = 5$입니다.
이것을 10번 반복하였으므로 이동 방향으로
$5 \times 10 = 50$만큼 움직이게 됩니다.

코딩2 $\dfrac{5}{3} \div \dfrac{2}{3} = 5 \div 2 = \dfrac{5}{2} = 2\dfrac{1}{2}$

창의3 지구의 반지름을 1로 보았을 때
화성의 반지름: $\dfrac{1}{2}$
수성의 반지름: $\dfrac{2}{5}$
➡ $\dfrac{1}{2} \div \dfrac{2}{5} = \dfrac{5}{10} \div \dfrac{4}{10} = 5 \div 4 = 1\dfrac{1}{4}$(배)

창의4 지구의 반지름을 1로 보았을 때
토성의 반지름: $9\dfrac{2}{5}$
해왕성의 반지름: $3\dfrac{9}{10}$
➡ $9\dfrac{2}{5} \div 3\dfrac{9}{10} = \dfrac{47}{5} \div \dfrac{39}{10} = 2\dfrac{16}{39}$(배)

2. 소수의 나눗셈

1 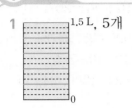 1.5 L, 5개

2 (위에서부터) 100, 115, 5, 23, 23

3 (위에서부터) 182, 7, 182, 7, 26

4 216　　　5 276, 12 / 23　　　6 423, 47

7 48, 6, 48, 6, 8　　　8 6, 42　　　9 12, 8, 16, 16

10 $6.5 \div 0.5 = \frac{65}{10} \div \frac{5}{10} = 65 \div 5 = 13$

11 9　　　　　　　　　12 서아

13 $7.2 \div 0.6 = 12$, 12개

14 425, 17, 425, 17, 25

15 24　　　16 26　　　17 784, 28

18 $9.01 \div 0.53 = \frac{901}{100} \div \frac{53}{100} = 901 \div 53 = 17$

19 16　　　　　　　　20 ㉡

21 $0.64 \div 0.16 = 4$, 4개

22 93.6, 26, 3.6

23 1.8　　　　　24 2.5

25 예
$$0.4 \overline{)\,2.6\,8}$$ 몫 6.7
$2\,4$
$\,\,2\,8$
$\,\,2\,8$
$\,\,\,\,\,\,0$

26 서준

27 2.8

28 2.2배

---

1 1.5에서 0.3씩 5번 덜어 낼 수 있습니다.

3 18.2 cm=182 mm, 0.7 cm=7 mm이므로
18.2÷0.7=182÷7로 계산할 수 있습니다.

4 나누어지는 수와 나누는 수에 똑같이 100배 하면
864÷4이므로 8.64÷0.04=216입니다.

5 2.76÷0.12=276÷12=23

6 나누어지는 수와 나누는 수에 각각 10배 하면
42.3÷0.9=423÷9=47입니다.

---

11 큰 수: 48.6, 작은 수: 5.4
➡ 48.6÷5.4=9
$$5.4 \overline{)\,4\,8.6}$$ 9
$4\,8\,6$
$\,\,\,\,\,\,\,0$

12 서아: 43.7÷2.3=19
지호: 75.6÷4.2=18

13 (전체 물의 양)÷(물통 한 개에 담는 물의 양)
=7.2÷0.6=12(개)

14 나누어지는 수와 나누는 수가 모두 소수 두 자리 수
이므로 분모가 100인 분수로 나타내어 계산합니다.

15
$$0.26 \overline{)\,6.2\,4}$$ 2 4
$5\,2$
$1\,0\,4$
$1\,0\,4$
$\,\,\,\,\,\,0$

16
$$1.29 \overline{)\,3\,3\,5.4}$$ 2 6
$2\,5\,8$
$\,\,\,7\,7\,4$
$\,\,\,7\,7\,4$
$\,\,\,\,\,\,\,\,0$

17 나누어지는 수와 나누는 수에 똑같이 100배 하면
784÷28이 되고 계산 결괏값은 같습니다.

19 59.84÷3.74=16

20 $8.28 \div 0.69 = \frac{828}{100} \div \frac{69}{100}$

21 (전체 리본 테이프의 길이)÷(자른 한 조각의 길이)
=0.64÷0.16=4(개)

23
$$2.9 \overline{)\,5.2\,2}$$ 1.8
$2\,9$
$2\,3\,2$
$2\,3\,2$
$\,\,\,\,\,\,0$

24
$$4.3 \overline{)\,1\,0.7\,5}$$ 2.5
$8\,6$
$2\,1\,5$
$2\,1\,5$
$\,\,\,\,\,\,0$

25 소수점을 옮겨서 계산한 경우, 몫의 소수점은 소수점
을 옮긴 위치에 찍어야 합니다.

26 서준: 0.98÷0.7=1.4
다은: 9.36÷7.2=1.3

27 가장 큰 수: 3.36, 가장 작은 수: 1.2
➡ 3.36÷1.2=2.8

28 1.32÷0.6=2.2(배)

개념 1~4 기초력 집중 연습 | 40쪽

1 10, 10, 8, 8	**2** 100, 100, 19, 19
3 10, 10, 4, 4	**4** 100, 100, 25, 25
5 54, 6, 54, 6, 9	**6** 247, 13, 247, 13, 19

7 9	**8** 23	**9** 2.4
10 12	**11** 5	**12** 8
13 2.9	**14** 9	**15** 3.6

7
$$0.4)\overline{3.6}$$
$$\underline{3\ 6}$$
$$0$$
몫 9

8
$$0.35)\overline{8.05}$$
$$\underline{7\ 0}$$
$$1\ 0\ 5$$
$$\underline{1\ 0\ 5}$$
$$0$$
몫 23

9
$$0.7)\overline{1.68}$$
$$\underline{1\ 4}$$
$$2\ 8$$
$$\underline{2\ 8}$$
$$0$$
몫 2.4

10
$$0.46)\overline{5.52}$$
$$\underline{4\ 6}$$
$$9\ 2$$
$$\underline{9\ 2}$$
$$0$$
몫 12

유형 진단 TEST | 41쪽

1 8, 16	**2** 45	**3** (선으로 연결)
4 83, 8	**5** <	
6 6.2 cm	**7** 4.64÷2.9=1.6, 1.6 L	

1 나누어지는 수와 나누는 수가 소수 한 자리 수이므로 각각 10을 곱하여 계산해도 결괏값은 같습니다.

2 10.35÷0.23=45

3 43.5÷1.5=29
20.52÷0.76=27

4 $6.64÷0.83=\dfrac{664}{100}÷\dfrac{83}{100}=664÷83=8$

5 37.6÷4.7=8
53.1÷5.9=9

6 (가로)=(직사각형의 넓이)÷(세로)
=22.32÷3.6=6.2 (cm)

7 (필요한 페인트 양)÷(칠한 벽의 넓이)
=4.64÷2.9=1.6 (L)

---

1 STEP 개념별 유형 | 42~45쪽

1 (위에서부터) 10, 8, 8, 10

2 24　　　　**3** 35

4 $91÷2.6=\dfrac{910}{10}÷\dfrac{26}{10}=910÷26=35$

5 예
$$0.6)\overline{21}$$
$$\underline{1\ 8}$$
$$3\ 0$$
$$\underline{3\ 0}$$
$$0$$
몫 3 5

6 20÷0.8=25, 25개

7 8÷0.2=40, 40컵

8 1200, 24, 1200, 24, 50

9 24

10 12

11 $7÷0.28=\dfrac{700}{100}÷\dfrac{28}{100}=700÷28=25$

12 4, 40, 400　　　**13** 시우

14 10÷1.25=8, 8명　　　**15** 3

16 3.2　　　**17** 3.17　　　**18** 2.3

19 >　　　**20** >　　　**21** 0.67배

22 0.3 / 4, 0.3　　**23** 3, 3.9

24 (왼쪽에서부터) 4, 3.4 / 4, 3.4

25 방법1 예 12.5−3−3−3−3=0.5 / 4, 0.5
방법2 예
$$3)\overline{12.5}$$
$$\underline{12}$$
$$0.5$$
/ 4, 0.5
몫 4

26 8명, 1.3 kg

---

5 소수점을 옮겨서 계산한 경우, 몫의 소수점은 소수점을 옮긴 위치에 찍어야 합니다.

6 (전체 사탕의 양)÷(봉지 한 개에 담는 사탕의 양)
=20÷0.8=25(개)

7 (전체 우유의 양)÷(한 컵에 담는 우유의 양)
=8÷0.2=40(컵)

8 나누는 수가 소수 두 자리 수이므로 분모가 100인 분수의 나눗셈으로 계산합니다.

12 나누어지는 수는 같고 나누는 수가 각각 $\dfrac{1}{10}$배, $\dfrac{1}{100}$배가 되면 몫은 10배, 100배가 됩니다.

13 시우: 21÷0.75=28
지안: 32÷1.28=25

14 (전체 찰흙의 양)÷(한 사람에게 나누어 주는 찰흙의 양)
=10÷1.25=8(명)

15 소수 첫째 자리 숫자가 1이므로 버림합니다. ➡ 3

16 소수 둘째 자리 숫자가 6이므로 올림합니다.
➡ 3.2

17 소수 셋째 자리 숫자가 6이므로 올림합니다.
➡ 3.17

18

$$
\begin{array}{r}
2.2\,8 \\
0.7\,)\overline{1.6} \\
1\,4 \\
\hline
2\,0 \\
1\,4 \\
\hline
6\,0 \\
5\,6 \\
\hline
4
\end{array}
$$

소수 둘째 자리에서 반올림합니다. ➡ 2.3

19 $97 \div 7 = 13.8\cdots$ ➡ 14

20 $2.3 \div 9 = 0.25\cdots$ ➡ 0.3

21 $2 \div 3 = 0.666\cdots$ ➡ 0.67(배)

22 5를 4번 뺐습니다. ➡ 몫: 4
남는 수가 0.3입니다. ➡ 남는 수: 0.3

24 봉지 수를 구해야 하므로 나눗셈의 몫을 자연수 부분까지 구합니다.

26

$$
\begin{array}{r}
8 \quad\text{—사람 수} \\
2\,)\overline{17.3} \\
1\,6 \\
\hline
1.3 \quad\text{—남는 양}
\end{array}
$$

---

1 300, 6, 300, 6, 50
2 1300, 325, 1300, 325, 4
3 (위에서부터) 10, 35, 35, 10
4 (위에서부터) 100, 75, 75, 100
5 45   **6** 75   **7** 8
8 50   **9** 35   **10** 36
11 1.3   **12** 0.8   **13** 2.8

1 나누는 수가 소수 한 자리 수이므로 분모가 10인 분수의 나눗셈으로 계산합니다.

2 나누는 수가 소수 두 자리 수이므로 분모가 100인 분수의 나눗셈으로 계산합니다.

---

3 나누는 수가 소수 한 자리 수이므로 나누는 수와 나누어지는 수에 각각 10을 곱해 자연수끼리의 나눗셈으로 계산해도 결괏값은 같습니다.

4 나누는 수가 소수 두 자리 수이므로 나누는 수와 나누어지는 수에 각각 100을 곱해 자연수끼리의 나눗셈으로 계산해도 결괏값은 같습니다.

1 2.6 / 2, 2.6   **2** ( )(○)
3 0.64   **4** 32, 320, 3200
5 8자루, 1.2 kg
6 예 $4 \div 21 = 0.19\cdots$, 0.2분 뒤

2 $7 \div 0.28 = 25$
$35 \div 1.25 = 28$

3 $4.5 \div 7 = 0.642\cdots$ ➡ 0.64

4 나누어지는 수가 10배, 100배이면 몫도 10배, 100배가 됩니다.
$1.28 \div 0.04 = 32$
$12.8 \div 0.04 = 320$
$128 \div 0.04 = 3200$

5

$$
\begin{array}{r}
8 \quad\text{—자루 수} \\
2\,)\overline{17.2} \\
1\,6 \\
\hline
1.2 \quad\text{—남는 양}
\end{array}
$$

6 $4 \div 21 = 0.19\cdots$ ➡ 0.2

---

1 156, 12, 156, 12, 13
2 $4.8 \div 0.3 = \dfrac{48}{10} \div \dfrac{3}{10} = 48 \div 3 = 16$
3 100, 7, 24   **4** <
5 ㉠   **6** <
7 $6 \div 1.2 = 5$, 5 m
8 $115.2 \div 9.6 = 12$, 12 cm
9 9 cm   **10** 26
11 18   **12** 36
13 9

1 $15.6 \div 1.2 = \dfrac{156}{10} \div \dfrac{12}{10} = 156 \div 12 = 13$

2 나누어지는 수와 나누는 수가 소수 한 자리 수이므로 분모가 10인 분수로 나타내어 계산합니다.

3 $1.68 \div 0.07 = \dfrac{168}{100} \div \dfrac{7}{100} = 168 \div 7 = 24$

> **참고**
> 나누어지는 수와 나누는 수가 소수 한 자리 수
> ➡ 분모가 10인 분수로 바꿉니다.
> 나누어지는 수와 나누는 수가 소수 두 자리 수
> ➡ 분모가 100인 분수로 바꿉니다.

4 $27 \div 1.8 = 15$
$56 \div 3.5 = 16$

5 ㉠ $6.75 \div 2.7 = 2.5$
㉡ $2.72 \div 1.6 = 1.7$

6 $52 \div 7 = 7.4 \cdots$ ➡ 7

7 (직사각형의 넓이) = (가로) × (세로)
➡ (직사각형의 가로) = (넓이) ÷ (세로)
   $= 6 \div 1.2 = 5$

8 (평행사변형의 넓이) = (밑변) × (높이)
➡ (평행사변형의 높이) = (넓이) ÷ (밑변)

9 $76.5 \div 8.5 = 9$ (cm)

10 $44.2 \div \square = 1.7$
➡ $44.2 \div 1.7 = \square$, $\square = 26$

11 $38.7 \div \square = 2.15$
➡ $38.7 \div 2.15 = \square$, $\square = 18$

12 $3.25 \times \square = 117$
➡ $117 \div 3.25 = \square$, $\square = 36$

13 어떤 수를 $\square$라 하면
$67.5 \div \square = 7.5$입니다.
➡ $67.5 \div 7.5 = \square$, $\square = 9$

---

3 STEP 수학 독해력 유형 50~51쪽

> **독해력 유형 1** ❶ 30, 1, 1.5 ❷ $114 \div 1.5$
> ❸ 76 km
> **쌍둥이 유형 1-1** 67 km **쌍둥이 유형 1-2** 9 L
> **독해력 유형 2** ❶ $\square \times 0.9 = 3.15$ ❷ 3.5
> ❸ 5
> **쌍둥이 유형 2-1** 9 **쌍둥이 유형 2-2** 12

독해력 유형 1 ❷ (한 시간 동안 갈 수 있는 거리)
= (간 거리) ÷ (걸린 시간) = $114 \div 1.5$
❸ $114 \div 1.5 = 76$ (km)

쌍둥이 유형 1-1 ❶ 시간을 소수로 고치면
1시간 15분 = $1\dfrac{15}{60}$시간 = $1\dfrac{1}{4}$시간 = 1.25시간
❷ (한 시간 동안 갈 수 있는 거리)
= (간 거리) ÷ (걸린 시간)
= $83.75 \div 1.25$
❸ $83.75 \div 1.25 = 67$ (km)

쌍둥이 유형 1-2 ❶ 시간을 소수로 고치면
1분 45초 = $1\dfrac{45}{60}$분 = $1\dfrac{3}{4}$분 = 1.75분
❷ (1분 동안 나오는 물의 양)
= (받은 물의 양) ÷ (걸린 시간)
= $15.75 \div 1.75$
❸ $15.75 \div 1.75 = 9$ (L)

독해력 유형 2 ❷ $\square \times 0.9 = 3.15$에서
$\square = 3.15 \div 0.9 = 3.5$입니다.
❸ 어떤 수는 3.5이므로
$3.5 \div 0.7 = 5$입니다.

쌍둥이 유형 2-1 ❶ 어떤 수를 $\square$라 하여 잘못 계산한 식을 세우면 $\square \times 0.5 = 1.35$입니다.
❷ $\square \times 0.5 = 1.35$에서 $\square = 1.35 \div 0.5 = 2.7$입니다.
❸ 어떤 수는 2.7이므로 바르게 계산한 값을 구하면 $2.7 \div 0.3 = 9$입니다.

쌍둥이 유형 2-2 ❶ 어떤 수를 $\square$라 하여 잘못 계산한 식을 세우면 $\square \times 0.6 = 5.76$입니다.
❷ $\square \times 0.6 = 5.76$에서 $\square = 5.76 \div 0.6 = 9.6$입니다.
❸ 어떤 수는 9.6이므로 바르게 계산한 값을 구하면 $9.6 \div 0.8 = 12$입니다.

1-1 예
$$0.7 \overline{)\begin{array}{r} 3.8 \\ 2.6\,6 \\ \hline 2\,1 \\ 5\,6 \\ \hline 5\,6 \\ \hline 0 \end{array}}$$
/ 예 소수점을 옮겨서 계산한 경우, 몫의 소수점은 소수점을 옮긴 위치에 찍어야 합니다.

1-2 예
$$0.6 \overline{)\begin{array}{r} 4\,5 \\ 2\,7 \\ \hline 2\,4 \\ 3\,0 \\ \hline 3\,0 \\ \hline 0 \end{array}}$$
/ 예 소수점을 옮겨서 계산한 경우, 몫의 소수점은 소수점을 옮긴 위치에 찍어야 합니다.

2-1 5배 **2-2** 4배

2-3 $0.84 \div 0.7 = 1.2$, 1.2배

2-4 $4.32 \div 3.6 = 1.2$, 1.2배

3-1 7상자 **3-2** 5병

3-3 7개, 1.6 m

4-1 5

4-2 예 $14.82 \div 2.47 > \square$에서 $14.82 \div 2.47 = 6$이므로 $6 > \square$입니다.

➡ □ 안에 들어갈 수 있는 가장 큰 자연수는 5입니다. **답** 5

4-3 6

5-1 $81.2 \div 1.4 = 58$

5-2 $20.8 \div 0.8 = 26$

5-3 $46.8 \div 0.2 = 234$, 예 468과 2를 각각 $\frac{1}{10}$배 하면 46.8과 0.2가 됩니다.

6-1 9, 6, 4 / 24.1

6-2 7, 5, 4, 예 몫이 가장 큰 나눗셈식을 만들려면 나누어지는 수를 가장 큰 수로 만들면 됩니다.
7>5>4이므로 가장 큰 수는 7.54입니다.
➡ $7.54 \div 2.6 = 2.9$ **답** 2.9

6-3 1, 5, 6 / 2.6

7-1 단계**1** 0.5454…… 단계**2** 5, 4 단계**3** 5

7-2 5

8-1 단계**1** 56군데 단계**2** 57그루 단계**3** 114그루

8-2 52그루

1-1 평가 기준
몫의 소수점은 소수점을 옮긴 위치에 찍어야 한다고 썼으면 정답입니다.

1-2 평가 기준
몫의 소수점은 소수점을 옮긴 위치에 찍어야 한다고 썼으면 정답입니다.

2-1 (분홍색)÷(하늘색)=24÷4.8=5(배)

2-2 (감자의 무게)÷(고구마의 무게)
=10÷2.5
=4(배)

2-3 (집~도서관)÷(집~마트)=0.84÷0.7
=1.2(배)

2-4 (가로)÷(세로)=4.32÷3.6
=1.2(배)

3-1
$$3 \overline{)\begin{array}{r} 7 \quad\text{—상자 수} \\ 22.4 \\ \hline 21 \\ \hline 1.4 \quad\text{—남는 양} \end{array}}$$

3-2 11.2÷2의 몫을 자연수 부분까지 계산하면
$$2 \overline{)\begin{array}{r} 5 \quad\text{—병의 수} \\ 11.2 \\ \hline 10 \\ \hline 1.2 \quad\text{—남는 양} \end{array}}$$
따라서 5병을 팔 수 있습니다.

3-3
$$2 \overline{)\begin{array}{r} 7 \quad\text{—상자 수} \\ 15.6 \\ \hline 14 \\ \hline 1.6 \quad\text{—남는 양} \end{array}}$$

4-1 $10.8 \div 1.8 > \square$에서 $10.8 \div 1.8 = 6$이므로 $6 > \square$입니다.
➡ □ 안에 들어갈 수 있는 가장 큰 자연수는 5입니다.

4-2 평가 기준
나눗셈식을 계산하여 가장 큰 자연수를 구했으면 정답입니다.

4-3 $6.25 \div 1.25 < \square$에서 $6.25 \div 1.25 = 5$이므로 $5 < \square$입니다.
➡ □ 안에 들어갈 수 있는 가장 작은 자연수는 6입니다.

5-1 812와 14를 각각 $\frac{1}{10}$배 하면 81.2와 1.4가 됩니다.

13

5-2 208과 8을 각각 $\frac{1}{10}$배 하면 20.8과 0.8이 됩니다.

> **참고**
> 주어진 수는 10배 한 수이므로 $\frac{1}{10}$배 하여 나누어지는 수와 나누는 수를 구합니다.

5-3 **평가 기준**
> 식을 바르게 쓰고, 468과 2를 각각 $\frac{1}{10}$배 하면 46.8과 0.2가 된다는 내용을 썼으면 정답입니다.

6-1 몫이 가장 큰 나눗셈식을 만들려면 나누어지는 수를 가장 큰 수로 만듭니다.
→ $9.64 \div 0.4 = 24.1$

> **참고**
> 나누는 수가 주어졌을 때 몫이 가장 큰 나눗셈식을 만들려면 나누어지는 수를 가장 크게 만들면 됩니다. 몫이 가장 작은 나눗셈식을 만들려면 나누어지는 수를 가장 작게 만들면 됩니다.

6-2 **평가 기준**
> 나누어지는 수를 가장 큰 수로 만든 다음 바르게 계산하였으면 정답입니다.

6-3 몫이 가장 작은 나눗셈식을 만들려면 나누어지는 수를 가장 작은 수로 만들면 됩니다.
→ $1.56 \div 0.6 = 2.6$

7-1 단계1 $6 \div 11 = 0.5454\cdots$
단계3 몫의 소수점 아래 자릿수가 홀수인 자리의 숫자는 5이므로 소수 15째 자리 숫자는 5입니다.

7-2 $42.8 \div 9 = 4.755\cdots$
반복되는 수는 5입니다.
따라서 몫의 소수 17째 자리 숫자는 5입니다.

8-1 단계1 0.42 km=420 m이므로 도로 한쪽에 심은 나무 사이의 간격은 $420 \div 7.5 = 56$(군데)입니다.
단계2 (간격 수)+1=(심은 나무 수)
→ $56 + 1 = 57$(그루)
단계3 $57 \times 2 = 114$(그루)

8-2 0.21 km=210 m이므로 도로 한쪽에 심은 나무 사이의 간격은 $210 \div 8.4 = 25$(군데)입니다.
도로 한쪽에 심은 나무는 $25 + 1 = 26$(그루)이므로 도로 양쪽에 심은 나무는 $26 \times 2 = 52$(그루)입니다.

유형 TEST 56~58쪽

1 72, 8, 72, 8, 9   **2** 10, 10, 17, 17
3 12   **4** (○)( )
5 $1.62 \div 0.09 = \frac{162}{100} \div \frac{9}{100} = 162 \div 9 = 18$
6 1.6   **7** 2, 2.7
8 45   **9** 112, 7 / 112, 7, 16
10 0.6   **11** 2.4 m
12
$$\begin{array}{r} 6\,5 \\ 0.8\,\overline{)\,5\,2} \\ 4\,8 \\ \hline 4\,0 \\ 4\,0 \\ \hline 0 \end{array}$$
13 $10.5 \div 0.5 = 21$, 21개
14 >
15 8개, 1.1 kg
16 2.6

17 예 ❶ $10 \div 1.25 <$ □에서 $10 \div 1.25 = 8$이므로 $8 <$ □입니다.
❷ → 가장 작은 자연수는 9입니다. **답** 9

18 식 ❶ $40.2 \div 0.3 = 134$, 이유 ❷ 예 402와 3을 각각 $\frac{1}{10}$배 하면 40.2와 0.3이 됩니다.

19 7, 5, 2, 예 ❶ 몫이 가장 큰 나눗셈식을 만들려면 나누어지는 수를 가장 큰 수로 만들면 됩니다. $7>5>2$이므로 가장 큰 수는 7.52입니다.
❷ → $7.52 \div 0.8 = 9.4$ **답** 9.4

20 예 ❶ 0.14 km=140 m이므로 도로 한쪽에 놓은 화분 사이의 간격은 $140 \div 5.6 = 25$(군데)입니다.
❷ 도로 한쪽에 놓은 화분은 $25 + 1 = 26$(개)이므로
❸ 도로 양쪽에 놓은 화분은 $26 \times 2 = 52$(개)입니다. **답** 52개

2 나누어지는 수와 나누는 수에 똑같이 10배 하여 (자연수)÷(자연수)로 계산합니다.

4 $81.6 \div 3.4$
→ $816 \div 34$로 계산할 수 있습니다.

6 $5.12 \div 3.2 = 1.6$

7
$$\begin{array}{r} 2 \\ 7\,\overline{)\,16.7} \\ 14 \\ \hline 2.7 \end{array}$$

8 $36 \div 0.8 = 45$

9 1 m = 100 cm이므로
1.12 m = 112 cm, 0.07 m = 7 cm입니다.

10 $7 \div 11 = 0.6\underline{3}\cdots \Rightarrow 0.6$

11 (평행사변형의 높이) = (넓이) ÷ (밑변)
$= 9.12 \div 3.8 = 2.4$ (m)

12 소수점을 옮겨서 계산한 경우, 몫의 소수점은 소수점을 옮긴 위치에 찍어야 합니다.

13 (전체 물의 양) ÷ (물통 1개에 담는 물의 양)
$= 10.5 \div 0.5 = 21$(개)

14 $4.3 \div 6 = 0.\underline{7}\cdots \Rightarrow 1$

15 $25.1 \div 3$의 몫을 자연수 부분까지 계산하면

$$3 \overline{)25.1} \quad \begin{array}{l} 8 \text{ —바구니 수} \\ \underline{24} \\ 1.1 \text{ —남는 양} \end{array}$$

따라서 바구니 8개에 담을 수 있고 1.1 kg이 남습니다.

16 어떤 수를 □라 하면 $19.24 \div □ = 7.4$입니다.
$19.24 \div □ = 7.4$, $19.24 \div 7.4 = □$, $□ = 2.6$

17 채점 기준

❶ 나눗셈식을 계산함.	2점	5점
❷ 가장 작은 자연수를 구함.	3점	

18 채점 기준

❶ 나눗셈식을 바르게 씀.	2점	5점
❷ 402와 3을 각각 $\frac{1}{10}$ 배 하면 40.2와 0.30이 된다는 이유를 씀	3점	

19 채점 기준

❶ 나누어지는 수가 가장 큰 수가 되도록 구함.	2점	5점
❷ 나눗셈식을 바르게 계산함.	3점	

20 채점 기준

❶ 간격 수를 구함.	2점	5점
❷ 도로 한쪽에 놓은 화분 수를 구함.	2점	
❸ 도로 양쪽에 놓은 화분 수를 구함.	1점	

유형 다시 보기 — 앞 단원 · 59쪽

① 2

② ㉡

③ $5\frac{1}{4} \div \frac{3}{8} = 14$, 14개

④ <

① $\dfrac{6}{11} \div \dfrac{3}{11} = 6 \div 3 = 2$

② $\dfrac{7}{18} \div \dfrac{2}{9} = \dfrac{7}{18} \times \dfrac{9}{2}$

③ $5\dfrac{1}{4} \div \dfrac{3}{8} = \dfrac{21}{4} \div \dfrac{3}{8} = \dfrac{\overset{7}{\cancel{21}}}{\underset{1}{\cancel{4}}} \times \dfrac{\overset{2}{\cancel{8}}}{\underset{1}{\cancel{3}}} = 14$(개)

④ $12 \div \dfrac{6}{7} = \overset{2}{\cancel{12}} \times \dfrac{7}{\underset{1}{\cancel{6}}} = 14$

$9 \div \dfrac{3}{5} = \overset{3}{\cancel{9}} \times \dfrac{5}{\underset{1}{\cancel{3}}} = 15$

재미있는 창의 · 융합 · 코딩 — 60~61쪽

코딩① 31.2, 2.6, 12 　코딩② 1.5
창의③ 1.8배 　창의④ 가

코딩① A = 31.2, B = 2.6을 입력하면
A ÷ B = 31.2 ÷ 2.6 = 12입니다.

코딩② $A = 11.5 \Rightarrow 11.5 - 2 = 9.5 \Rightarrow 9.5 > 2$
$A = 9.5 \Rightarrow 9.5 - 2 = 7.5 \Rightarrow 7.5 > 2$
$A = 7.5 \Rightarrow 7.5 - 2 = 5.5 \Rightarrow 5.5 > 2$
$A = 5.5 \Rightarrow 5.5 - 2 = 3.5 \Rightarrow 3.5 > 2$
$A = 3.5 \Rightarrow 3.5 - 2 = 1.5 \Rightarrow 1.5 < 2$
따라서 출력값은 1.5입니다.

창의③ (코끼리의 무게) ÷ (하마의 무게)
$= 4.14 \div 2.3 = 1.8$(배)

창의④ 가: $4900 \div 3.5 = 1400$(원)
나: $3750 \div 2.5 = 1500$(원)

3. 공간과 입체

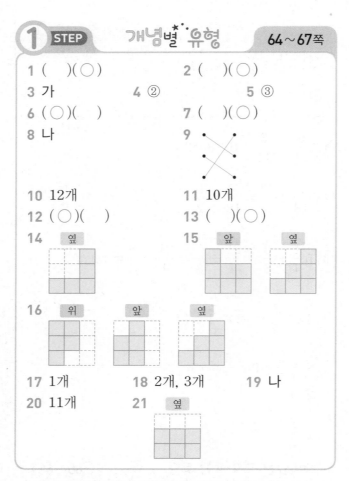

1 ( )(○)　　　　　2 ( )(○)
3 가　　　　4 ②　　　　5 ③
6 (○)( )　　　　　7 ( )(○)
8 나　　　　9
10 12개　　　　　11 10개
12 (○)( )　　　　　13 ( )(○)
14 옆
15 앞 옆
16 위 앞 옆
17 1개　　　18 2개, 3개　　　19 나
20 11개　　　21 옆

2 라에서 보면 손잡이가 컵의 왼쪽에 있습니다.

3 ㉠에서 보면 모자 챙이 오른쪽에 있습니다.

8 나를 보기 의 방향에서 보면 ○표 한 쌓기나무가 보이게 됩니다.

10 1층에 7개, 2층에 4개, 3층에 1개 ➡ 12개

11 1층에 6개, 2층에 3개, 3층에 1개 ➡ 10개

12 위에서 본 모양을 보면 뒤에 보이지 않는 쌓기나무가 없다는 것을 알 수 있습니다.

14 왼쪽부터 1층, 1층, 3층을 그립니다.

15 각 줄의 가장 높은 층까지 그립니다.

16 쌓기나무 10개로 쌓은 것이므로 뒤에 보이지 않는 쌓기나무는 없다는 것을 알 수 있습니다.

19 위 ○ 자리: 2개씩, △ 자리에 1개씩 있는 것을 찾습니다.

20
앞→

1층: 6개, 2층: 3개, 3층: 2개
➡ 6+3+2=11(개)

21 앞→

위와 앞에서 본 모양을 보면 쌓기나무 8개로 쌓은 모양은 왼쪽과 같습니다.

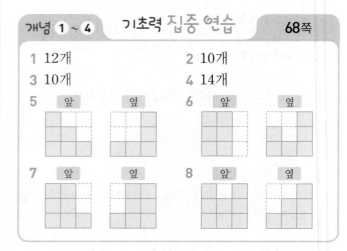

1 12개　　　　　2 10개
3 10개　　　　　4 14개
5 앞 옆　　　　　6 앞 옆
7 앞 옆　　　　　8 앞 옆

1 1층: 7개, 2층: 4개, 3층: 1개
➡ 7+4+1=12(개)

5 위에서 본 모양을 보면 뒤에 보이지 않는 쌓기나무가 없다는 것을 알 수 있습니다.
각 줄의 가장 높은 층까지 그립니다.

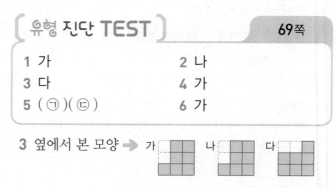

1 가　　　　　2 나
3 다　　　　　4 가
5 (㉠)(㉢)　　　　6 가

3 옆에서 본 모양 ➡ 가 나 다

6 상자와 사각뿔 모양의 밑면이 왼쪽 그림과 같고, 사각뿔 모양을 만들고 있는 빨간 철사가 가운데에서 만납니다.

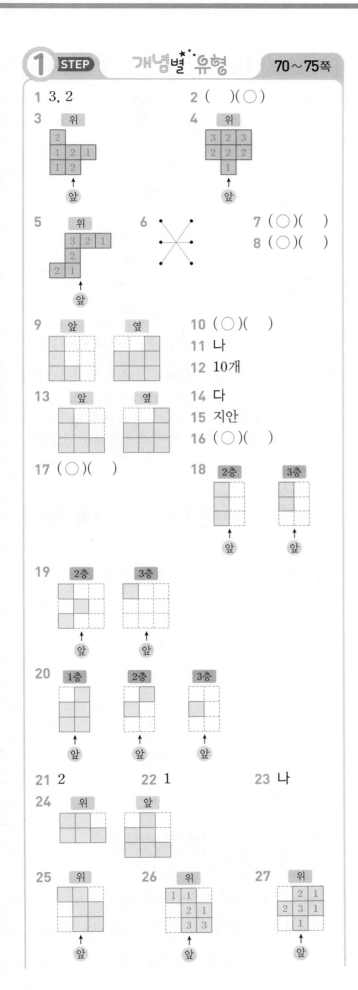

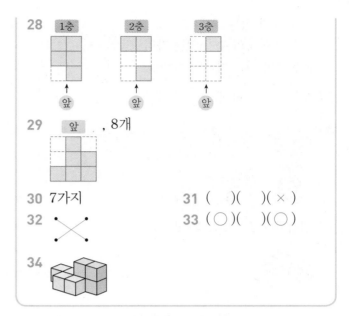

1 3, 2

2 ( )(○)

7 (○)( )

8 (○)( )

10 (○)( )

11 나

12 10개

14 다

15 지안

16 (○)( )

17 (○)( )

21 2

22 1

23 나

29 , 8개

30 7가지

31 ( )( )(×)

33 (○)( )(○)

1 ㉠ 자리에 쌓기나무가 3개 있습니다.
㉡ 자리에 쌓기나무가 2개 있습니다.

2 각 자리에 쌓여있는 쌓기나무의 개수를 세어 그 자리에 쓰여있는 수와 맞는지 알아봅니다.

9 각 줄의 가장 높은 층까지 그립니다.

12 3+2+2+1+1+1=10(개)

13 각 줄의 가장 높은 층까지 그립니다.

14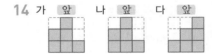

15 지안: 1+3+2+1+1+1+1=10(개)

16 2층에 쌓인 쌓기나무를 살펴봅니다.

17 3층에 쌓인 쌓기나무를 살펴봅니다.

20 쌓기나무 8개로 쌓은 모양이므로 뒤에 보이지 않는 쌓기나무는 없습니다.

21 1층과 2층 모양을 보면 ㉠ 자리에 쌓기나무가 각각 있으므로 2층까지 쌓여 있습니다.

22 ㉡ 자리에 쌓기나무가 1층만 있으므로 1을 씁니다.

23 위에서 본 모양에 수를 써 보면 오른쪽 그림과 같습니다.

25 **참고**
위에서 본 모양과 1층의 모양은 같습니다.

28 1층: 수가 있는 자리
2층: 2 이상의 수가 있는 자리
3층: 3이 있는 자리

29 5+2+1=8(개)

30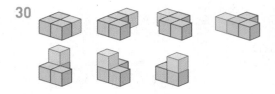

32 뒤집거나 돌린 모양을 찾습니다.

33

개념 5~10 기초력 집중 연습 76쪽

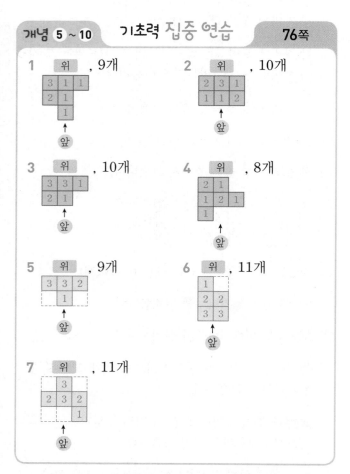

1 위에서 본 모양에 쓴 수를 모두 더합니다.
3+1+1+2+1+1=9(개)

5 3+3+2+1=9(개)

6 1+2+2+3+3=11(개)

7 3+2+3+2+1=11(개)

유형 진단 TEST 77쪽

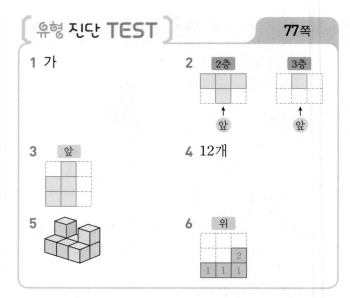

1 나는 1층 위에 쌓을 수 없는 쌓기나무가 있습니다.

6 앞에서 본 모양에서 ○ 자리에 쌓기나무가 1개씩 있음을 알 수 있습니다.
옆에서 본 모양에서 △ 자리에 쌓기나무가 1개, □ 자리에 쌓기나무가 2개 있음을 알 수 있습니다.

2 STEP 꼬리를 무는 유형 78~79쪽

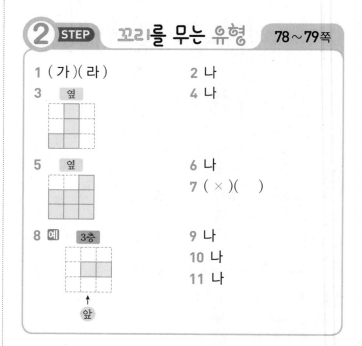

1 (가)(라)   2 나
3   4 나
5   6 나
7 (×)( )
8 예   9 나
10 나
11 나

2 나

빨간 컵의 손잡이가 보이면 안 됩니다.

3 각 줄의 가장 높은 층까지 그립니다.

4 옆에서 본 모양이 왼쪽부터 1층, 3층인 것을 찾습니다.

5 각 줄의 가장 높은 층까지 그립니다.

6 1층에 쌓기나무가 있어야 2층에도 쌓을 수 있습니다.

7 1층 위에 2층을 쌓는 것이므로 1층에 쌓지 않은 자리에 2층에 색칠된 것이 있습니다.

8 다른 예:

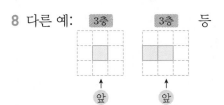

9   **10**   **11**

③ STEP 수학 독해력 유형   80~81쪽

| 독해력 유형 **1** | **①** 2 이상 | **②** 3개 | **③** 3개 |

| 쌍둥이 유형 **1-1** | 4개 | 쌍둥이 유형 **1-2** | 2개 |

| 독해력 유형 **2** | **①** 1개 | **②** 2개 | **③** 옆 |

| 쌍둥이 유형 **2-1** 옆 | 쌍둥이 유형 **2-2** 옆 |

독해력 유형 1 **①** 2층, 3층……까지 쌓으려면 2층에도 쌓기나무가 있으므로 2 이상인 수를 알아봐야 합니다.
② 2와 3이 쓰여있는 자리는 3개입니다.

쌍둥이 유형 1-1 **①** 2층에 쌓인 쌓기나무의 개수를 알아보려면 쓰여있는 수가 2 이상인 자리를 알아봅니다.
② 쓰여있는 수가 2 이상인 자리는 4개입니다.
③ 2층에 쌓인 쌓기나무는 4개입니다.

쌍둥이 유형 1-2 **①** 3층에 쌓인 쌓기나무의 개수를 알아보려면 쓰여있는 수가 3 이상인 자리를 알아봅니다.
② 쓰여있는 수가 3 이상인 자리는 2개입니다.
③ 3층에 쌓인 쌓기나무는 2개입니다.

독해력 유형 2 **②** 남은 쌓기나무 6개 중 각 자리에 최대 2개까지만 쌓을 수 있으므로 △ 자리는 쌓기나무가 2개씩입니다.

쌍둥이 유형 2-1 **①** 위에서 본 모양에서 ○ 자리는 쌓기나무가 2개입니다.
② 6−2=4(개)이므로 △ 자리는 쌓기나무가 1개씩입니다.
③ 옆에서 본 모양을 그리면 왼쪽부터 1층, 2층, 1층입니다.

쌍둥이 유형 2-2 **①** 위에서 본 모양에서 ○ 자리는 쌓기나무가 1개씩입니다.
② 남은 쌓기나무가 2개이고 앞에서 본 모양을 보면 △ 자리는 쌓기나무가 2개입니다.
③ 옆에서 본 모양을 그리면 왼쪽부터 2층, 1층입니다.

④ STEP 사고력 플러스 유형   82~85쪽

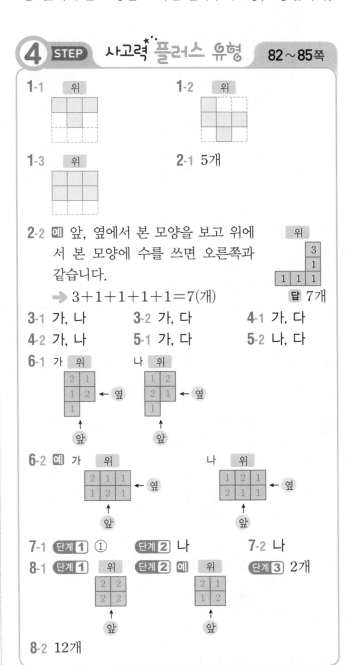

1-1 위   **1-2** 위

1-3 위   **2-1** 5개

2-2 예 앞, 옆에서 본 모양을 보고 위에서 본 모양에 수를 쓰면 오른쪽과 같습니다.
➡ 3+1+1+1+1=7(개)   답 7개

3-1 가, 나   **3-2** 가, 다   **4-1** 가, 다
4-2 가, 나   **5-1** 가, 다   **5-2** 나, 다

6-1 가 위   나 위

6-2 예 가 위   나 위

7-1 단계 **1** ①   단계 **2** 나   **7-2** 나

8-1 단계 **1** 위   단계 **2** 예 위   단계 **3** 2개

8-2 12개

1-1 쌓기나무 7개로 쌓은 모양이므로 뒤에 보이지 않는 쌓기나무는 없습니다.

1-3 쌓기나무 8개로 쌓은 모양이므로 뒤에 보이지 않는 쌓기나무는 없습니다.

2-1 앞, 옆에서 본 모양을 보고 위에서 본 모양에 수를 쓰면 오른쪽과 같습니다.

➡ $1+2+1+1=5$(개)

2-2 평가 기준

위에서 본 모양에 수를 써서 필요한 쌓기나무의 개수를 바르게 구했으면 정답입니다.

3-1 참고

각각의 모양을 돌리거나 뒤집어서 상자 안에 넣을 수 있는지 살펴봅니다.
또는 여러 방향에서 본 모양이 상자의 구멍과 모양이 같은지 살펴봐도 됩니다.

4-1 2층으로 가능한 모양은 가, 나, 다입니다.
2층에 가를 놓으면 3층에 다를 놓을 수 있습니다.
2층에 나를 놓으면 3층에 놓을 수 있는 모양이 없습니다.
2층에 다를 놓으면 3층에 놓을 수 있는 모양이 없습니다.

4-2 2층으로 가능한 모양은 가, 나입니다.
2층에 가를 놓으면 3층에 나를 놓을 수 있습니다.
2층에 나를 놓으면 3층에 놓을 수 있는 모양이 없습니다.

5-1 나는 옆에서 본 모양에 알맞지 않습니다.

5-2 가는 옆에서 본 모양에 알맞지 않습니다.

6-1 1층에 쌓기나무를 5개 놓고 남은 2개를 위치를 이동하면서 위, 앞, 옆에서 본 모양이 서로 같은 두 모양을 만들어 봅니다.

6-2 1층에 쌓기나무를 6개 놓고 남은 2개를 위치를 이동하면서 위, 앞, 옆에서 본 모양이 서로 같은 두 모양을 만들어 봅니다.

7-2 가 　　　　　　　㉠ 부분이 보입니다.

8-1 단계 3 $8-6=2$(개)

8-2

가장 많을 때	가장 적을 때
	예

➡ $27-15=12$(개)

유형 TEST

1 (　)(◯)

2 2

3 (　)(◯)

4 나

5

6

7 10개

8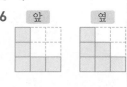

9

10 ㉠

11

12

13 나

14 3개

15 예 ❶ 앞, 옆에서 본 모양을 보고 위에서 본 모양에 수를 쓰면 오른쪽과 같습니다.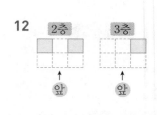

❷ ➡ $3+1+1+1=6$(개)　　답 6개

16 나, 다

17 나, 가

18 가

19 예

20 예 ❶ 쌓기나무가 가장 적을 때 위에서 본 모양에 수를 쓰면 오른쪽과 같습니다.

❷ ➡ $2+1+2+1+2+1=9$(개)

답 9개

5 참고

각 자리에 쌓기나무가 몇 개 쌓여 있는지 살펴봅니다.

7 1층: 6개, 2층: 3개, 3층: 1개
➡ $6+3+1=10$(개)

9 옆에서 볼 때 각 줄에서 가장 높은 층까지 그립니다.

11 예를 들어 같은 자리에 1층, 2층, 3층이 다 색칠되어 있으면 그 자리에 3을 씁니다.

13 가

14 3 이상의 수가 쓰여있는 자리가 3개입니다.

참고

위에서 본 모양에 수를 쓴 것을 보고 층에 쌓인 쌓기나무 수 구하기
1층: (1 이상이 쓰여있는 자리 수)개
2층: (2 이상이 쓰여있는 자리 수)개
3층: (3 이상이 쓰여있는 자리 수)개

15 채점 기준

❶ 위에서 본 모양에 수를 씀.	3점	5점
❷ 쌓기나무의 개수를 구함.	2점	

17 2층으로 가능한 모양은 가, 나, 다입니다.
2층에 가를 놓으면 3층에 놓을 수 있는 모양이 없습니다.
2층에 나를 놓으면 3층에 가를 놓을 수 있습니다.
2층에 다를 놓으면 3층에 놓을 수 있는 모양이 없습니다.

주의

1층에 놓지 않은 자리에 2층을 쌓을 수 없고, 2층에 쌓여 있지 않은 자리에 3층을 쌓을 수 없습니다.

18 가   ㉠의 쌓기나무가 보입니다.

19 다른 예:

20 채점 기준

❶ 위에서 본 모양에 수를 씀.	3점	5점
❷ 가장 적을 때의 쌓기나무의 개수를 구함.	2점	

유형 다시 보기　　　89쪽

① 245

② $42÷1.2=\dfrac{420}{10}÷\dfrac{12}{10}=420÷12=35$

③ $10.8÷0.9=12$, 12개　　④ <

① $7.35÷0.03=735÷3=245$

③ $10.8÷0.9=12$(개)

④ $2.3÷7=0.32\cdots$ ➡ 0.3

재미있는 창의·융합·코딩　　90~91쪽

코딩1 ③,　앞　　창의2 ③

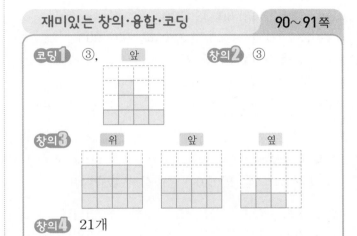

창의3 위　　앞　　옆

창의4 21개

코딩1
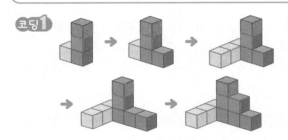

창의2 ①과 ②는 보는 방향에 따라 다르게 보일 뿐 모양은 같습니다.

창의3 4번째 모양을 그리면 왼쪽과 같습니다.

창의4 위에서 본 모양을 보면 뒤에 보이지 않는 쌓기나무는 없으므로 쌓은 모양의 쌓기나무의 개수는 $4+1+1=6$(개)입니다. 가장 작은 정육면체의 쌓기나무의 개수는 $3×3×3=27$(개)이므로 더 있어야 하는 쌓기나무의 개수는 $27-6=21$(개)입니다.

4. 비례식과 비례배분

1 2, 7
2 곱하여도
3 (위에서부터) 3, 18
4 (위에서부터) 5, 40, 5
5 ㉠
6 15 : 4
7 24 : 28
8 (위에서부터) 8, 4, 8
9 ①
10 ✕
11 ㉠, ㉣
12 지안
13 예 7 : 9, 35 : 45
14 (위에서부터) 5, 6
15 예 5 : 9
16 예 7 : 4
17 예 6 : 5
18 (위에서부터) 69, 38, 100
19 예 7 : 4
20 예 190 : 203
21 (위에서부터) 14, 9, 21
22 예 80 : 63
23 예 6 : 5
24 예 5, 3
25 (◯)( )
26 예 56 : 25

9 비의 전항과 후항을 0이 아닌 같은 수로 나누어야 비율이 같으므로 □ 안에 0은 들어갈 수 없습니다.

10 4 : 8의 전항과 후항을 4로 나누면 1 : 2입니다.
9 : 6의 전항과 후항을 3으로 나누면 3 : 2입니다.

11 ㉠ 24 : 30은 전항과 후항을 6으로 나눈 4 : 5와 비율이 같습니다.
㉣ 24 : 30은 전항과 후항을 3으로 나눈 8 : 10과 비율이 같습니다.

12 가 상자와 나 상자의 무게를 비로 나타내면 75 : 45이고, 75 : 45는 전항과 후항을 15로 나눈 5 : 3과 비율이 같습니다.

13 7 : 9, 35 : 45는 비 70 : 90의 전항과 후항을 각각 10, 2로 나눈 경우입니다.

> **참고**
> 0이 아닌 같은 수로 나누어서 나타낸 비는 모두 정답으로 인정합니다.

15 40 : 72의 전항과 후항을 8로 나누면 5 : 9가 됩니다.

17 600 : 500의 전항과 후항을 두 수의 공약수인 100으로 나누면 6 : 5가 됩니다.

19 4.2 : 2.4의 전항과 후항에 10을 곱하면 42 : 24가 되고, 42 : 24의 전항과 후항을 6으로 나누면 7 : 4가 됩니다.

20 1.9 : 2.03의 전항과 후항에 100을 곱하면 190 : 203이 됩니다.

21 $\frac{2}{3} : \frac{3}{7}$의 전항과 후항에 두 분모의 공배수인 21을 곱하면 14 : 9가 됩니다.

22 $1\frac{1}{9} : \frac{7}{8}$의 전항과 후항에 두 분모의 공배수인 72를 곱하면 80 : 63이 됩니다.

23 $\frac{2}{5} : \frac{1}{3}$의 전항과 후항에 두 분모의 공배수인 15를 곱하면 6 : 5가 됩니다.

24 $\frac{1}{2}=0.5$이므로 0.5 : 0.3의 전항과 후항에 10을 곱하면 5 : 3이 됩니다.

25 $1.2 : \frac{3}{5}$ ➡ 1.2 : 0.6 ➡ 12 : 6 ➡ 2 : 1
$\frac{4}{7} : 0.8$ ➡ $\frac{4}{7} : \frac{8}{10}$ ➡ 40 : 56 ➡ 5 : 7

26 $2.8 : 1\frac{1}{4}$ ➡ 2.8 : 1.25 ➡ 280 : 125 ➡ 56 : 25

1 4, 11
2 15, 23
3 (위에서부터) 63, 7
4 (위에서부터) 3, 39
5 (위에서부터) 4, 6
6 (위에서부터) 9, 10
7 예 3 : 5
8 예 5 : 4
9 예 32 : 21
10 예 2 : 1

7 21 : 35의 전항과 후항을 7로 나누면 3 : 5가 됩니다.

8 4.5 : 3.6의 전항과 후항에 10을 곱하면 45 : 36, 45 : 36의 전항과 후항을 9로 나누면 5 : 4가 됩니다.

9 $\frac{4}{7} : \frac{3}{8}$의 전항과 후항에 두 분모의 공배수인 56을 곱하면 32 : 21이 됩니다.

10 $1.6 : \frac{4}{5}$ ➡ 1.6 : 0.8 ➡ 16 : 8 ➡ 2 : 1

유형 진단 TEST

1 · ·
   · ·
   (X자로 연결)

2 예 3 : 2

3 예 3 : 1

4 예 후항을 소수 1.6으로 바꾼 다음 전항과 후항에 10을 곱하여 17 : 16으로 나타낼 수 있습니다.

5 6   6 3

---

2 45 : 30의 전항과 후항을 45와 30의 최대공약수 15로 나누면 3 : 2가 됩니다.

4 후항 $1\frac{3}{5}$을 소수로 바꾸면 $\frac{8}{5}=\frac{16}{10}=1.6$입니다.

1.7 : 1.6의 전항과 후항에 10을 곱하면 17 : 16이 됩니다.

5 전항을 □라 하여 비로 나타내면 □ : 14이므로

□ : 14의 비율은 $\frac{□}{14}$와 같이 나타낼 수 있습니다.

비율이 $\frac{3}{7}$이므로 $\frac{□}{14}=\frac{3}{7}$이고, $14÷2=7$이므로

□$÷2=3$입니다. ➡ □$=6$

6 $\frac{□}{4}$: $\frac{5}{18}$의 전항과 후항에 두 분모의 공배수인 36을 곱하면 (□$×9$) : 10이 됩니다.

➡ □$×9=27$이므로 □ 안에 알맞은 수는 3입니다.

---

1 STEP 개념별 유형

1 ○   2 ×   3 3, 24 / 8, 9

4 ㉡   5 ㉠   6 12, 27

7 3, 5, 60, 100(또는 60, 100, 3, 5)

8 5, 12, 60 / 3, 20, 60 / ○   9 ( )(○)

10 90 / 15, 90, 18   11 28

12 8   13 ㉡   14 24

15 49   16 49, 245, 35   17 35개

18 예 7 : 6=□ : 48   19 56초

20 예 3 : 3500=9 : □, 10500원

21 예 5 : 25=□ : 60, 12분

22 3, $\frac{1}{4}$, 20 / 1, $\frac{3}{4}$, 60   23 $\frac{4}{9}$, 24 / $\frac{5}{9}$, 30

24 12, 30   25 4000원, 2000원

26 480, 480   27 480

---

1 2 : 5 ➡ $\frac{2}{5}$, 4 : 10 ➡ $\frac{4}{10}=\frac{2}{5}$

2 5 : 15 ➡ $\frac{5}{15}=\frac{1}{3}$, 6 : 12 ➡ $\frac{6}{12}=\frac{1}{2}$

4 ㉠ 외항은 바깥쪽에 있는 5와 24입니다.
   ㉡ 외항은 바깥쪽에 있는 5와 8입니다.

5 ㉠ 4 : 6 ➡ $\frac{4}{6}=\frac{2}{3}$, 2 : 3 ➡ $\frac{2}{3}$

   ㉡ 7 : 3 ➡ $\frac{7}{3}$, 21 : 6=$\frac{21}{6}=\frac{7}{2}$

6 4 : 9의 비율은 $\frac{4}{9}$입니다.

   9 : 4의 비율 ➡ $\frac{9}{4}$, 8 : 13의 비율 ➡ $\frac{8}{13}$,

   12 : 27의 비율 ➡ $\frac{12}{27}=\frac{4}{9}$

   따라서 4 : 9와 비율이 같은 비는 12 : 27이므로 비례식으로 나타내면 4 : 9=12 : 27입니다.

7 5 : 4 ➡ $\frac{5}{4}$, 3 : 5 ➡ $\frac{3}{5}$,

   2.5 : 1.5 ➡ 25 : 15 ➡ 5 : 3 ➡ $\frac{5}{3}$,

   60 : 100 ➡ 3 : 5 ➡ $\frac{3}{5}$

   비율이 $\frac{3}{5}$으로 같은 비는 3 : 5와 60 : 100입니다.

9 외항의 곱과 내항의 곱이 같은 것을 찾습니다.

   $2×10=20$
   2 : 7=6 : 10 (×),   22 : 12=11 : 6 (○)
   $7×6=42$ $12×11=132$
   $22×6=132$

10 외항의 곱: $5×■$, 내항의 곱: $6×15$

11 $7×16=4×□$, $4×□=112$, □$=28$

12 $9×56=□×63$, □$×63=504$, □$=8$

13 ㉠ $5×20=100$, $9×36=324$ (×)

   ㉡ $\frac{1}{2}×12=6$, $\frac{1}{3}×18=6$ (○)

14 비례식에서 외항의 곱과 내항의 곱이 같으므로 내항의 곱도 168입니다. ➡ $7×★=168$, $★=24$

16 비례식에서 외항의 곱과 내항의 곱은 같습니다.

17 파란 공이 49개라면 빨간 공은 35개입니다.

18 48장을 복사하는 데 걸리는 시간을 □초라 하고 비례식을 세우면 7 : 6 = □ : 48입니다.

19 $7 \times 48 = 6 \times \square$, $6 \times \square = 336$, $\square = 56$
➡ 48장을 복사하는 데 56초가 걸립니다.

20 주스 9병의 가격을 □원이라 하고 비례식을 세우면
3 : 3500 = 9 : □입니다.
$3 \times \square = 3500 \times 9$, $3 \times \square = 31500$, $\square = 10500$
따라서 주스 9병을 사려면 10500원이 필요합니다.

21 $5 : 25 = \square : 60$
➡ $5 \times 60 = 25 \times \square$, $25 \times \square = 300$,
$\square = 12$

23 서아: $54 \times \dfrac{4}{4+5} = 54 \times \dfrac{4}{9} = 24$(자루)
시우: $54 \times \dfrac{5}{4+5} = 54 \times \dfrac{5}{9} = 30$(자루)

24 $42 \times \dfrac{2}{7} = 12$, $42 \times \dfrac{5}{7} = 30$

> **참고**
> 비례배분한 수 12와 30의 합은 전체 42와 같습니다.

25 현우: $6000 \times \dfrac{2}{2+1} = 6000 \times \dfrac{2}{3} = 4000$(원)
동생: $6000 \times \dfrac{1}{2+1} = 6000 \times \dfrac{1}{3} = 2000$(원)

26 비례배분을 할 때 전체를 주어진 비로 배분하여 부분의 양을 구할 수 있습니다.

개념 7 ~ 10 기초력 **집중 연습** 104쪽

1 11, 30 / 15, 22   **2** 8, 36 / 9, 32
3 ○   **4** ×   **5** 7
6 4   **7** 5   **8** 54
9 5, 25   **10** 18, 45
11 28, 63   **12** 105, 45

5 $3 \times 21 = \square \times 9$, $\square \times 9 = 63$, $\square = 7$

6 $28 \times 3 = 21 \times \square$, $21 \times \square = 84$, $\square = 4$

---

7 $\square \times 1.6 = 4 \times 2$, $\square \times 1.6 = 8$, $\square = 5$

8 $\dfrac{1}{9} \times \square = \dfrac{1}{4} \times 24$, $\dfrac{1}{9} \times \square = 6$, $\square = 54$

9 $30 \times \dfrac{1}{1+5} = 30 \times \dfrac{1}{6} = 5$,
$30 \times \dfrac{5}{1+5} = 30 \times \dfrac{5}{6} = 25$

10 $63 \times \dfrac{2}{2+5} = 63 \times \dfrac{2}{7} = 18$,
$63 \times \dfrac{5}{2+5} = 63 \times \dfrac{5}{7} = 45$

11 $91 \times \dfrac{4}{4+9} = 91 \times \dfrac{4}{13} = 28$,
$91 \times \dfrac{9}{4+9} = 91 \times \dfrac{9}{13} = 63$

12 $150 \times \dfrac{7}{7+3} = 150 \times \dfrac{7}{10} = 105$,
$150 \times \dfrac{3}{7+3} = 150 \times \dfrac{3}{10} = 45$

유형 진단 TEST 105쪽

1 ㉡   **2** 정현
3 (1) 5 : 3   (2) 25 m   **4** ㉠
5 예 16 : 400 = 10 : □, 250 L
6 9시간   **7** 42, 6

3 (1) 자로 재면 가로는 5 cm, 세로는 3 cm입니다.
따라서 그림으로 나타낸 꽃밭의 가로와 세로의 비는
5 : 3입니다.
(2) 실제 꽃밭의 가로를 □m라 하고 비례식을 세우면 5 : 3 = □ : 15입니다.
➡ $3 \times \square = 5 \times 15$, $3 \times \square = 75$, $\square = 25$

4 $65 \times \dfrac{5}{5+8} = 25$, $65 \times \dfrac{8}{5+8} = 40$

5 필요한 바닷물의 양을 □L라 하고 비례식을 세우면
16 : 400 = 10 : □입니다.
$16 \times \square = 400 \times 10$,
$16 \times \square = 4000$,
$\square = 250$
따라서 필요한 바닷물은 250 L입니다.

6 하루는 24시간이므로 낮은

$$24 \times \frac{3}{3+5} = 24 \times \frac{3}{8} = 9(\text{시간})\text{입니다.}$$

7 35 : ㉠=5 : ㉡이라 하면 외항의 곱이 210이므로
35×㉡=210, ㉡=6입니다.
외항의 곱이 210이므로 내항의 곱도 210입니다.
㉠×5=210, ㉠=42

10 0.7 : 1.5를 간단한 자연수의 비로 나타내면 7 : 15 입니다.

➡ 가: $330 \times \frac{7}{7+15} = 330 \times \frac{7}{22} = 105$

  나: $330 \times \frac{15}{7+15} = 330 \times \frac{15}{22} = 225$

11 $0.5 : \frac{1}{7}$ 을 간단한 자연수의 비로 나타내면 7 : 2입니다.

➡ $72 \times \frac{7}{7+2} = 72 \times \frac{7}{9} = 56,$

  $72 \times \frac{2}{7+2} = 72 \times \frac{2}{9} = 16$

12 (설탕) : (물)=$\frac{1}{9} : \frac{1}{5}$ ➡ 5 : 9

➡ 설탕: $700 \times \frac{5}{5+9} = 700 \times \frac{5}{14} = 250\ (\text{g})$

  물: $700 \times \frac{9}{5+9} = 700 \times \frac{9}{14} = 450\ (\text{g})$

---

②STEP 꼬리를 무는 유형 106~107쪽

1 예 13 : 7   2 예 27 : 20
3 예 7 : 6   4 (○)( )
5 나   6 나
7 ( )   8 ㉠
  (○)   9 ㉢, ㉠, ㉡
10 105, 225   11 56, 16
12 250 g, 450 g

2 (밑변의 길이) : (높이)=$2\frac{1}{4} : 1\frac{2}{3}$

$2\frac{1}{4} : 1\frac{2}{3}$ 의 전항과 후항에 두 분모의 공배수인 12 를 곱하면 27 : 20이 됩니다.

3 (밑변의 길이) : (높이)=$6.3 : 5\frac{2}{5}$ 에서

후항 $5\frac{2}{5}$ 를 소수로 바꾸면 5.4입니다.

6.3 : 5.4의 전항과 후항에 10을 곱하면 63 : 54가 되고, 63 : 54의 전항과 후항을 9로 나누면 7 : 6이 됩니다.

4 28 : 20은 전항과 후항을 4로 나누면 7 : 5가 됩니다.
25 : 20은 전항과 후항을 5로 나누면 5 : 4가 됩니다.

7 14×□=5×70, 14×□=350, □=25
7×72=9×□, 9×□=504, □=56

9 ㉠ $\frac{4}{7} \times 21 = 0.4 \times$□, 0.4×□=12, □=30
  ㉡ □×7.2=18×6.4, □×7.2=115.2, □=16
  ㉢ 14×6=□$\times 1\frac{3}{4}$, □$\times 1\frac{3}{4}$=84, □=48
  ➡ 48>30>16

③STEP 수학 독해력 유형 108~109쪽

독해력 유형 **1** ❶ 3 : 8
❷ (위에서부터) 16, 24, 32 / 22, 33, 44
❸ 12 : 32
쌍둥이 유형 **1-1** 10 : 35
쌍둥이 유형 **1-2** 20 : 36
독해력 유형 **2** ❶ 예 4 : 3   ❷ 32권, 24권
❸ 은찬, 8권
쌍둥이 유형 **2-1** 철민, 18개
쌍둥이 유형 **2-2** 정호, 250 mL

독해력 유형 **1** ❶ 비율 $\frac{3}{8}$ 을 비로 나타내면 3 : 8입니다.
❷ 비 3 : 8의 전항과 후항에 각각 2, 3, 4……를 곱하여 표로 나타내고 두 항의 합을 구합니다.

전항	3	6	9	12	……
후항	8	16	24	32	……
합	11	22	33	44	……

❸ 위 ❷의 표에서 전항과 후항의 합이 44인 비는 12 : 32입니다.

쌍둥이 유형 1-1 ❶ 비율 $\frac{2}{7}$를 비로 나타내면 2 : 7입니다.

❷ 비의 성질을 이용하여 만든 표는 다음과 같습니다.

전항	2	4	6	8	10	……
후항	7	14	21	28	35	……
합	9	18	27	36	45	……

❸ 전항과 후항의 합이 45인 비는 10 : 35입니다.

쌍둥이 유형 1-2 ❶ 비율 $\frac{5}{9}$를 비로 나타내면 5 : 9입니다.

❷ 비의 성질을 이용하여 만든 표는 다음과 같습니다.

전항	5	10	15	20	25	……
후항	9	18	27	36	45	……
차	4	8	12	16	20	……

❸ 전항과 후항의 차가 16인 비는 20 : 36입니다.

독해력 유형 2 ❶ $\frac{1}{3} : \frac{1}{4}$의 전항과 후항에 두 분모의 공배수인 12를 곱하면 4 : 3이 됩니다.

❷ 은찬: $56 \times \frac{4}{4+3} = 56 \times \frac{4}{7} = 32$(권)

지안: $56 \times \frac{3}{4+3} = 56 \times \frac{3}{7} = 24$(권)

❸ 32 > 24이므로 은찬이가 32 − 24 = 8(권) 더 많이 가졌습니다.

쌍둥이 유형 2-1 ❶ $\frac{1}{8} : \frac{1}{5}$의 전항과 후항에 두 분모의 공배수인 40을 곱하면 5 : 8이 됩니다.

❷ 수정: $78 \times \frac{5}{5+8} = 78 \times \frac{5}{13} = 30$(개)

철민: $78 \times \frac{8}{5+8} = 78 \times \frac{8}{13} = 48$(개)

❸ 30 < 48이므로 철민이가 48 − 30 = 18(개) 더 많이 가졌습니다.

쌍둥이 유형 2-2 ❶ 전항 0.4를 분수로 바꾸면 $\frac{4}{10} = \frac{2}{5}$입니다.

$\frac{2}{5} : \frac{2}{3}$의 전항과 후항에 두 분모의 공배수인 15를 곱하면 6 : 10이 되고, 6 : 10의 전항과 후항을 2로 나누면 3 : 5가 됩니다.

❷ 민지: $1000 \times \frac{3}{3+5} = 1000 \times \frac{3}{8} = 375$ (mL)

정호: $1000 \times \frac{5}{3+5} = 1000 \times \frac{5}{8} = 625$ (mL)

❸ 375 < 625이므로
정호가 625 − 375 = 250 (mL) 더 많이 마셨습니다.

④ STEP 사고력 플러스 유형 110~113쪽

1-1 ㉠   **1-2** 지안   **1-3** ㉡, ㉢
2-1 12, 21   **2-2** 1, 30, 5(또는 30, 1, 5)
2-3 예 2 : 5 = 4 : 10 / 예 두 수의 곱이 같은 카드를 찾아서 외항과 내항에 각각 놓아 비례식을 만들었습니다.
3-1 4   **3-2** 7   **3-3** 6
4-1 25명   **4-2** 60개   **4-3** 80 km
5-1 24, 1, 4   **5-2** 15, 5, 7
5-3 예 ㉠ : ㉡ = ㉢ : 27이라 할 때 ㉢ : 27의 비율이 $\frac{2}{9}$이므로 $\frac{㉢}{27} = \frac{2}{9}$, ㉢ = 6입니다. ㉠ : ㉡ = 6 : 27에서 외항의 곱이 108이므로 ㉠ × 27 = 108, ㉠ = 4입니다. 4 : ㉡의 비율이 $\frac{2}{9}$이므로 $\frac{4}{㉡} = \frac{2}{9}$, ㉡ = 18입니다. / 4, 18, 6

6-1 42
6-2 예 (어떤 수) $\times \frac{5}{8+5} = 20$, (어떤 수) $\times \frac{5}{13} = 20$
➡ (어떤 수) $= 20 \times \frac{13}{5} = 52$ 답 52

6-3 75자루
7-1 단계 1 예 2 : 1   단계 2 10 cm, 5 cm
단계 3 50 cm²
7-2 108 cm²
8-1 단계 1 $\frac{1}{3}$, $\frac{1}{2}$ 단계 2 예 2 : 3
단계 3 예 2 : 3
8-2 예 9 : 10

1-1 ㉠ 4 : 3 = 16 : 12에서
외항의 곱 ➡ 4 × 12 = 48,
내항의 곱 ➡ 3 × 16 = 48
외항의 곱과 내항의 곱이 같으므로 비례식입니다.

2-1 $4 \times 21 = 84$, $7 \times 12 = 84$이므로 4와 21이 외항, 7과 12가 내항인 비례식을 세울 수 있습니다.

➡ $4 : 7 = 12 : 21$

2-2 $6 \times 5 = 30$, $1 \times 30 = 30$이므로 6과 5가 외항, 1과 30이 내항인 비례식을 세울 수 있습니다.

➡ $6 : 1 = 30 : 5$, $6 : 30 = 1 : 5$

2-3 $2 \times 10 = 20$, $5 \times 4 = 20$이므로 2와 10이 외항(내항), 5와 4가 내항(외항)인 비례식을 세울 수 있습니다.

➡ $2 : 5 = 4 : 10$, $2 : 4 = 5 : 10$, $10 : 5 = 4 : 2$, $10 : 4 = 5 : 2$ ……

평가 기준
비례식을 세우고 두 수의 곱이 같은 카드로 외항과 내항에 각각 놓는다고 썼으면 정답입니다.

3-1 $6 \times 49 = (\square + 3) \times 42$, $(\square + 3) \times 42 = 294$, $\square + 3 = 7$, $\square = 4$

3-2 $19.5 \times 8 = (5 + \square) \times 13$, $(5 + \square) \times 13 = 156$, $5 + \square = 12$, $\square = 7$

3-3 $(9 - \square) \times 2 = \dfrac{2}{5} \times 15$, $(9 - \square) \times 2 = 6$, $9 - \square = 3$, $\square = 6$

4-1 연호네 반 전체 학생 수를 □명이라 하고 비례식을 세우면 $100 : \square = 60 : 15$입니다.

➡ $100 \times 15 = \square \times 60$, $\square \times 60 = 1500$, $\square = 25$

4-2 상자에 들어 있는 전체 구슬의 수를 □개라 하고 비례식을 세우면 $100 : \square = 30 : 18$입니다.

➡ $100 \times 18 = \square \times 30$, $\square \times 30 = 1800$, $\square = 60$

4-3 더 건설해야 할 도로는 전체의 $100 - 35 = 65 \, (\%)$이므로 전체 도로의 길이를 □km라 하고 비례식을 세우면

$100 : \square = 65 : 52$입니다.

➡ $100 \times 52 = \square \times 65$, $\square \times 65 = 5200$, $\square = 80$

5-1 $6 : \bigcirc = \bigcirc\!\!\!\!\! : \square$이라 할 때 $6 : \bigcirc$의 비율이 $\dfrac{1}{4}$이므

로 $\dfrac{6}{\bigcirc} = \dfrac{1}{4}$, $\bigcirc = 24$입니다.

$6 : 24 = \bigcirc : \square$에서 내항의 곱이 24이므로

$24 \times \bigcirc = 24$, $\bigcirc = 1$입니다.

$1 : \square$의 비율이 $\dfrac{1}{4}$이므로 $\dfrac{1}{\square} = \dfrac{1}{4}$, $\square = 4$입니다.

5-2 $\bigcirc : 21 = \bigcirc : \square$이라 할 때 $\bigcirc : 21$의 비율이 $\dfrac{5}{7}$이

므로 $\dfrac{\bigcirc}{21} = \dfrac{5}{7}$, $\bigcirc = 15$입니다. $15 : 21 = \bigcirc : \square$에서 내항의 곱이 105이므로 $21 \times \bigcirc = 105$, $\bigcirc = 5$입니다.

$5 : \square$의 비율이 $\dfrac{5}{7}$이므로 $\dfrac{5}{\square} = \dfrac{5}{7}$, $\square = 7$입니다.

5-3 평가 기준
비례식을 완성하고 비율과 외항의 곱을 이용하여 풀이를 바르게 썼으면 정답입니다.

6-1 (어떤 수) $\times \dfrac{3}{3+4} = 18$,

(어떤 수) $\times \dfrac{3}{7} = 18$

➡ (어떤 수) $= 18 \times \dfrac{7}{3} = 42$

6-2 평가 기준
어떤 수를 이용하여 비례배분하는 식을 만들고 어떤 수를 구했으면 정답입니다.

7-1 단계 1 가로가 세로의 2배 ➡ (가로) : (세로) $= 2 : 1$

단계 2 (가로) $= 15 \times \dfrac{2}{2+1} = 15 \times \dfrac{2}{3} = 10 \, (\text{cm})$

(세로) $= 15 \times \dfrac{1}{2+1} = 15 \times \dfrac{1}{3} = 5 \, (\text{cm})$

단계 3 (직사각형의 넓이) $= 10 \times 5 = 50 \, (\text{cm}^2)$

7-2 밑변의 길이가 높이의 3배

➡ (밑변의 길이) : (높이) $= 3 : 1$

(밑변의 길이) $= 24 \times \dfrac{3}{3+1} = 24 \times \dfrac{3}{4} = 18 \, (\text{cm})$

(높이) $= 24 \times \dfrac{1}{3+1} = 24 \times \dfrac{1}{4} = 6 \, (\text{cm})$

➡ (평행사변형의 넓이) $= 18 \times 6 = 108 \, (\text{cm}^2)$

8-1 단계 2 $\dfrac{1}{3} : \dfrac{1}{2}$의 전항과 후항에 두 분모의 공배수인 6을 곱하면 $2 : 3$이 됩니다.

8-2 ㉮ $\times \dfrac{5}{9} = $ ㉯ $\times \dfrac{1}{2}$ ➡ ㉮ : ㉯ $= \dfrac{1}{2} : \dfrac{5}{9}$

$\dfrac{1}{2} : \dfrac{5}{9}$의 전항과 후항에 두 분모의 공배수인 18을 곱하면 $9 : 10$이 됩니다.

유형 TEST

1 14에 △표, 9에 ○표

2 (위에서부터) 4, 32

3 예 15 : 14 **4** ○

5 28, 70 **6** 15

7 88

8 5 : 6=10 : 12(또는 10 : 12=5 : 6)

9 나 **10** ㉠

11 예 $300×\dfrac{2}{2+3}=300×\dfrac{2}{5}=120$(명)

12 12 : 20 **13** 5시간 50분

14 14만 원 **15** 예 4 : 5

16 예 4 : 11=□ : 22, 8 cm

17 ❶ 예 3 : 7=15 : 35 / ❷ 예 두 수의 곱이 같은 카드를 찾아서 외항과 내항에 각각 놓아 비례식을 만들었습니다.

18 예 ❶ ㉠ : 24=㉡ : ㉢이라 할 때

㉠ : 24의 비율이 $\dfrac{3}{8}$이므로 $\dfrac{㉠}{24}=\dfrac{3}{8}$, ㉠=9입니다.

❷ 9 : 24=㉡ : ㉢에서 내항의 곱이 72이므로 24×㉡=72, ㉡=3입니다.

❸ 3 : ㉢의 비율이 $\dfrac{3}{8}$이므로 $\dfrac{3}{㉢}=\dfrac{3}{8}$, ㉢=8입니다. / 9, 3, 8

19 예 ❶ 지나와 동생이 모은 돈을 □원이라 하면

$□×\dfrac{9}{9+4}=4500$입니다.

❷ 따라서 $□×\dfrac{9}{13}=4500$, $□=4500×\dfrac{13}{9}$, □=6500이므로 지나와 동생이 모은 돈은 모두 6500원입니다. 답 6500원

20 예 ❶ ㉮×20을 외항의 곱, ㉯×30을 내항의 곱이라 할 때 ㉮ : ㉯=30 : 20입니다.

❷ 30 : 20의 전항과 후항을 10으로 나누면 3 : 2가 됩니다. 답 예 3 : 2

---

1 기호 ' : ' 앞에 있는 14를 전항, 뒤에 있는 9를 후항이라고 합니다.

2 비의 전항과 후항에 0이 아닌 같은 수를 곱하여도 비율은 같습니다.

3 $\dfrac{5}{7}:\dfrac{2}{3}$의 전항과 후항에 두 분모의 공배수인 21을 곱하면 15 : 14가 됩니다.

4 (외항의 곱)=9×20=180
(내항의 곱)=4×45=180
외항의 곱과 내항의 곱이 180으로 같으므로 비례식입니다.

5 $98×\dfrac{2}{2+5}=98×\dfrac{2}{7}=28$

$98×\dfrac{5}{2+5}=98×\dfrac{5}{7}=70$

6 비례식에서 외항은 8과 15이고, 후항은 20과 15입니다.
➡ 외항이면서 후항인 것은 15입니다.

7 40×11=□×5, □×5=440, □=88

8 5 : 6 ➡ $\dfrac{5}{6}$, 6 : 5 ➡ $\dfrac{6}{5}$, 11 : 10 ➡ $\dfrac{11}{10}$,

10 : 12 ➡ $\dfrac{10}{12}=\dfrac{5}{6}$

5 : 6과 10 : 12의 비율이 같으므로 비례식으로 나타낼 수 있습니다.

9 가 ➡ 15 : 9는 전항과 후항을 3으로 나누면 5 : 3이 됩니다.

나 ➡ 10 : 4는 전항과 후항을 2로 나누면 5 : 2가 됩니다.

다 ➡ 14 : 12는 전항과 후항을 2로 나누면 7 : 6이 됩니다.

10 ㉠ 4.2×8=4.8×□, 4.8×□=33.6, □=7

㉡ $□×0.8=7×\dfrac{4}{7}$, □×0.8=4, □=5

11 전체를 주어진 비로 비례배분하기 위해서는 전체를 의미하는 전항과 후항의 합을 분모로 하는 분수의 비로 나타내어야 합니다.

12 비율 $\dfrac{3}{5}$ 을 비로 나타내면 3 : 5입니다.

전항	3	6	9	12	……
후항	5	10	15	20	……
차	2	4	6	8	……

➡ 전항과 후항의 차가 8인 비는 12 : 20입니다.

13 450 km를 달릴 때 걸리는 시간을 □분이라 하고 비례식을 세우면 9 : 7=450 : □입니다.

➡ $9 \times \square = 7 \times 450$, $9 \times \square = 3150$, $\square = 350$
따라서 350분=5시간 50분이 걸립니다.

14 (아버지) : (삼촌)=350만 : 300만 ➡ 7 : 6
(아버지가 가지게 되는 이익금)
$= 26만 \times \dfrac{7}{7+6} = 26만 \times \dfrac{7}{13} = 14만$ (원)

15 ㉮×80=㉯×64 ➡ ㉮ : ㉯=64 : 80
64 : 80의 전항과 후항을 16으로 나누면 4 : 5가 됩니다.

16 둘레가 44 cm이므로 (가로)+(세로)=22 (cm)입니다. 직사각형의 가로를 □cm라 하고 비례식을 세우면 4 : 11=□ : 22입니다.

➡ $4 \times 22 = 11 \times \square$, $11 \times \square = 88$, $\square = 8$
따라서 직사각형의 가로는 8 cm입니다.

17 $3 \times 35 = 105$, $7 \times 15 = 105$이므로 3과 35가 외항 (내항), 7과 15가 내항(외항)인 비례식을 세울 수 있습니다.

➡ 3 : 7=15 : 35, 3 : 15=7 : 35,
　35 : 7=15 : 3, 35 : 15=7 : 3 ……

앞단원 유형 다시 보기 　117쪽

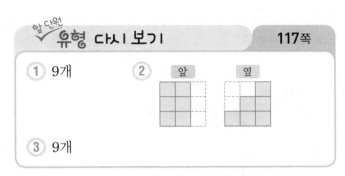

① 9개
② 앞　옆
③ 9개

① 1층에 5개, 2층에 2개, 3층에 2개입니다.
➡ (쌓기나무의 개수)=5+2+2=9(개)

② 앞에서 보면 왼쪽부터 3층, 3층으로 보입니다.
옆에서 보면 왼쪽부터 1층, 2층, 3층으로 보입니다.

③ 위에서 본 모양은 1층의 모양과 같으므로 위에서 본 모양의 각 자리 위에 쌓아 올린 쌓기나무의 개수를 쓰면 오른쪽과 같습니다. 따라서 똑같은 모양으로 쌓는 데 필요한 쌓기나무는 1+2+1+3+2=9(개)입니다.

（위 모양: 1 2 / 1 / 3 2）

재미있는 창의·융합·코딩 　118~119쪽

코딩1 ○　　코딩2 6 : 10, 9 : 15
창의3 (위에서부터) 100, 2 / 예 50, 1

코딩1 A : B=C : D에서 외항의 곱 A×D와 내항의 곱 B×C가 같으면 비례식입니다.
따라서 5 : 4=15 : 12에서 $5 \times 12 = 60$,
$4 \times 15 = 60$으로 같으므로 ○입니다.

코딩2 • N=1을 입력하면 N은 1+1 → 2이므로
A×N : B×N ➡ 3×2 : 5×2 ➡ 6 : 10 출력
• N은 다시 2+1 → 3이므로 A×N : B×N
➡ 3×3 : 5×3 ➡ 9 : 15 출력
• N은 다시 3+1 → 4이므로 끝

창의3 녹말을 넣은 물 100 mL와 아이오딘 팅크처 2 mL를 비로 나타내면 100 : 2입니다. 따라서 100 : 2의 전항과 후항을 2로 나누면 50 : 1이 됩니다.

5. 원의 넓이

1 (1) × (2) ○

2 원의 지름

0 2 4 6 8 10 12 14 16
(cm)

원의 지름

0 2 4 6 8 10 12 14 16
(cm)

3 예 원의 지름

0 2 4 6 8 10 12 14 16
(cm)

4 3, 4 **5** 원주율 **6** ㉠

7 3.14, 3.14 **8** = **9** 3.1, 3.14

10 예 원주율이 나누어떨어지지 않고 끝없이 이어지기 때문입니다.

11 ㉠ **12** 47.1 cm **13** 31.4 cm

14 27, 39 **15** 37.2 cm

16 25×3.14=78.5, 78.5 cm

17 93 cm **18** 28.26, 9 **19** 19 cm

20 14 cm **21** 50 cm **22** 18 cm

23 68.2÷3.1=22, 22 cm **24** 6

3 정육각형의 둘레보다 길고, 정사각형의 둘레보다 짧으므로 12 cm보다 길고, 16 cm보다 짧게 그립니다.

7 • 21.98÷7=3.14
• 28.26÷9=3.14

8 31÷10=3.1, 43.4÷14=3.1

> 참고
>
> 원의 크기와 상관없이 지름에 대한 원주의 비율은 일정합니다.

10 평가 기준
> 원주율이 끝없이 계속되기 때문이라는 이유를 썼으면 정답입니다.

12 (원주)=15×3.14=47.1 (cm)

13 (원주)=10×3.14=31.4 (cm)

14 가: 9×3=27 (cm)
나: 13×3=39 (cm)

15 (프로펠러가 돌 때 생기는 원의 원주)
=12×3.1=37.2 (cm)

16 (굴렁쇠가 굴러간 거리)=(굴렁쇠의 원주)

17 (지름)=15×2=30 (cm)
➡ (원주)=30×3.1=93 (cm)

19 (지름)=57÷3=19 (cm)

20 (지름)=42÷3=14 (cm)

21 (지름)=157÷3.14=50 (cm)

22 (지름)=55.8÷3.1=18 (cm)

24 (지름)=36÷3=12 (cm)
➡ (반지름)=12÷2=6 (cm)

1 3, 3.1, 3.14 **2** 3, 3.1, 3.14

3 34.1 cm **4** 63 cm

5 43.96 cm **6** 80.6 cm

7 7 **8** 18

1 정미

2 ( ) **3** 예
( )
(○)

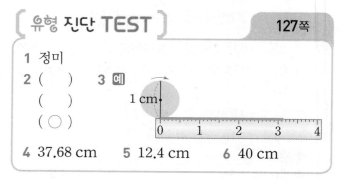

4 37.68 cm **5** 12.4 cm **6** 40 cm

1 선하: 원의 지름이 커지면 원주도 커집니다.

2 원의 원주는 지름의 3배인 12 cm보다 길고, 지름의 4배인 16 cm보다 짧으므로 원주와 가장 비슷한 것은 12 cm입니다.

3 원주는 지름의 약 3.14배이므로 지름이 1 cm인 원의 원주는 약 1×3.14=3.14 (cm)입니다.
➡ 약 3.14 cm만큼 자에 표시하면 됩니다.

4 컴퍼스를 벌린 길이인 6 cm가 원의 반지름이 됩니다.
➡ (원주)=6×2×3.14=37.68 (cm)

5 (반지름이 10 cm인 원의 원주)
$=10\times2\times3.1=62$ (cm)
(지름이 24 cm인 원의 원주)
$=24\times3.1=74.4$ (cm)
➡ (두 원의 원주의 차)$=74.4-62=12.4$ (cm)

6 상자의 밑면의 한 변의 길이는 파전의 지름과 같거나 길어야 합니다.
(파전의 지름)$=125.6\div3.14=40$ (cm)이므로 상자의 밑면의 한 변의 길이는 적어도 40 cm이어야 합니다.

1 STEP 개념별 유형 128~131쪽

1 72 cm², 144 cm²	**2** 72, 144
3 32, 60	**4** 270 cm², 360 cm²
5 서준	**6** 반지름, (원주)$\times\dfrac{1}{2}$
7 28.26 cm²	**8** 21.98, 7
9 251.1 cm²	**10** 49.6 cm²

11

$5\times5\times3$	75
$8\times8\times3$	192

12 523.9 cm²

13 $11\times11\times3.14=379.94$, 379.94 m²

14 310 cm² **15** 64, 50.24, 13.76

16 (1) 111.6 cm² (2) 12.4 cm² (3) 99.2 cm²

17 200.96 cm² **18** 42.14 cm²

19 (1) 정사각형, 반원 (2) 113.6 m²

20 1200 cm² **21** 384 cm²

22 816 cm² **23** 232.5 m²

1 참고
원 안의 정사각형은 마름모이므로 마름모의 넓이를 구하는 방법으로 넓이를 구합니다.

3 원의 넓이는 노란색 모눈의 넓이인 32 cm²보다 넓고, 빨간색 선 안쪽 모눈의 넓이인 60 cm²보다 좁습니다.

5 원의 넓이는 원 안의 정육각형의 넓이보다 넓고, 원 밖의 정육각형의 넓이보다 좁으므로 270 cm²보다 넓고, 360 cm²보다 좁습니다.
➡ 원의 넓이를 바르게 어림한 사람은 서준입니다.

7 원의 넓이는 직사각형의 넓이와 같습니다.
➡ (원의 넓이)$=9.42\times3=28.26$ (cm²)

8 (직사각형의 가로)
$=$(원주)$\times\dfrac{1}{2}=7\times2\times3.14\times\dfrac{1}{2}=21.98$ (cm)
(직사각형의 세로)$=$(반지름)$=7$ cm

11 • 지름이 10 cm인 원의 반지름은 5 cm이고 원의 넓이는 $5\times5\times3=75$ (cm²)입니다.
• 지름이 16 cm인 원의 반지름은 8 cm이고 원의 넓이는 $8\times8\times3=192$ (cm²)입니다.

12 (프라이팬의 넓이)$=13\times13\times3.1=523.9$ (cm²)

14 정사각형 안에 그릴 수 있는 가장 큰 원의 지름은 20 cm이므로 반지름은 10 cm입니다.
➡ (원의 넓이)$=10\times10\times3.1=310$ (cm²)

15 원의 반지름은 4 cm입니다.
(원의 넓이)$=4\times4\times3.14=50.24$ (cm²)

16 (3) (색칠한 부분의 넓이)
$=$(큰 원의 넓이)$-$(작은 원의 넓이)
$=111.6-12.4=99.2$ (cm²)

17 (색칠한 부분의 넓이)
$=$(지름이 16 cm인 원 1개의 넓이)
$=8\times8\times3.14=200.96$ (cm²)

18 (색칠한 부분의 넓이)
$=$(정사각형의 넓이)
$\quad-$(반지름이 7 cm인 원 1개의 넓이)
$=14\times14-7\times7\times3.14$
$=196-153.86=42.14$ (cm²)

19 (2) ㉠$+$㉡$+$㉢
$=4\times4\times3.1\div2+8\times8+4\times4\times3.1\div2$
$=24.8+64+24.8$
$=113.6$ (m²)

21 반지름이 16 cm인 원의 넓이의 반과 같습니다.
➡ $16\times16\times3\div2=384$ (cm²)

22 (겹쳤을 때 보이는 분홍색 부분의 넓이)
$=$(종이 가의 넓이)$-$(종이 나의 넓이)
$=1200-384=816$ (cm²)

23 (꽃밭의 넓이)
$=$(반지름이 10 m인 반원의 넓이)
$\quad+$(지름이 10 m인 반원의 넓이)$\times2$
$=10\times10\times3.1\div2+5\times5\times3.1\div2\times2$
$=155+77.5=232.5$ (m²)

정답 및 풀이

개념 5 ~ 7 기초력 집중 연습 132쪽

1 98, 196	**2** 88, 132
3 113.04 cm²	**4** 375.1 cm²
5 314 cm²	**6** 432 cm²
7 32.4 cm²	**8** 100.48 cm²

5 (원의 넓이)$=10 \times 10 \times 3.14 = 314$ (cm²)

6 (원의 넓이)$=12 \times 12 \times 3 = 432$ (cm²)

7 (색칠한 부분의 넓이)$=12 \times 12 - 6 \times 6 \times 3.1$
$$=144 - 111.6 = 32.4 \text{ (cm}^2)$$

8 (색칠한 부분의 넓이)
$$=8 \times 8 \times 3.14 - 4 \times 4 \times 3.14 \times 2$$
$$=200.96 - 100.48 = 100.48 \text{ (cm}^2)$$

유형 진단 TEST 133쪽

1 28.26 cm²	**2** 675 cm²
3 72, 144, 예 108	**4** 77.5 cm²
5 53.9 cm²	
6 48 cm², 144 cm², 240 cm²	

1 반지름이 3 cm인 원이므로 그린 원의 넓이는
$3 \times 3 \times 3.14 = 28.26$ (cm²)입니다.

2 (교통 표지의 반지름)$=30 \div 2 = 15$ (cm)
(교통 표지의 넓이)$=15 \times 15 \times 3 = 675$ (cm²)

4 (반지름)$=$(직사각형의 세로)$=5$ cm
(원의 넓이)$=5 \times 5 \times 3.1 = 77.5$ (cm²)

5 (색칠한 부분의 넓이)
$=$(원의 넓이)$-$(원 안의 마름모의 넓이)
$=7 \times 7 \times 3.1 - 14 \times 14 \div 2$
$=151.9 - 98 = 53.9$ (cm²)

6 (노란색의 넓이)$=4 \times 4 \times 3 = 48$ (cm²)
(빨간색의 넓이)$=8 \times 8 \times 3 - 4 \times 4 \times 3$
$$=192 - 48 = 144 \text{ (cm}^2)$$
(초록색의 넓이)$=12 \times 12 \times 3 - 8 \times 8 \times 3$
$$=432 - 192 = 240 \text{ (cm}^2)$$

2 STEP 꼬리를 무는 유형 134~135쪽

1 74.4 cm	**2** 6 cm
3 91.06 cm	**4** 248 cm²
5 33 cm²	**6** 세정, 59.66 cm²
7 12 cm²	**8** 507 cm²
9 706.5 cm²	**10** 7
11 12	**12** 8 cm

1 (가의 원주)$=8 \times 3.1 = 24.8$ (cm)
(나의 원주)$=16 \times 3.1 = 49.6$ (cm)
➡ $24.8 + 49.6 = 74.4$ (cm)

2 (가의 원주)$=12 \times 3 = 36$ (cm)
(나의 원주)$=10 \times 3 = 30$ (cm)
➡ $36 - 30 = 6$ (cm)

3 (㉠의 원주)$=15 \times 3.14 = 47.1$ (cm)
(㉡의 원주)$=7 \times 2 \times 3.14 = 43.96$ (cm)
➡ $47.1 + 43.96 = 91.06$ (cm)

4 (가의 넓이)$=4 \times 4 \times 3.1 = 49.6$ (cm²)
(나의 넓이)$=8 \times 8 \times 3.1 = 198.4$ (cm²)
➡ $49.6 + 198.4 = 248$ (cm²)

5 (가의 넓이)$=6 \times 6 \times 3 = 108$ (cm²)
(나의 넓이)$=5 \times 5 \times 3 = 75$ (cm²)
➡ $108 - 75 = 33$ (cm²)

6 (세정이가 그린 원의 넓이)
$=10 \times 10 \times 3.14 = 314$ (cm²)
(정호가 그린 원의 넓이)
$=9 \times 9 \times 3.14 = 254.34$ (cm²)
➡ $314 - 254.34 = 59.66$ (cm²)

7 정사각형 안에 그릴 수 있는 가장 큰 원의 지름은 정
사각형의 한 변의 길이와 같으므로
(원의 반지름)$=4 \div 2 = 2$ (cm)입니다.
➡ (원의 넓이)$=2 \times 2 \times 3 = 12$ (cm²)

8 만들 수 있는 가장 큰 원의 지름은 길이가 더 짧은 쪽
인 직사각형의 세로와 같으므로
(반지름)$=26 \div 2 = 13$ (cm)입니다.
➡ (원의 넓이)$=13 \times 13 \times 3 = 507$ (cm²)

> **주의**
> 직사각형의 짧은 변의 길이를 원의 지름으로 해야 함에 주
> 의합니다.

9 만들 수 있는 가장 큰 원의 지름은 길이가 더 짧은 쪽
인 직사각형의 세로와 같으므로
(반지름)=30÷2=15 (cm)입니다.
➡ (원의 넓이)=15×15×3.14=706.5 (cm²)

10 원의 반지름이 □ cm이므로 □×□×3.1=151.9
입니다.
□×□=151.9÷3.1=49, 7×7=49이므로
□=7입니다.

11 원의 반지름을 ■ cm라 하면
■×■×3.14=113.04입니다.
■×■=113.04÷3.14=36, 6×6=36이므로
■=6입니다.
➡ (지름)=6×2=12 (cm)

12 원의 반지름을 ■ cm라 하면 ■×■×3=192,
■×■=192÷3=64, 8×8=64이므로 ■=8입니다.

③ STEP 수학 독해력 유형 `136~137쪽`

독해력 유형 **1** ❶ 120 cm　❷ 12000 cm
❸ 120 m

쌍둥이 유형 **1-1** 75.36 m

쌍둥이 유형 **1-2** 5.25 m

독해력 유형 **2** ❶ 지름에 ○표, 원에 ○표
❷ 62.8 m　❸ 162.8 m

쌍둥이 유형 **2-1** 293 m

쌍둥이 유형 **2-2** 80

독해력 유형 **1** ❶ (바퀴가 한 바퀴 돈 거리)
=(바퀴 자의 원주)=40×3=120 (cm)
❷ (바퀴가 100바퀴 돈 거리)
=120×100=12000 (cm)
❸ (집에서 문구점까지의 거리)
=(바퀴가 100바퀴 돈 거리)
=12000 cm=120 m

쌍둥이 유형 **1-1** ❶ (훌라후프가 한 바퀴 돈 거리)
=(훌라후프의 원주)=30×3.14=94.2 (cm)
❷ (훌라후프가 80바퀴 돈 거리)
=94.2×80=7536 (cm)

❸ (학교에서 체육관까지의 거리)
=(훌라후프가 80바퀴 돈 거리)
=7536 cm=75.36 m

쌍둥이 유형 **1-2** ❶ (굴렁쇠가 한 바퀴 돈 거리)
=(굴렁쇠의 원주)=35×3=105 (cm)
❷ (굴렁쇠가 5바퀴 돈 거리)=105×5=525 (cm)
❸ (복도의 길이)=(굴렁쇠가 5바퀴 돈 거리)
=525 cm=5.25 m

독해력 유형 **2** ❶ 빨간색으로 표시한 부분을 합치면 지
름이 20 m인 원이 됩니다.
❷ (빨간색으로 표시한 부분의 길이의 합)
=(지름이 20 m인 원의 원주)
=20×3.14=62.8 (m)
❸ (곡선 부분)+(직선 부분)
=62.8+(50+50)=162.8 (m)

쌍둥이 유형 **2-1** ❶ 곡선 부분을 합치면 지름이 30 m인
원이 됩니다.
❷ (곡선 부분의 길이의 합)
=(지름이 30 m인 원의 원주)
=30×3.1=93 (m)
❸ (꽃밭의 둘레)=(곡선 부분)+(직선 부분)
=93+(100+100)=293 (m)

쌍둥이 유형 **2-2** ❶ 곡선 부분을 합치면 지름이 25 m인
원이 됩니다.
❷ (곡선 부분의 길이의 합)
=(지름이 25 m인 원의 원주)
=25×3=75 (m)
❸ (직선 부분)=(공원의 둘레)-(곡선 부분)
=235-75=160 (m)이므로
□=160÷2, □=80입니다.

④ STEP 사고력 플러스 유형 `138~141쪽`

1-1 (위에서부터) 21, 14, 42 / 2배
1-2 (위에서부터) 18, 18, 54 / 3배
1-3 4배　　**2-1** 5　　**2-2** 8
3-1 ㉡　　**3-2** ㉡　　**3-3** ㉠
4-1 50.24 cm²

4-2 예 도형의 넓이는 원의 넓이의 $\frac{1}{3}$입니다.

(도형의 넓이)

$=$(반지름이 6 cm인 원의 넓이)$\times \frac{1}{3}$

$=6\times6\times3\times\frac{1}{3}=36$ (cm²) 답 36 cm²

4-3 37.68 cm²   **5-1** 27.9 cm²

5-2 예 (원의 반지름)$=31.4\div3.14\div2=5$ (cm)

➡ (원의 넓이)$=5\times5\times3.14=78.5$ (cm²)

답 78.5 cm²

5-3 192 cm²   **6-1** 25.12 cm

6-2 55.8 cm

6-3 예 원의 반지름을 □ cm라 하면

□$\times$□$\times3=147$, □$\times$□$=147\div3=49$,

$7\times7=49$이므로 □$=7$입니다.

➡ (원주)$=7\times2\times3=42$ (cm) 답 42 cm

7-1 단계1 111.6 cm² 단계2 39.6 cm²

단계3 79.2 cm²

7-2 228 cm²

8-1 단계1 37.2 cm 단계2 36 cm

단계3 73.2 cm

1-1 (가의 원주)$=7\times3=21$ (cm)

(나의 원주)$=14\times3=42$ (cm)

➡ (나의 원주)$\div$(가의 원주)$=42\div21=2$(배)

1-2 (가의 원주)$=6\times3=18$ (cm)

(나의 원주)$=18\times3=54$ (cm)

➡ (나의 원주)$\div$(가의 원주)$=54\div18=3$(배)

1-3 나의 지름은 가의 지름의 $12\div3=4$(배)이므로 나의 원주는 가의 원주의 4배입니다.

2-1 컴퍼스를 벌린 길이인 □ cm는 원의 반지름입니다.

(지름)$=$(원주)$\div$(원주율)

$=31.4\div3.14=10$ (cm)

➡ (원의 반지름)$=10\div2=5$ (cm)

2-2 컴퍼스를 벌린 길이인 □ cm는 원의 반지름입니다.

(지름)$=$(원주)$\div$(원주율)$=49.6\div3.1=16$ (cm)

➡ (원의 반지름)$=16\div2=8$ (cm)

3-1 (ⓒ의 넓이)$=4\times4\times3.14=50.24$ (cm²)

➡ 28.26 cm²<50.24 cm²이므로 넓이가 더 넓은 원은 ⓒ입니다.

3-2 (ⓒ의 반지름)$=18\div2=9$ (cm)

➡ (ⓒ의 넓이)$=9\times9\times3.1=251.1$ (cm²)

따라서 198.4 cm²<251.1 cm²이므로 넓이가 더 넓은 원은 ⓒ입니다.

3-3 (㉠의 지름)$=42\div3=14$ (cm)

➡ 지름이 14 cm>10 cm이므로 넓이가 더 넓은 원은 지름이 더 긴 ㉠입니다.

4-1 도형의 넓이는 원의 넓이의 $\frac{1}{4}$입니다.

(도형의 넓이)

$=$(반지름이 8 cm인 원의 넓이)$\times\frac{1}{4}$

$=8\times8\times3.14\times\frac{1}{4}=50.24$ (cm²)

4-2 평가 기준

도형의 넓이가 원의 넓이의 $\frac{1}{3}$임을 알고 도형의 넓이를 구했으면 정답입니다.

4-3 도형의 넓이는 원의 넓이의 $\frac{3}{4}$입니다.

(도형의 넓이)

$=$(반지름이 4 cm인 원의 넓이)$\times\frac{3}{4}$

$=4\times4\times3.14\times\frac{3}{4}=37.68$ (cm²)

5-1 (원의 반지름)$=18.6\div3.1\div2=3$ (cm)

➡ (원의 넓이)$=3\times3\times3.1=27.9$ (cm²)

5-2 평가 기준

원주를 알 때 지름을 구하는 방법을 이용해 원의 반지름을 구하고 원의 넓이를 구했으면 정답입니다.

5-3 원을 한없이 잘라 이어 붙여 만든 직사각형의 가로는 원주의 반이므로 원주는 $24\times2=48$ (cm)입니다.

➡ (원의 반지름)$=48\div3\div2=8$ (cm)

(원의 넓이)$=8\times8\times3=192$ (cm²)

6-1 원의 반지름을 □ cm라 하면

□$\times$□$\times3.14=50.24$입니다.

□$\times$□$=50.24\div3.14=16$, $4\times4=16$이므로 □$=4$입니다.

➡ (원주)$=4\times2\times3.14=25.12$ (cm)

6-2 원의 반지름을 □ cm라 하면
$$□×□×3.1=251.1,$$
$$□×□=251.1÷3.1=81, 9×9=81이므로$$
$$□=9입니다.$$
➡ (원주)$=9×2×3.1=55.8$ (cm)

6-3
원의 넓이 구하는 방법을 이용해 원의 반지름을 구하고 원주를 구했으면 정답입니다.

7-1 단계**1** 색칠한 부분의 넓이는 원의 넓이의 $\frac{1}{4}$입니다.

(색칠한 부분의 넓이)
$$=12×12×3.1×\frac{1}{4}=111.6 \text{ (cm}^2)$$

단계**2** (색칠한 부분의 넓이)
$$=111.6-12×12÷2=39.6 \text{ (cm}^2)$$

단계**3** (분홍색으로 색칠한 부분의 넓이)
$$=39.6×2=79.2 \text{ (cm}^2)$$

7-2
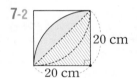
20 cm
20 cm

(위 도형에서 색칠한 부분의 넓이)
$$=(\text{반지름이 20 cm인 원의 넓이})×\frac{1}{4}$$
$$-(\text{빗금친 삼각형의 넓이})$$
$$=20×20×3.14×\frac{1}{4}-20×20÷2$$
$$=314-200=114 \text{ (cm}^2)$$
➡ (색칠한 부분의 전체 넓이)$=114×2$
$$=228 \text{ (cm}^2)$$

8-1 단계**1** 세 곡선 부분을 붙이면 원 1개의 원주와 같습니다.
(세 곡선 부분의 길이의 합)
$$=(\text{원주})=6×2×3.1=37.2 \text{ (cm)}$$

단계**2** 세 직선 부분은 각각 원의 지름과 길이가 같습니다.
(세 직선 부분의 길이의 합)
$$=(\text{원의 지름})×3=12×3=36 \text{ (cm)}$$

단계**3** (빨간색 선의 길이)
$$=(\text{세 곡선 부분의 길이의 합})$$
$$+(\text{세 직선 부분의 길이의 합})$$
$$=37.2+36=73.2 \text{ (cm)}$$

---

1 원주율　　　　**2** 15, 47.1

3 10 cm　　　　**4** 60, 88

5 446.4 cm^2　　**6** 지호

7 3.1, 3.14　　　**8** 18.6, 6

9 24 cm

10

$6×6×3.1$	111.6
$7×7×3.1$	151.9

11 17 cm　　　　**12** 9

13 18대　　　　　**14** 607.6 cm^2

15 231 cm^2　　　**16** 37680 cm

17 예 **1** 도형의 넓이는 원의 넓이의 $\frac{1}{2}$입니다.

2 (도형의 넓이)
$$=(\text{반지름이 10 cm인 원의 넓이})×\frac{1}{2}$$
$$=10×10×3.1×\frac{1}{2}=155 \text{ (cm}^2)$$

답 155 cm^2

18 예 **1** (원의 반지름)$=49.6÷3.1÷2=8$ (cm)

2 (원의 넓이)$=8×8×3.1=198.4 \text{ (cm}^2)$

답 198.4 cm^2

19 예 **1** 원의 반지름을 □ cm라 하면
$$□×□×3=300, □×□=300÷3=100,$$
$$10×10=100이므로 □=10입니다.$$
2 (원주)$=10×2×3=60$ (cm)

답 60 cm

20 예 **1** (㉠과 ㉡을 합친 부분의 넓이)
$$=8×8×3.1×\frac{1}{4}=49.6 \text{ (cm}^2)$$

2 (㉠ 부분의 넓이)$=8×8÷2=32 \text{ (cm}^2)$

3 (색칠한 부분의 넓이)
$$=(\text{㉠과 ㉡을 합친 부분의 넓이})$$
$$-(\text{㉠ 부분의 넓이})$$
$$=49.6-32=17.6 \text{ (cm}^2)$$

답 17.6 cm^2

4 원의 넓이는 노란색 모눈의 넓이인 60 cm^{2}보다 넓고, 빨간색 선 안쪽 모눈의 넓이인 88 cm^{2}보다 좁습니다.

7 (원주)$÷$(지름)$=87.8÷28=3.13571……$
➡ 반올림하여 소수 첫째 자리까지 나타내면 3.1, 반올림하여 소수 둘째 자리까지 나타내면 3.14입니다.

8 (직사각형의 가로)

$$=(원주)×\frac{1}{2}=6×2×3.1×\frac{1}{2}=18.6\ (cm)$$

(직사각형의 세로)=(반지름)=6 cm

11 (지름)=53.38÷3.14=17 (cm)

> **참고**
>
> 종이띠의 길이는 원의 원주와 같습니다.

12 (지름)=(원주)÷(원주율)

$$=56.52÷3.14=18\ (cm)$$

➡ (원의 반지름)=18÷2=9 (cm)

13 (관람차의 수)

= (대관람차의 원주)÷(관람차 사이의 간격)

= (24×3)÷4=18(대)

14 만들 수 있는 가장 큰 원의 지름은 길이가 더 짧은 쪽인 직사각형의 세로와 같으므로

(반지름)=28÷2=14 (cm)입니다.

➡ (원의 넓이)=14×14×3.1=607.6 (cm^2)

15 (색칠한 부분의 넓이)

= (큰 원의 넓이)−(작은 원의 넓이)

= 9×9×3−2×2×3=243−12=231 (cm^2)

16 (바퀴가 한 바퀴 굴러간 거리)

= (자전거 바퀴의 원주)

= 60×3.14=188.4 (cm)

(집에서 놀이터까지의 거리)

= 188.4×200=37680 (cm)

17 **채점 기준**

❶ 도형의 넓이가 원의 넓이의 $\frac{1}{2}$임을 알고 있음.	1점	5점
❷ 도형의 넓이를 원의 넓이를 이용하여 구함.	4점	

18 **채점 기준**

❶ 원의 반지름을 구함.	2점	5점
❷ 원의 넓이를 구함.	3점	

19 **채점 기준**

❶ 원의 반지름을 구함.	3점	5점
❷ 원주를 구함.	2점	

20 **채점 기준**

❶ 색칠한 부분과 삼각형 부분을 합치면 원의 $\frac{1}{4}$임을 알고 그 넓이를 구함.	2점	5점
❷ 삼각형 부분의 넓이를 구함.	2점	
❸ 색칠한 부분의 넓이를 구함.	1점	

앞 단원 유형 다시 보기 **145쪽**

① · · ② 예 20 : 27
 · ·
 · · ③ 56개 ④ 6 cm

② $\frac{5}{9}:\frac{3}{4}$의 전항과 후항에 두 분모의 공배수인 36을 곱하면 20 : 27이 됩니다.

③ 영수가 가지고 있는 구슬을 □개라 하고 비례식을 세우면 2 : 7=16 : □입니다.

➡ 2×□=7×16, 2×□=112, □=56

④ 둘레가 32 cm이므로 (가로)+(세로)=16 (cm)입니다. 따라서 직사각형의 가로는

$$16×\frac{3}{3+5}=16×\frac{3}{8}=6\ (cm)입니다.$$

재미있는 창의·융합·코딩 **146~147쪽**

코딩1 ㅅ, ㅅ, 3, 나

코딩2

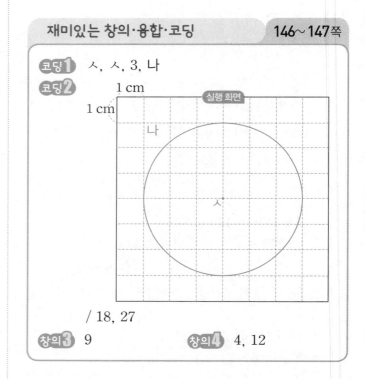

/ 18, 27

창의3 9   **창의4** 4, 12

코딩2 (원주)=3×2×3=18 (cm)

(넓이)=3×3×3=27 (cm^2)

창의4 (원의 지름)=(원주)÷(원주율)

$$=12÷3=4\ (cm)$$

(원의 반지름)=4÷2=2 (cm)

➡ (원의 넓이)=2×2×3=12 (cm^2)

6. 원기둥, 원뿔, 구

150~153쪽

1 STEP 개념별 유형

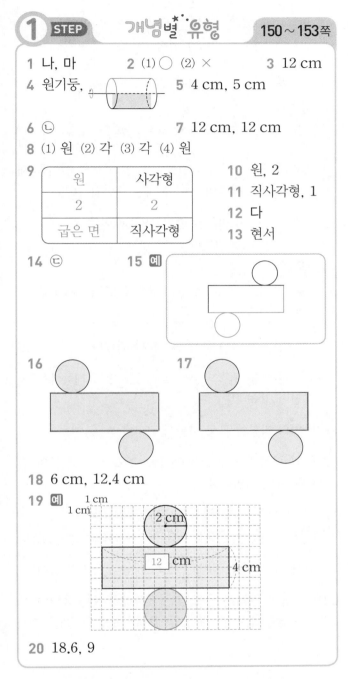

1 나, 마 **2** (1) ○ (2) × **3** 12 cm
4 원기둥, **5** 4 cm, 5 cm
6 ㉡
7 12 cm, 12 cm
8 (1) 원 (2) 각 (3) 각 (4) 원

9
원	사각형
2	2
굽은 면	직사각형

10 원, 2
11 직사각형, 1
12 다
13 현서

14 ㉢ **15** 예

16   **17**

18 6 cm, 12.4 cm
19 예
2 cm
12 cm
4 cm
20 18.6, 9

---

1 가: 위와 아래에 있는 면이 합동이 아닙니다.
다: 위에는 면이 없습니다.
라, 바: 위와 아래에 있는 면이 원이 아닙니다.

2 옆을 둘러싼 면은 굽은 면입니다.

3 두 밑면에 수직인 선분의 길이를 찾습니다.

4 직사각형 모양의 종이를 한 변을 기준으로 돌리면 원기둥이 됩니다.

5 돌리기 전의 직사각형의 세로는 원기둥의 밑면의 반지름과 같으므로 밑면의 지름은 $2 \times 2 = 4$ (cm)이고, 돌리기 전의 직사각형의 가로는 원기둥의 높이와 같으므로 5 cm입니다.

7 밑면의 지름은 반지름의 2배이므로 $6 \times 2 = 12$ (cm)이고, 앞에서 본 모양이 정사각형이므로 원기둥의 높이와 밑면의 지름은 같습니다.

8 (1) 각기둥은 밑면이 다각형입니다.
(2) 원기둥은 꼭짓점이 없습니다.
(3) 원기둥은 옆면의 모양이 굽은 면입니다.
(4) 각기둥은 모서리가 있습니다.

12 가: 두 밑면이 겹쳐집니다.
나: 두 밑면이 합동이 아닙니다.

14 ㉠ 밑면의 모양은 원입니다.
㉡ 옆면은 1개입니다.

18 (원기둥의 높이)=(전개도 옆면의 세로)=6 cm
(원기둥의 밑면의 둘레)=(전개도 옆면의 가로)
$= 12.4$ cm

19 (옆면의 가로)=(밑면의 둘레)
$= 2 \times 2 \times 3 = 12$ (cm)
두 밑면은 합동인 원 모양이므로 반지름이 2 cm인 원 모양 1개를 더 그립니다.

> **주의**
> 전개도를 접었을 때 두 밑면이 겹치지 않게 밑면을 1개 더 그려야 합니다.

20 전개도 옆면의 가로는 밑면의 둘레와 같으므로
(밑면의 반지름)×2×(원주율)
$= 3 \times 2 \times 3.1 = 18.6$ (cm)입니다.
전개도 옆면의 세로는 원기둥의 높이와 같으므로 9 cm입니다.

개념 1~5 기초력 집중 연습 154쪽

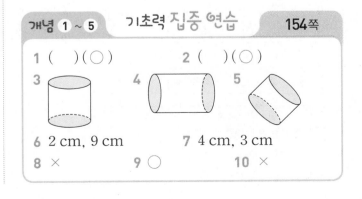

1 ( )(○) **2** ( )(○)
3 **4** **5**
6 2 cm, 9 cm **7** 4 cm, 3 cm
8 × **9** ○ **10** ×

유형 진단 TEST
155쪽

1 원, 직사각형
2 12 cm
3 예 위와 아래에 있는 면이 서로 평행하지 않고, 합동인 원이 아니기 때문입니다.
4 ㉠, ㉣
5 2 cm
6 25.12 cm

2 돌리기 전의 직사각형의 가로는 원기둥의 밑면의 반지름과 같으므로 밑면의 지름은 6×2=12 (cm)입니다.

3 **평가 기준**
위와 아래에 있는 면이 서로 평행하지 않다고 쓰거나 합동인 원이 아니라는 이유를 썼으면 정답입니다.

4

입체도형	밑면의 수	옆면의 수	위에서 본 모양	옆에서 본 모양
원기둥	2개	1개	원	직사각형
삼각기둥		3개	삼각형	

5 왼쪽 원기둥의 높이는 10 cm이고, 오른쪽 원기둥의 높이는 12 cm입니다. ➡ 12−10=2 (cm)

6 (선분 ㄱㄹ의 길이)=(밑면의 둘레)
=4×2×3.14=25.12 (cm)

1 STEP 개념별 유형
156~159쪽

1 원뿔
2 다, 마
3 예 평평한 면이 원이고 옆을 둘러싼 면이 굽은 면이지만 뿔 모양이 아니므로 원뿔이 아닙니다.
4 10 cm
5 높이
6 8 cm, 5 cm
7 ㉡

8

원	원
2	1
원	원
직사각형	삼각형

9 ㉢
10 다
11 (1) ○ (2) ×

12

위	앞	옆
○	○	○

13 구
14 (왼쪽에서부터) 구의 중심, 구의 반지름
15 예
16 6 cm
17 13 cm
18 18 cm
19 밑면
20 서준

3 **평가 기준**
뿔 모양이 아니기 때문이라는 이유를 썼으면 정답입니다.

5 원뿔의 꼭짓점에서 밑면에 수직인 선분의 길이를 재고 있으므로 원뿔의 높이를 재는 그림입니다.

6 원뿔의 밑면의 지름은 반지름의 2배이므로 4×2=8 (cm)입니다.

주의
직각삼각형의 밑변의 길이는 원뿔의 밑면의 반지름과 같음에 주의합니다.

7 ㉡ 모선의 길이는 항상 높이보다 깁니다.

9 ㉢ 원뿔에는 원뿔의 꼭짓점이 있지만 원기둥에는 꼭짓점이 없습니다.

16 반원의 지름이 구의 지름이 됩니다.

17 구의 중심에서 구의 겉면의 한 점을 이은 선분의 길이는 13 cm입니다.

18 (구의 반지름)=(돌리기 전의 반원의 반지름)
(구의 지름)=(구의 반지름)×2=9×2=18 (cm)

19 원기둥과 원뿔은 밑면이 있고, 구는 밑면이 없습니다.

20 원기둥을 앞에서 본 모양은 직사각형, 원뿔을 앞에서 본 모양은 삼각형, 구를 앞에서 본 모양은 원입니다.

개념 6~11 기초력 집중 연습
160쪽

1 ○
2 ×
3 ×
4 6 cm, 10 cm, 8 cm
5 24 cm, 25 cm, 7 cm
6 ×
7 ○
8 ×
9 7 cm
10 10 cm
11 9 cm

유형 진단 TEST 161쪽

	위에서 본 모양	앞에서 본 모양	옆에서 본 모양
1~3	○	○	○
	○	□	□
	○	△	△

4 지호
5 ㉡
6 ㉡
7 9 cm

4 가는 모선의 길이를 재는 방법입니다.

5 ㉠, ㉢, ㉣은 모선을, ㉡은 높이를 나타내는 선분입니다.

6

입체도형	밑면의 수	밑면의 모양	앞에서 본 모양	꼭짓점의 수
원기둥	2개	원	직사각형	0개
원뿔	1개		삼각형	1개

7 (돌리기 전의 반원의 반지름)=(구의 반지름)
       =9 cm

② STEP 꼬리를 무는 유형 162~163쪽

1 9 cm   2 8 cm   3 14 cm
4 (교차 선분)
5 15 cm, 17 cm, 16 cm
6 선분 ㄴㄹ / 선분 ㄱㅁ
  / 선분 ㄱㄴ, 선분 ㄱㄷ, 선분 ㄱㄹ
7 6 cm   8 20 cm   9 15 cm
10 16 cm   11 31.4 cm   12 43.4 cm

3 밑면의 지름은 반지름의 2배이므로
  7×2=14 (cm)입니다. 앞에서 본 모양이 정사각형이므로 원기둥의 높이와 밑면의 지름은 같습니다. 따라서 원기둥의 높이는 14 cm입니다.

6 모선을 나타내는 선분은 무수히 많이 나타낼 수 있습니다.

> **주의**
> 선분 ㄱㄴ, 선분 ㄱㄹ도 원뿔의 꼭짓점과 밑면인 원의 둘레의 한 점을 이은 선분이므로 모선임에 주의합니다.

③ STEP 수학 독해력 유형 164~165쪽

독해력 유형 ① ❶ 직사각형
  ❷ 16 cm, 11 cm   ❸ 176 cm²
쌍둥이 유형 1-1 60 cm²
쌍둥이 유형 1-2 111.6 cm²
독해력 유형 ② ❶ (■×3) cm, ■ cm
  ❷ 6   ❸ 6 cm
쌍둥이 유형 2-1 8 cm

독해력 유형 ① ❶ 원기둥을 앞에서 본 모양은 직사각형입니다.
  ❷ (직사각형의 가로)=(원기둥의 밑면의 지름)=8×2
          =16 (cm)
   (직사각형의 세로)=(원기둥의 높이)=11 cm
  ❸ (앞에서 본 모양의 넓이)=(직사각형의 넓이)
          =16×11=176 (cm²)

쌍둥이 유형 1-1 ❶ 원뿔을 앞에서 본 모양은 삼각형입니다.
  ❷ (삼각형의 밑변의 길이)=(원뿔의 밑면의 지름)
          =5×2=10 (cm)
   (삼각형의 높이)=(원뿔의 높이)=12 cm
  ❸ (앞에서 본 모양의 넓이)=(삼각형의 넓이)
          =10×12÷2=60 (cm²)

쌍둥이 유형 1-2 ❶ 구를 앞에서 본 모양은 원입니다.
  ❷ (원의 반지름)=(구의 반지름)
          =12÷2=6 (cm)
  ❸ (앞에서 본 모양의 넓이)
   =(원의 넓이)
          =6×6×3.1=111.6 (cm²)

독해력 유형 2 ❶ 밑면의 지름을 ■ cm라 하면 전개도에서 옆면의 가로는 밑면의 둘레인 (■×3) cm이고, 세로는 원기둥의 높이인 ■ cm입니다.

❷ (옆면의 둘레)=(■×3+■)×2=48

➜ ■×4=24, ■=6

❸ 원기둥의 높이와 밑면의 지름은 같으므로 6 cm입니다.

> **참고**
>
> (옆면의 둘레)=(가로+세로)×2

쌍둥이 유형 2-1 ❶ 밑면의 지름을 □ cm라 하면 전개도에서 옆면의 가로는 (□×3) cm이고, 세로는 □ cm입니다.

❷ (옆면의 둘레)=(□×3+□)×2=64

➜ □×4=32, □=8

❸ 원기둥의 높이와 밑면의 지름은 같으므로 원기둥의 높이는 8 cm입니다.

> **참고**
>
> 옆면의 세로는 원기둥의 높이와 같습니다.

④ STEP 사고력 플러스 유형 166~169쪽

1-1 선분 ㄱㄹ, 선분 ㄴㄷ

1-2 선분 ㄱㄴ, 선분 ㄹㄷ   **1-3** 31 cm

2-1 예 옆면과 밑면이 겹치기 때문입니다.

2-2 예 두 밑면이 합동이 아니기 때문입니다.

2-3 예 옆면이 직사각형이 아니기 때문입니다.

3-1 예 밑면이 서로 평행하고 합동입니다.

/ 예 각기둥에는 꼭짓점이 있지만 원기둥에는 없습니다.

3-2 예 밑면이 원입니다.

/ 예 원기둥은 밑면이 2개이지만 원뿔은 밑면이 1개입니다.

3-3 예 뾰족한 부분이 있는 것과 없는 것으로 분류했습니다.

4-1 6 cm

4-2 예 밑면의 반지름을 □ cm라 하면 옆면의 가로는 밑면의 둘레와 같으므로

□×2×3.14=25.12, □×6.28=25.12,

□=4입니다.   답 4 cm

5-1 4 cm

5-2 예 • 가로를 기준으로 돌리면 높이가 4 cm인 원기둥이 만들어집니다.

• 세로를 기준으로 돌리면 높이가 2 cm인 원기둥이 만들어집니다.

➜ 두 원기둥의 높이의 차는

4−2=2 (cm)입니다.   답 2 cm

5-3 1 cm   **6-1** 112 cm²

6-2 예 돌리기 전의 평면도형은 밑변의 길이가 10 cm, 높이가 24 cm인 직각삼각형입니다.

➜ (돌리기 전의 평면도형의 넓이)

=(직각삼각형의 넓이)

=10×24÷2=120 (cm²)   답 120 cm²

7-1 단계1 36 cm 단계2 36 cm 단계3 88 cm

단계4 160 cm

7-2 200 cm

8-1 단계1 18 cm

단계2 ( )   단계3 4 cm

(○)

8-2 9 cm

2-1 평가 기준

> 옆면과 밑면이 겹치기 때문이라는 이유를 썼으면 정답입니다.

2-2 평가 기준

> 두 밑면이 합동이 아니라는 이유를 썼으면 정답입니다.

2-3 평가 기준

> 옆면이 직사각형이 아니라는 이유를 쓰거나 두 밑면이 합동이 아니라는 이유를 썼으면 정답입니다.

3-1~3-2

평가 기준

> 공통점과 차이점을 각각 한 가지씩 바르게 썼으면 정답입니다.

3-3 평가 기준

> '원기둥과 구', '원뿔'로 분류한 기준을 썼으면 정답입니다.

4-1 밑면의 반지름을 □ cm라 하면 옆면의 가로는 밑면의 둘레와 같으므로 □×2×3.1=37.2,

□×6.2=37.2, □=6입니다.

4-2 평가 기준

> 옆면의 가로가 밑면의 둘레와 같음을 알고 밑면의 둘레를 구하는 식을 이용해 밑면의 반지름을 구했으면 정답입니다.

5-2 〔평가 기준〕

가로와 세로를 기준으로 각각 돌렸을 때 만들어지는 원기둥의 높이를 구하고 차를 구했으면 정답입니다.

5-3 변 ㄱㄴ을 기준으로 돌리면 높이가 3 cm인 원뿔, 변 ㄴㄷ을 기준으로 돌리면 높이가 4 cm인 원뿔이 만들어집니다.

➡ 두 원뿔의 높이의 차는 4−3=1 (cm)입니다.

6-1 돌리기 전의 평면도형은 가로가 14 cm, 세로가 8 cm인 직사각형입니다.

(돌리기 전의 평면도형의 넓이)=(직사각형의 넓이)

＝14×8=112 (cm²)

6-2 〔평가 기준〕

돌리기 전의 평면도형이 직각삼각형임을 알고 넓이를 구했으면 정답입니다.

7-1 〔단계1〕 12×3=36 (cm)

〔단계2〕 (옆면의 가로)=(한 밑면의 둘레)=36 cm

〔단계3〕 (옆면의 둘레)=(36+8)×2=88 (cm)

〔단계4〕 (전개도의 둘레)=36×2+88=160 (cm)

7-2 (한 밑면의 둘레)=15×3.1=46.5 (cm)

(옆면의 가로)=(한 밑면의 둘레)=46.5 cm

(옆면의 둘레)=(46.5+7)×2=107 (cm)

➡ (전개도의 둘레)=46.5×2+107=200 (cm)

8-1 〔단계1〕 3×2×3=18 (cm)

〔단계2〕 한 밑면의 둘레가 18 cm이므로 원기둥의 높이가 종이의 가로에 오도록 그릴 수 없습니다.

〔단계3〕 (원기둥의 높이)

＝(직사각형 모양 종이의 세로)

－(밑면의 지름)×2

＝16−6×2=4 (cm)

8-2 (한 밑면의 둘레)=6×2×3=36 (cm)이고 세로가 33 cm이므로 원기둥의 높이가 종이의 가로에 오도록 그릴 수 없습니다.

(원기둥의 높이)

＝(직사각형 모양 종이의 세로)−(밑면의 지름)×2

＝33−12×2=9 (cm)

〔주의〕

원기둥의 높이가 종이의 가로에 오도록 그린 경우

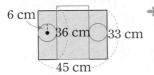

➡ 한 밑면의 둘레가 종이의 세로보다 길므로 종이 안에 전개도를 그릴 수 없습니다.

〔유형 TEST〕 〔170~172쪽〕

1 나, 마, 바 / 가　　　　**2** 가

3

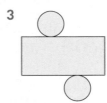

4 (×)(　)

5 모선의 길이

6 (　)(○)(　)

7 8 cm, 10 cm

8 8 cm, 7 cm　　　　**9** 6　　**10** 다은

11 〔예〕 밑면이 2개이고 뿔 모양이 아니기 때문입니다.

12 43.4 cm　　　　**13** 원뿔, 1 cm

14 37.2 cm

15 〔예〕 위에서 본 모양이 원입니다. / 〔예〕 앞에서 본 모양이 원기둥은 직사각형, 원뿔은 삼각형, 구는 원입니다.

16 〔예〕

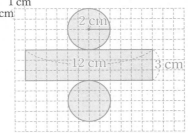

17 〔예〕 ❶ 밑면의 반지름을 □ cm라 하면 옆면의 가로는 밑면의 둘레와 같으므로

❷ □×2×3.14=31.4, □×6.28=31.4, □=5입니다.　　　　〔답〕 5 cm

18 〔예〕 ❶ 변 ㄱㄷ을 기준으로 돌리면 높이가 6 cm인 원뿔이 만들어집니다.

❷ 변 ㄴㄷ을 기준으로 돌리면 높이가 8 cm인 원뿔이 만들어집니다.

❸ 두 원뿔의 높이의 차는 8−6=2 (cm)입니다.　　　　〔답〕 2 cm

19 〔예〕 ❶ 돌리기 전의 평면도형은 반지름이 5 cm인 반원입니다.

❷ (돌리기 전의 평면도형의 넓이)

＝(반원의 넓이)=5×5×3.14÷2

＝39.25 (cm²)　　〔답〕 39.25 cm²

20 〔예〕 ❶ (한 밑면의 둘레)=13×3.1=40.3 (cm)

❷ (옆면의 가로)=(한 밑면의 둘레)=40.3 cm

❸ (옆면의 둘레)=(40.3+9)×2=98.6 (cm)

❹ (전개도의 둘레)

＝40.3×2+98.6=179.2 (cm)

〔답〕 179.2 cm

8 돌리기 전의 직사각형의 세로는 원기둥의 밑면의 반지름과 같으므로 밑면의 지름은 $4 \times 2 = 8$ (cm)입니다. 돌리기 전의 직사각형의 가로는 원기둥의 높이와 같으므로 7 cm입니다.

10 원뿔의 높이는 모선의 길이보다 짧습니다.

11 평가 기준

> 밑면이 2개이기 때문이라고 쓰거나 뿔 모양이 아니기 때문이라고 썼으면 정답입니다.

12 (옆면의 가로) = (밑면의 둘레)
$$= 7 \times 2 \times 3.1 = 43.4 \text{ (cm)}$$

13 원기둥의 높이는 14 cm, 원뿔의 높이는 15 cm이므로 원뿔의 높이가 $15 - 14 = 1$ (cm) 더 높습니다.

14 구를 평면으로 잘랐을 때 생기는 가장 큰 단면은 지름을 포함한 원이므로 지름은 12 cm입니다.
→ (단면의 둘레) $= 12 \times 3.1 = 37.2$ (cm)

15 평가 기준

> 공통점과 차이점을 각각 한 가지씩 바르게 썼으면 정답입니다.

16 (옆면의 가로) = (밑면의 둘레)
$$= 2 \times 2 \times 3 = 12 \text{ (cm)}$$
(옆면의 세로) = (원기둥의 높이) = 3 cm

17 채점 기준

❶ 옆면의 가로와 밑면의 둘레가 같음을 알고 있음.	2점	5점
❷ 밑면의 둘레를 구하는 식을 이용해 밑면의 반지름을 구함.	3점	

18 채점 기준

❶ 변 ㄱㄷ을 기준으로 돌렸을 때 원뿔의 높이를 앎.	2점	5점
❷ 변 ㄴㄷ을 기준으로 돌렸을 때 원뿔의 높이를 앎.	2점	
❸ 두 원뿔의 높이의 차를 구함.	1점	

19 채점 기준

❶ 돌리기 전의 평면도형이 반지름이 5 cm인 반원임을 앎.	2점	5점
❷ 반원의 넓이를 구함.	3점	

20 채점 기준

❶ 한 밑면의 둘레를 구함.	1점	5점
❷ 옆면의 가로가 한 밑면의 둘레와 길이가 같음을 앎.	1점	
❸ 옆면의 둘레를 구함.	1점	
❹ 전개도의 둘레를 구함.	2점	

앞단원 유형 다시 보기   173쪽

① 13   ② 28.26 cm²
③ 12.4 cm   ④ 96 cm²

① (지름) = (원주) ÷ (원주율)
$$= 40.82 \div 3.14 = 13 \text{ (cm)}$$

② (원의 넓이) $= 3 \times 3 \times 3.14 = 28.26$ (cm²)

③ ㉠ (원주) $= 14 \times 3.1 = 43.4$ (cm)
ㄴ (원주) $= 9 \times 2 \times 3.1 = 55.8$ (cm)
→ $55.8 - 43.4 = 12.4$ (cm)

④ 왼쪽 위에 있는 작은 반원을 오른쪽 아래 빈 곳으로 옮기면 색칠한 부분은 반지름이 8 cm인 반원과 같습니다.

→ (색칠한 부분의 넓이)
$$= 8 \times 8 \times 3 \times \frac{1}{2} = 96 \text{ (cm}^2)$$

재미있는 창의·융합·코딩   174~175쪽

코딩1   코딩2
창의3 180 cm²   창의4 432 cm²

코딩1 원기둥은 직사각형, 구는 원이 되어 나왔으므로 입체도형을 앞(옆)에서 본 모양과 같습니다. 따라서 원뿔을 기계에 넣으면 원뿔을 앞(옆)에서 본 모양과 같은 삼각형이 나옵니다.

코딩2 원뿔과 구 모두 원이 되어 나왔으므로 입체도형을 위에서 본 모양과 같습니다. 따라서 원기둥을 기계에 넣으면 원기둥을 위에서 본 모양과 같은 원이 나옵니다.

창의3 (고깔모자의 그림자의 넓이)
$$= 20 \times 18 \div 2 = 180 \text{ (cm}^2)$$

창의4 (농구공의 그림자의 넓이) $= 12 \times 12 \times 3$
$$= 432 \text{ (cm}^2)$$

1~2쪽 1. 분수의 나눗셈

1 8	**2** 14, $\dfrac{11}{14}$	**3** ╳
4 5	**5** 5	**6** 5
7 18	**8** 7	**9** ㉢
10 $1\dfrac{1}{5}$	**11** <	**12** 15일
13 $3\dfrac{1}{3}$ km	**14** $\dfrac{6}{11}$	**15** $\dfrac{3}{4}$ m
16 ㉠	**17** 28명	**18** 3개
19 $3\dfrac{1}{2}$	**20** $1\dfrac{1}{2}$시간	

6 $\dfrac{10}{11} \div \dfrac{2}{11} = 10 \div 2 = 5$

7 자연수: 14   분수: $\dfrac{7}{9}$

➡ (자연수)÷(분수)$=14 \div \dfrac{7}{9} = (14 \div 7) \times 9 = 18$

8 $\dfrac{7}{15} \div \dfrac{㉠}{15} = 7 \div ㉠ = 7 \div 4$ ➡ ㉠$=4$

$\dfrac{15}{16} \div \dfrac{3}{16} = 15 \div 3 = 15 \div ㉡$ ➡ ㉡$=3$

따라서 ㉠$+$㉡$=4+3=7$입니다.

9 ㉠ $\dfrac{3}{4} \div \dfrac{7}{8} = \dfrac{6}{7}$: 진분수

㉡ $\dfrac{9}{14} \div \dfrac{3}{10} = 2\dfrac{1}{7}$: 대분수

㉢ $\dfrac{8}{3} \div \dfrac{2}{9} = 12$: 자연수

10 $1\dfrac{3}{5} \div 2\dfrac{1}{2} \div \dfrac{8}{15} = \dfrac{8}{5} \div \dfrac{5}{2} \div \dfrac{8}{15}$

$= \dfrac{\overset{1}{\cancel{8}}}{\cancel{5}} \times \dfrac{2}{5} \times \dfrac{\overset{3}{\cancel{15}}}{\cancel{8}} = \dfrac{6}{5} = 1\dfrac{1}{5}$

11 $3\dfrac{1}{3} \div 4\dfrac{1}{6} = \dfrac{10}{3} \div \dfrac{25}{6} = \dfrac{20}{6} \div \dfrac{25}{6} = \dfrac{4}{5}$

$1\dfrac{3}{4} \div 1\dfrac{1}{2} = \dfrac{7}{4} \div \dfrac{3}{2} = \dfrac{7}{4} \div \dfrac{6}{4} = 1\dfrac{1}{6}$

➡ $\dfrac{4}{5} < 1\dfrac{1}{6}$

12 $12 \div \dfrac{4}{5} = (12 \div 4) \times 5 = 15$(일)

13 $4\dfrac{1}{6} \div 1\dfrac{1}{4} = \dfrac{25}{6} \div \dfrac{5}{4} = \dfrac{50}{12} \div \dfrac{15}{12} = 3\dfrac{1}{3}$ (km)

14 어떤 수를 □라 하면 □$\times 1\dfrac{1}{10} = \dfrac{3}{5}$,

□$= \dfrac{3}{5} \div 1\dfrac{1}{10} = \dfrac{3}{5} \div \dfrac{11}{10} = \dfrac{3}{\cancel{5}} \times \dfrac{\overset{2}{\cancel{10}}}{11} = \dfrac{6}{11}$입니다.

15 (삼각형의 넓이)=(밑변)$\times$(높이)$\div 2$이므로

$\dfrac{1}{4} = \dfrac{2}{3} \times$(높이)$\div 2$, $\dfrac{2}{3} \times$(높이)$= \dfrac{1}{\cancel{4}} \times \overset{1}{\cancel{2}} = \dfrac{1}{2}$,

(높이)$= \dfrac{1}{2} \div \dfrac{2}{3} = \dfrac{1}{2} \times \dfrac{3}{2} = \dfrac{3}{4}$ (m)입니다.

16 $15 \div \dfrac{1}{□} = 15 \times □$이므로 □ 안의 수가 클수록

$15 \div \dfrac{1}{□}$의 계산 결과가 큽니다.

17 (우유의 양)$= \dfrac{2}{3} \times \overset{4}{\cancel{12}} = 8$ (L)

➡ $8 \div \dfrac{2}{7} = (8 \div 2) \times 7 = 28$(명)까지 마실 수 있습니다.

18 $\dfrac{9}{10} \div \dfrac{3}{10} = 9 \div 3 = 3$,

$\dfrac{35}{6} \div \dfrac{7}{8} = \dfrac{\overset{5}{\cancel{35}}}{\cancel{6}} \times \dfrac{\overset{4}{\cancel{8}}}{\cancel{7}} = \dfrac{20}{3} = 6\dfrac{2}{3}$

$3 < □ < 6\dfrac{2}{3}$이므로 □ 안에 들어갈 수 있는 자연수는 4, 5, 6입니다. ➡ 3개

19 가장 큰 진분수: $\dfrac{7}{9}$ 가장 작은 진분수: $\dfrac{2}{9}$

➡ $\dfrac{7}{9} \div \dfrac{2}{9} = 7 \div 2 = \dfrac{7}{2} = 3\dfrac{1}{2}$

20 (1시간 동안 탄 양초의 길이)

$= 14\dfrac{2}{5} - 4\dfrac{4}{5} = 9\dfrac{3}{5}$ (cm)

➡ (양초가 다 타는 데 걸리는 시간)

$= 14\dfrac{2}{5} \div 9\dfrac{3}{5} = 1\dfrac{1}{2}$(시간)

3~4쪽 2. 소수의 나눗셈

1 6 **2** 276, 46, 276, 46, 6
3 (위에서부터) 10, 10, 23, 4, 4
4 $7\div0.25=\frac{700}{100}\div\frac{25}{100}=700\div25=28$
5 3 **6** 47 **7** 2.8
8 (위에서부터) 8, 80, 800
9

```
       3 2
7.5)2 4 0.0
     2 2 5
       1 5 0
       1 5 0
           0
```

10 ㉠ **11** 12명
12 2.44배 **13** 7봉지, 3.7 kg
14 4.3 cm **15** 84 km
16 정팔각형 **17** 3, 9, 6 / 320
18 24.75
19 (위에서부터) 5, 4, 4, 2, 0, 4
20 51.2 km

7 14.28 > 5.1 ➔ $14.28\div5.1=2.8$

8 나누는 수는 그대로이고, 나누어지는 수가 10배가 되면 몫도 10배가 됩니다.

9 몫의 소수점은 나누어지는 수의 옮긴 소수점의 위치와 같습니다.

10 ㉠ $8.76\div2.92=3$
㉡ $8.4\div4.2=2$
➔ 3 > 2이므로 ㉠ > ㉡입니다.

11 $45.51\div3.7=12.3$
➔ 12명까지 나누어 줄 수 있습니다.

주의
나누어 줄 수 있는 사람 수를 구해야 하므로 자연수로 답해야 함에 주의합니다.

12 $17.1\div7=2.44\not{2}\cdots\cdots$ ➔ 2.44배

13

```
    7    ← 봉지 수
6)4 5.7
  4 2
    3.7 ← 남는 쌀의 양
```

14 $22.36\div5.2=4.3$ (cm)

15 (한 시간 동안 달리는 거리)
=(달린 거리)÷(달린 시간)
$=151.2\div1.8=84$ (km)

16 (정다각형의 변의 수)$=4\div0.5=8$(개)
변이 8개인 정다각형이므로 정팔각형입니다.

17 가장 큰 수를 가장 작은 수로 나누어야 몫이 가장 큽니다.
➔ $96\div0.3=320$

18 $18☆0.75=(18\div0.75)+0.75$
$=24+0.75=24.75$

19

```
        ㉠.6
3.4)1 9.0 ㉡
    1 7 0
      2 0 ㉡
      2 0 ㉡
          0
```

$34\times5=170$ ➔ ㉠=5
$34\times6=204$ ➔ ㉡=4

20 1시간 24분=1.4시간이므로 이 자동차는 1시간 동안 $71.7\div1.4=51.2\not{1}\cdots\cdots$ ➔ 51.2 (km)를 간 셈입니다.

5~6쪽 3. 공간과 입체

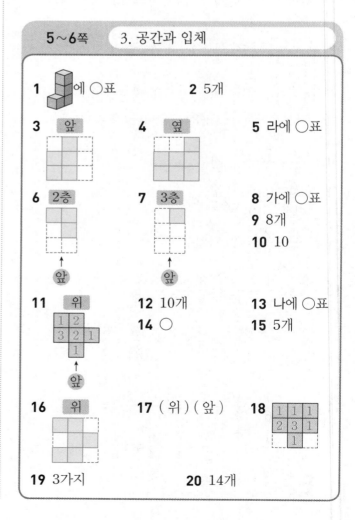

1 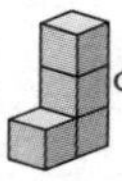에 ○표 **2** 5개

3 앞
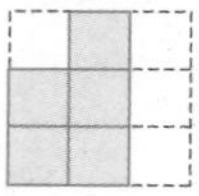

4 옆
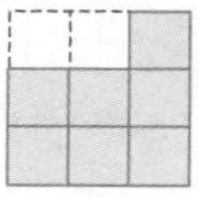

5 라에 ○표

6 2층
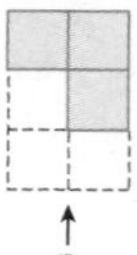
앞

7 3층
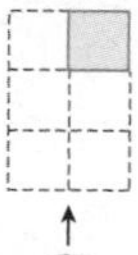
앞

8 가에 ○표
9 8개
10 10

11 위
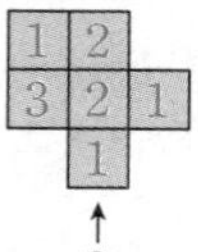

앞

12 10개 **13** 나에 ○표
14 ○ **15** 5개

16 위
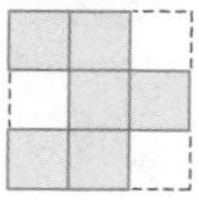

17 (위) (앞)

18
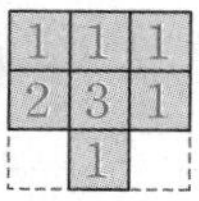

19 3가지 **20** 14개

2 1층이 4개, 2층이 1개이므로 주어진 모양과 똑같이 쌓는 데 쌓기나무 5개가 필요합니다.

3 위에서 본 모양을 보면 뒤에 보이지 않는 쌓기나무가 없습니다.

5 왼쪽부터 빗금, 물결, 점 무늬가 보이므로 라 방향에서 찍은 것입니다.

8 나의 3층 모양: 다의 2층 모양:

9 1층: 4개, 2층: 3개, 3층: 1개 ➡ 4+3+1=8(개)

10 위   ○ 부분에는 쌓기나무가 1개씩, △ 부분에는 쌓기나무가 2개씩, × 부분에는 쌓기나무가 3개입니다.
➡ 1+1+1+2+2+3=10(개)

11 각 자리에 쌓인 쌓기나무의 개수를 세어 위에서 본 모양에 수를 씁니다.

> **참고**
> 위에서 본 모양을 보면 보이지 않는 부분에 쌓기나무가 있음을 알 수 있습니다.

13 위에서 내려다보면 큰 오각형 안에 삼각형 5개로 작은 오각형을 만든 것으로 보입니다.

15 2 이상인 수가 적힌 칸이 5개이므로 2층에 쌓인 쌓기나무는 5개입니다.

16 위에서 본 모양은 1층 모양과 같습니다.

17 앞과 옆에서 본 모양은 아래부터 표시되어야 하므로 가운데가 위, 오른쪽이 앞에서 본 모양입니다.

19 위에서 본 모양이 정사각형이므로 1층에 4개, 각 층의 쌓기나무 수가 모두 다르므로 2층에 2개, 3층에 1개를 쌓아야 합니다.

➡

20 가장 작은 정육면체 모양을 만들기 위해 필요한 쌓기나무의 개수: 3×3×3=27(개)
주어진 모양에 있는 쌓기나무의 개수: 13개
➡ 더 필요한 쌓기나무의 개수: 27-13=14(개)

---

1 전항, 13   **2** (위에서부터) 4, 4, 4
3 27 : 24   **4** ㉠   **5** ①
6 35, 15   **7** 가   **8** ①, ④, ⑤
9 4 : 8=6 : 12 (또는 6 : 12=4 : 8)
10 125   **11** 30 cm, 25 cm
12 예 48 : 25   **13** 27   **14** 6, 4
15 ㉠   **16** 5 m   **17** 8
18 57 cm   **19** 예 3 : 2
20 12, 12, 16

3 9 : 8의 전항과 후항에 3을 곱하면
(9×3) : (8×3) ➡ 27 : 24가 됩니다.

4
$$5 : 7 = 20 : 28$$
(외항, 내항 표시)

5 비의 전항과 후항은 0이 아닌 같은 수로 나누어야 비율이 같은 비를 만들 수 있습니다.

6 $50 \times \dfrac{7}{7+3}=35$, $50 \times \dfrac{3}{7+3}=15$

7 나의 가로와 세로의 비
➡ 10 : 6 ➡ (10÷2) : (6÷2) ➡ 5 : 3

8 비례식은 외항의 곱과 내항의 곱이 같습니다.

9 $4 : 8$ ➡ $\dfrac{4}{8}=\dfrac{1}{2}$, $8 : 10$ ➡ $\dfrac{8}{10}=\dfrac{4}{5}$,
$6 : 12$ ➡ $\dfrac{6}{12}=\dfrac{1}{2}$
4 : 8과 6 : 12의 비율이 같습니다.

10 $25 \times 30=6 \times \square$, $6 \times \square=750$, $\square=125$

11 서윤: $55 \times \dfrac{6}{6+5}=30$ (cm),
연후: $55 \times \dfrac{5}{6+5}=25$ (cm)

12 $1.2 : \dfrac{5}{8}$ ➡ $(1.2 \times 40) : \left(\dfrac{5}{8} \times 40\right)$ ➡ 48 : 25

13 3 : 2의 후항에 9를 곱하면 18이 되므로 전항에도 9를 곱합니다.
3 : 2 ➡ (3×9) : (2×9) ➡ 27 : 18

정답 및 풀이

45

14 $36=㉠×6$, $㉠=6$

외항의 곱은 내항의 곱과 같으므로 $9×㉡=36$, $㉡=4$입니다.

15 ㉠ $8×35=7×□$, $□=40$

㉡ $1.4×30=3×□$, $□=14$

㉢ $2\frac{3}{5}×25=□×26$, $□=2.5$

16 옆 건물의 높이를 $□$ m라 하고 비례식을 세우면

$3:3.3=□:5.5$입니다.

$3×5.5=3.3×□$, $16.5=3.3×□$, $□=5$이므로 옆 건물의 높이는 5 m입니다.

17 $48:42 ➡ (48÷6):(42÷6) ➡ 8:7$

$▲:7=8:7$이므로 $▲=8$입니다.

18 나누어 갖기 전 리본의 길이를 $□$ cm라 하면

$□×\frac{12}{12+7}=36$, $□×\frac{12}{19}=36$,

$□=36÷\frac{12}{19}=\overset{3}{36}×\frac{19}{\underset{1}{12}}=57$입니다.

19 $\frac{1}{2}:\frac{1}{3} ➡ \left(\frac{1}{2}×6\right):\left(\frac{1}{3}×6\right) ➡ 3:2$

20 $9:㉠=㉡:㉢$에서 $9:㉠$의 비율이 $\frac{3}{4}$이므로

$\frac{9}{㉠}=\frac{3}{4}$, $㉠=12$입니다.

외항의 곱이 144이므로 $9×㉢=144$, $㉢=16$이고, 내항의 곱도 144이므로 $12×㉡=144$, $㉡=12$입니다.

9~10쪽	5. 원의 넓이

1 3, 3, 28.26

2 $\frac{1}{2}$　　　　　　**3** 37.2 cm

4 '반지름'에 밑줄, '지름'으로 고치기

5 =　　　　**6** 50, 100　　　**7** 4 cm

8 151.9 cm²　　**9** 53.38 cm　　**10** 198.4 cm²

11 8 cm　　**12** 5　　　**13** 216 cm²

14 50.24 cm²　　**15** =　　　**16** 507 cm²

17 8.1 cm²　　**18** 7바퀴　　**19** 84.78 cm²

20 99.4 cm

---

2 선분 ㄴㄷ의 길이는 원주의 반입니다.

3 (원주)$=12×3.1=37.2$ (cm)

5 $18.84÷6=3.14$, $31.4÷10=3.14$

➡ 두 원의 (원주)÷(지름)은 같습니다.

6 (마름모의 넓이)$=10×10÷2=50$ (cm²)

(정사각형의 넓이)$=10×10=100$ (cm²)

7 (지름)$=12.56÷3.14=4$ (cm)

8 (넓이)$=7×7×3.1=151.9$ (cm²)

9 (지름)$=8.5×2=17$ (cm)

➡ (원주)$=17×3.14=53.38$ (cm)

10 (반지름)$=16÷2=8$ (cm)

➡ (원의 넓이)$=8×8×3.1$
$=198.4$ (cm²)

11 (지름)$=50.24÷3.14=16$ (cm)

➡ (반지름)$=16÷2=8$ (cm)

12 $□×□×3.1=77.5$이므로

$□×□=77.5÷3.1=25$에서 $□=5$입니다.

13 (큰 원의 넓이)$=9×9×3=243$ (cm²)

(작은 원의 넓이)$=3×3×3=27$ (cm²)

➡ $243-27=216$ (cm²)

14 그릴 수 있는 가장 큰 원은 직사각형에서 짧은 변의 길이를 지름으로 하는 원입니다. 따라서 원의 지름은 8 cm입니다.

(반지름)$=8÷2=4$ (cm)

➡ (원의 넓이)$=4×4×3.14=50.24$ (cm²)

15 왼쪽: $8×8×3=192$ (cm²)

오른쪽: $8×8×3÷4×4=192$ (cm²)

> **참고**
>
> 오른쪽은 반지름이 8 cm인 원을 4등분한 사분원이 4개 있는 그림입니다. 따라서 반지름이 8 cm인 원의 넓이와 같습니다.

16 (접시의 반지름)$=78÷3÷2=13$ (cm)

➡ (접시의 넓이)$=13×13×3=507$ (cm²)

17 (정사각형의 넓이)$-$(원의 넓이)

$=6×6-3×3×3.1$

$=36-27.9=8.1$ (cm²)

18 (굴렁쇠가 한 바퀴 굴러간 거리)
$=25 \times 2 \times 3 = 150$ (cm)
10 m 50 cm = 1050 cm이므로 굴렁쇠가
$1050 \div 150 = 7$(바퀴) 굴렀습니다.

19
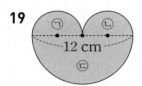

(㉠의 넓이)+(㉡의 넓이)+(㉢의 넓이)
$=3 \times 3 \times 3.14 \div 2 + 3 \times 3 \times 3.14 \div 2$
$+6 \times 6 \times 3.14 \div 2 = 84.78$ (cm^2)

다른 풀이

㉠+㉡은 반지름이 3 cm인 원 1개의 넓이와 같으므로
(색칠한 부분의 넓이)
$=$(반지름이 3 cm인 원의 넓이)
$+$(반지름이 6 cm인 반원의 넓이)
$=3 \times 3 \times 3.14 + 6 \times 6 \times 3.14 \div 2$
$=84.78$ (cm^2)입니다.

20 양쪽 끝에 있는 두 곡선 부분을 붙이면 원 1개의 원주와 같으므로 $7 \times 2 \times 3.1 = 43.4$ (cm)이고, 남은 직선 2개의 길이는 원의 지름 4개의 길이와 같으므로 $14 \times 4 = 56$ (cm)입니다.
➡ (굵은 선의 길이)$=43.4 + 56 = 99.4$ (cm)

11~12쪽 6. 원기둥, 원뿔, 구

1 나, 라	**2** 가	**3** 마
4 마	**5** 가	**6** 주하
7 선분 ㄱㄹ, 선분 ㄴㄷ		**8** ①
9 5 cm	**10** 18.84 cm	**11** 5
12 6 cm, 5 cm		

13 틀렸습니다. / 예 원뿔에는 뾰족한 부분이 있고, 원기둥과 구에는 뾰족한 부분이 없습니다.

14 2 cm	**15** ㉡, ㉢	**16** 465 cm^2

17 예

18 4.5 cm	**19** 141.6 cm	**20** 9 cm

---

4 어느 방향에서 보아도 항상 원 모양인 것은 구입니다.

5 나: 모선의 길이
다: 밑면의 지름

6 수희: 옆면이 직사각형이 아닙니다.
상진: 두 밑면이 겹쳐지는 위치에 있습니다.

7 밑면의 둘레와 길이가 같은 선분은 옆면의 가로입니다.

8 직사각형 모양의 종이를 한 변을 기준으로 돌리면 원기둥이 만들어집니다.

9 (원기둥의 높이)=(옆면의 세로)=5 cm

10 (옆면의 가로)=(밑면의 둘레)
$=3 \times 2 \times 3.14 = 18.84$ (cm)

11 구의 반지름은 반원의 반지름과 같으므로
$10 \div 2 = 5$ (cm)입니다.

12 만들어지는 입체도형은 원뿔입니다.

14 가의 높이: 8 cm
나의 높이: 10 cm ➡ $10 - 8 = 2$ (cm)

15 ㉠ 원기둥은 밑면이 원이고, 각기둥은 밑면이 다각형입니다.
㉢ 원기둥은 꼭짓점이 없고, 각기둥은 한 밑면의 변의 수의 2배만큼 꼭짓점이 있습니다.

16 캔을 한 바퀴 굴렸을 때 페인트가 칠해진 부분인 직사각형은 캔의 옆면을 펼쳐 놓은 것과 같습니다.
➡ $(5 \times 2 \times 3.1) \times 15 = 465$ (cm^2)

17 (옆면의 가로)=(밑면의 둘레)
$=2 \times 3 = 6$ (cm)

18 (옆면의 가로)=(밑면의 둘레)
$=$(밑면의 지름)$\times$(원주율),
➡ (밑면의 지름)$=27.9 \div 3.1 = 9$ (cm),
(밑면의 반지름)$=9 \div 2 = 4.5$ (cm)

19 (전개도의 둘레)
$=$(한 밑면의 둘레)$\times 2 +$(옆면의 둘레)
$=(5 \times 2 \times 3.14) \times 2 + (5 \times 2 \times 3.14 + 8) \times 2$
$=62.8 + 39.4 \times 2 = 141.6$ (cm)

20 (원기둥의 높이)=(밑면의 지름)=□ cm라 하면
(옆면의 둘레)
$=$(옆면의 세로)$\times 2 +$(옆면의 가로)$\times 2$,
$72 = □ \times 2 + (□ \times 3) \times 2$, $72 = □ \times 8$,
$□ = 9$입니다.

14~16쪽 총정리 수학 성취도 평가

1 2, 7 　　**2** 2, 6.28 　　**3** 1, 1, 3.14

4

5 (○)(　)

6 예 25 : 6

7 3.3 　　**8** 14 　　**9** 20, 24

10 ① 　　**11** 7도막 　　**12** $2\dfrac{13}{18}$

13

14

위에서 본 모양	앞에서 본 모양	옆에서 본 모양
○	○	○

15 ㉡

16 방법 1 예 $9.4-2-2-2-2=1.4$ / 4, 1.4

방법 2 예

1.4 / 4, 1.4

17 예 $2 : 3000 = \square : 9000$으로 비례식을 세우면 ⌐ +1점
$2 \times 9000 = 3000 \times \square$, $3000 \times \square = 18000$,
$\square = 6$입니다.
따라서 9000원으로 옥수수를 6개 살 수 있습니다. ⌐ +2점
답 6개 ⌐ +1점

18 $8\dfrac{3}{4} \div \dfrac{4}{5} = 10\dfrac{15}{16}$, $10\dfrac{15}{16}$ km

19 예
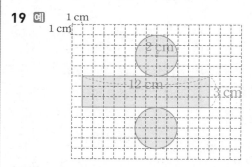

20 192 cm²

21 예 (쟁반의 원주)=(쟁반이 한 바퀴 굴러간 거리)
　　　　　　$=600 \div 5 = 120$ (cm) ⌐ +1점
(쟁반의 지름)$=120 \div 3 = 40$ (cm) ⌐ +2점
답 40 cm ⌐ +1점

22 32그루

---

23 예 (반지름)×(반지름)$=49.6 \div 3.1 = 16$이고
$4 \times 4 = 16$이므로 (반지름)$=4$ cm,
(지름)$=4 \times 2 = 8$ (cm)입니다. ⌐ +2점
➡ (원주)$=8 \times 3.1 = 24.8$ (cm) ⌐ +1점
답 24.8 cm ⌐ +1점

24 17개 　　**25** $154\dfrac{1}{6}$ cm

---

5 쌓기나무 10개로 쌓은 것이므로 뒤에 보이지 않는 쌓기나무는 없습니다.

6 $\dfrac{5}{6} : \dfrac{1}{5}$ ➡ $\left(\dfrac{5}{6} \times 30\right) : \left(\dfrac{1}{5} \times 30\right)$ ➡ 25 : 6

9 $44 \times \dfrac{5}{5+6} = 20$, $44 \times \dfrac{6}{5+6} = 24$

10 원뿔을 옆에서 본 모양이 오른쪽, 정육면체를 옆에서 본 모양이 왼쪽에 있으므로 ① 방향에서 본 것입니다.

11 $\dfrac{14}{15} \div \dfrac{2}{15} = 14 \div 2 = 7$(도막)

12 $2\dfrac{1}{3} \div \dfrac{6}{7} = \dfrac{7}{3} \div \dfrac{6}{7} = \dfrac{7}{3} \times \dfrac{7}{6} = \dfrac{49}{18} = 2\dfrac{13}{18}$

15 ㉠ 원기둥: 2개, 원뿔: 1개
㉡ 원기둥은 꼭짓점이 없고, 원뿔은 꼭짓점이 1개입니다.

18 (휘발유 1 L로 갈 수 있는 거리)
$=$(가는 거리)$\div$(휘발유의 양)

20 앞에서 본 모양이 정사각형이므로 원기둥의 밑면의 지름은 높이와 같은 16 cm입니다.
(밑면의 반지름)$=16 \div 2 = 8$ (cm)
➡ (밑면의 넓이)$=8 \times 8 \times 3 = 192$ (cm²)

22 (나무 사이의 간격 수)$=48 \div 3.2 = 15$(군데)
(한쪽에 심는 데 필요한 나무 수)$=15+1=16$(그루)
(양쪽에 심는 데 필요한 나무 수)$=16 \times 2 = 32$(그루)

24 쌓은 쌓기나무가 가장 많은 경우는 오른쪽과 같습니다.

➡ $2+3+3+2+3+3+1=17$(개)

25 공을 떨어뜨린 높이를 $\square$ cm라 하면
$\square \times \dfrac{3}{5} \times \dfrac{3}{5} = 55\dfrac{1}{2}$입니다.
➡ $\square = 55\dfrac{1}{2} \div \dfrac{3}{5} \div \dfrac{3}{5} = 154\dfrac{1}{6}$ (cm)

α | 실력

기본도 다지고 실력도 올리는
초등수학 실력서

· 중상위권 기본서
· 중하위권 **다지기용 실력서**

끝까지 **답**을 찾는

수학의 힘

시리즈

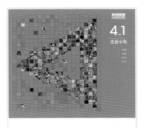

β | 유형

수학 자신감을 키워주는
파워 유형서

· 빠르게 개념 잡고, 적중 유형 & 응용 유형으로 **유형 Drill**
· 꼬리를 무는 유형 & 변형 유형으로 **유형 완벽 대비**

γ | 최상위

상위권 잡는
최신 유형 심화서

· 시중의 어떤 심화 교재보다도
  최신 유형, 고품질 문제 엄선
· 토론 발표형 문제 수록(브레인스토밍)

천재교육

정답은
이안에
있어 !